N

Après quinze années passées chez M6, Nicolas Beuglet a choisi de se consacrer à l'écriture de scénarios et de romans. *Le Cri* (2016) et *Complot* (2018) ont paru aux éditions XO. Il vit à Boulogne-Billancourt avec sa famille.

NICOLAS BEUGLET

COMPLOT

DU MÊME AUTEUR
CHEZ POCKET

LE CRI
COMPLOT
L'ÎLE DU DIABLE

NICOLAS BEUGLET

COMPLOT

XO
EDITIONS

Pocket, une marque d'Univers Poche,
est un éditeur qui s'engage pour la préservation
de l'environnement et qui utilise du papier fabriqué
à partir de bois provenant de forêts gérées
de manière responsable.

Le Code de la propriété intellectuelle n'autorisant, aux termes de l'article
L. 122-5, 2° et 3° a, d'une part, que les « copies ou reproductions
strictement réservées à l'usage privé du copiste et non destinées à une
utilisation collective » et, d'autre part, que les analyses et les courtes
citations dans un but d'exemple et d'illustration, « toute représentation ou
reproduction intégrale ou partielle faite sans le consentement de l'auteur
ou de ses ayants droit ou ayants cause est illicite » (art. L. 122-4).
Cette représentation ou reproduction, par quelque procédé que ce soit,
constituerait donc une contrefaçon, sanctionnée par les articles L. 335-2
et suivants du Code de la propriété intellectuelle.

© XO Éditions, 2018
ISBN : 978-2-266-29122-4

À mes deux filles, Juliette et Eva,
pour que votre monde soit plus juste.

À ma femme, Caroline,
qui aura bientôt la responsabilité de dédier
son propre livre à quelqu'un…

Jeudi 6 décembre 2018

Trop tard pour éviter les griffes d'une branche basse. Sarah négligea la douleur qui lui cingla la joue, prit son élan et bondit entre deux rochers en laissant échapper une sèche inspiration. Elle gagna le sommet de la butte rocailleuse en trois souffles et relança sa rapide foulée, ses cheveux noués fouettant sa nuque de plus belle.

Profitant du sentier dégagé qui sillonnait entre les arbres, elle jeta un bref coup d'œil par-dessus son épaule. Un homme émergea à l'instant même du talus rocheux, son regard ciblé sur elle. D'instinct, elle chercha vainement son HK P30 à sa cuisse pour tirer, avant de reprendre sa fuite dans une puissante accélération.

Le chemin grimpait vers le point culminant de l'île et elle fut éblouie par les faisceaux argentés du soleil couchant. Un bras protégeant son visage de l'aveuglante lumière et des branchages qu'elle ne prenait plus le temps d'esquiver, elle distingua l'irrégularité du crépitement des feuilles mortes sous ses pas. Il y avait deux mesures de trop : son poursuivant la talonnait.

Elle faillit solliciter un peu plus son cœur pour accélérer sa course, mais l'île était de toute façon trop petite pour qu'elle puisse semer qui que ce soit. Alors, autant tenter l'effet de surprise.

Elle diminua subtilement son allure et pivota au moment où elle sentit qu'il tendait la main vers elle pour la saisir. Elle s'empara de son bras et le fit chuter à terre, sur le dos.

Sa poitrine se soulevant au rythme d'une respiration maîtrisée, Sarah le toisa d'un air menaçant avant de lui sourire, les coins de sa bouche se plissant avec malice.

Bouillant de chaleur dans sa tenue de sport, une haleine sonore d'épuisement émanant de sa gorge avec la régularité d'un soufflet, Christopher parvint tout juste à opiner du chef pour reconnaître sa défaite et fit signe à Sarah de s'allonger à côté de lui.

Une main sur la hanche, elle secoua la tête de dénégation.

— C'est la Norvège, ici, mon chéri, pas ton petit hiver parisien. Si on reste sur ce sol glacé, on va choper la crève.

Christopher lui fit comprendre qu'il avait néanmoins besoin de quelques secondes de récupération.

Sarah s'amusa de le voir vaincu et se hissa d'un bond leste sur un rocher plat. Désormais au faîte de l'île, elle contempla le paysage qui s'offrait à elle. L'îlot de Grimsøya sur lequel ils avaient emménagé la semaine précédente se traversait en moins de dix minutes à pied et n'abritait pas plus de quarante-cinq maisons disséminées à l'abri des indiscrets parmi l'abondante végétation d'épicéas et de bosquets au feuillage persistant. Aux abords du rivage rocheux blanchi par l'écume, elle distingua quelques rares bateaux à moteur amarrés aux pontons des propriétés. Seuls moyens d'accéder à leur île depuis Oslo. Et même si la traversée ne durait qu'une poignée de minutes, Sarah se sentait loin de toute civilisation. Sur cette réserve de verdure où broutaient quelques chevaux dans des prés tapissés d'herbe fraîche et où s'épanouissait une faune de chevreuils et de renards, il lui semblait être une naufragée abandonnée de son plein gré sur les terres d'un Nouveau Monde. Alors qu'à deux kilomètres à peine à vol d'oiseau, la vie grouillait dans le centre-ville de la capitale.

Elle laissa son regard dériver au large de l'île, là où on apercevait parfois la nageoire dorsale d'une orque affleurer à la surface des eaux cendrées de l'Oslofjord. Mais, en cette fin de journée d'un hiver naissant, seuls les derniers rayons du soleil faisaient couler leurs gouttes dorées sur l'étendue marine.

Sarah se laissa éblouir par les reflets ambrés et inspira une grande goulée d'air pur. Jamais elle n'aurait pu espérer retrouver une telle sérénité au cours de son existence. D'ici deux mois, elle fêterait ses quarante ans, et elle savait au plus profond d'elle qu'elle pourrait vivre là jusqu'à la fin de ses jours, aux côtés du seul homme qui lui avait redonné confiance dans la vie de couple, et même dans la vie tout court.

Le vent se leva, frisant les vaguelettes de la mer du Nord et faisant grincer les ramures dépouillées des arbres. Ce bruissement crépusculaire l'empêcha d'entendre le faible signal sonore que son téléphone émit dans sa poche.

— Prêt ? s'exclama-t-elle en bondissant au bas du rocher. Allez, debout ! On a encore une centaine de cartons à déballer.

Christopher refusa de bouger, encore essoufflé.

Elle lui tendit la main et, malgré son modeste gabarit, elle l'aida à se relever d'une poigne solide.

Leurs visages se firent face et il la détailla comme s'il la voyait encore pour la première fois. La course avait coloré son teint d'ordinaire ivoirin et nappé sa peau d'un voile de sueur. Tant et si bien que ses taches de rousseur brillaient comme autant de paillettes orangées autour de ses yeux d'un bleu de glace. Ce regard dense, qui intimidait tous ceux qui le croisaient, avait pour lui la douceur et la profondeur d'une promesse. C'était d'ailleurs cette facette qui l'avait séduit chez Sarah : cette déstabilisante capacité de passer de la froideur professionnelle à la chaleur infinie dans l'intimité.

Son attention rivée sur ses lèvres encore palpitantes, il posa sa main sur sa nuque et l'embrassa. Sarah caressa sa joue, goûtant avec plaisir le picotement d'une barbe drue lorsque Christopher se retira d'un geste soudain, le souffle court.

Courbé en deux, les mains sur les cuisses, il tentait de reprendre sa respiration.

— Ça va ? s'inquiéta Sarah.

— Oui… oui… c'est juste que… je… je… suis tellement crevé… que j'ai… j'ai même pas l'oxygène pour… t'embrasser…

Sarah éclata de rire. D'un air penaud, Christopher se redressa et pouffa de rire à son tour avant de s'asseoir par terre.

— Je m'en fous… j'aurai deux Mister Freeze à la place… des fesses… mais j'en peux plus.

Sarah se résigna à s'asseoir à ses côtés. Elle ne se souvenait pas avoir autant vécu de moments de rire et de connivence avec l'autre homme qui avait partagé sa vie pendant plus de dix ans. Ils avaient pourtant construit le projet de fonder une famille en achetant un vieil appartement qu'ils avaient retapé et en affrontant les pires épreuves pour tenter d'avoir un enfant. Mais, à bien y réfléchir, elle réalisait qu'elle avait toujours plus ou moins contrôlé sa personnalité avec lui. Comme si elle avait inconsciemment cherché à coller à l'image qu'il se faisait d'elle, ou en tout cas au modèle de couple qu'on attendait d'eux. Avec Christopher, elle goûtait un sentiment certes simple, mais qui donne tout son sens à la vie : celui de se sentir libre d'être aimé telle qu'on est.

Elle le considéra d'un air amusé.

— Méfie-toi, si tu t'évanouis de froid, je ne pourrai même pas te faire un bouche à bouche vu comment ça te réussit.

— Les gens avec qui tu bosses savent que tu fais des blagues ? Non, mais parce que ce serait intéressant de voir comment ils réagissent.

Sarah sourit d'un air embarrassé et baissa la tête.

— Chaque chose à sa place.

— Oui, je sais, et je sais aussi que tu as raison. Mais je suis tellement heureux d'être avec toi que parfois j'aurais envie que tout le monde prenne conscience que tu es une femme incroyable. Même en dehors de ton travail, je veux dire.

Sarah détacha ses cheveux qui formèrent un léger rideau roux sur ses épaules et posa sa tête sur l'épaule de Christopher.

— Les seules choses qui comptent vraiment, c'est toi, Simon, ma famille et les victimes dont j'ai le devoir de retrouver l'assassin. Ce que les autres pensent n'a aucune importance.

Christopher approuva d'un hochement de tête en s'attardant sur les traces de brûlure autour de son œil droit et les premières rides qui plissaient son front, témoins, s'il en fallait, de la gravité avec laquelle elle avait traité chacune de ses affaires.

— À propos de victime, j'ai rêvé tout à l'heure ou t'as cherché ton arme pour me tirer dessus quand je suis arrivé en haut de la butte ?

Sarah chassa le flot de pensées angoissantes qui brouillaient subitement son esprit et répliqua sur un ton badin.

— Non tu n'as pas rêvé et, si je l'avais eu, je t'aurais tiré dessus. Là, commença-t-elle en touchant sa poitrine côté cœur, là, ajouta-t-elle en posant un doigt sur ses lèvres, et certainement encore là, termina-t-elle en laissant glisser une main sur sa nuque.

Christopher sentait un frisson de plaisir lui parcourir le corps chaque fois qu'elle le touchait.

— Bon, je crois que j'ai bien repris mon souffle.

Sarah haussa un sourcil suspicieux.

— Vas-y, fais voir, je te dirai si tu es bien en vie.

Christopher approcha ses lèvres de celles de Sarah avant de s'arrêter à nouveau.

— Qu'est-ce qu'il y a encore ? murmura-t-elle.

— On nous observe…

Sarah se raidit plus que Christopher ne l'aurait souhaité.

— Attends, t'inquiète, c'est juste ça, derrière toi. Fais doucement.

Elle se retourna avec précaution.

Un chevreuil se tenait comme figé par le froid au milieu du sentier, à une dizaine de mètres. Le museau orienté dans leur direction, les oreilles dressées comme des radars, il les scrutait avec une acuité inquiète.

— Je crois qu'il est jaloux, chuchota Christopher… comment on dit chevreuil en norvégien ?

— *Radyr*…

— Bon, désolé mon pote *radyr*, mais Sarah n'aime pas les types trop poilus. Reviens une fois épilé, mais là je te garantis que tu vas te prendre un vent. Et avec elle, on ne s'en remet pas tout de suite…

Le chevreuil considéra le couple, brouta une touffe d'herbe avec une indifférence manifeste et reprit son chemin pour disparaître entre les arbres.

— Tu crois que le fait de savoir dire chevreuil va t'aider à trouver un poste dans un journal norvégien ? lui demanda Sarah d'un air faussement sérieux.

— Eh bien, je peux te l'annoncer officiellement, j'ai trouvé un boulot !

— Quoi ? T'es embauché ? Mais pourquoi tu ne m'as rien dit ?

— J'ai eu la confirmation par texto juste avant que tu partes comme un guépard tout à l'heure.

— Mais c'est formidable ! Tu vas bosser où ?

— Dans l'hebdo *Morgenbladet*.

— Excellent. Monsieur est chez les intellectuels…
de ceux qui prennent le temps de réfléchir. Je suis tellement contente !

Sarah embrassa Christopher et le serra contre elle.
Si heureuse de voir que son intégration dans son pays
prenait forme.

— Et tu vas y faire quoi ? Enfin, je veux dire : tu
ne parles pas norvégien.

— Je leur ai dit que votre modèle de société était
tellement différent du nôtre que je leur proposais de
comparer la France et la Norvège sur l'école, la nourriture, la politique, les rapports hommes-femmes…

— Tu vas être parfait ! Et c'est vrai que le mot
radyr te sera très utile quand tu feras un papier sur
les différences entre le chasseur français et le chasseur
norvégien.

Sarah coula un regard taquin vers Christopher qui
sourit, juste avant de reprendre un air sérieux.

— Tu sais, j'ai appris plein d'autres mots.

— Comme quoi ?

— Par exemple, j'aimerais bien te dire *je t'aime* en
norvégien. Mais ça sonne tellement bizarre que j'aurais
l'impression de t'insulter.

— Vas-y insulte-moi.

De la pulpe de son pouce, Christopher essuya la
fine ligne de sang qui maculait la joue de Sarah, là où
la branche l'avait fouettée. Puis d'une voix hésitante,
plus tremblante qu'il ne l'aurait voulu :

— *Aig elkardèg…*

Sarah se pinça les lèvres, contenant une émotion à
mi-chemin entre le fou rire et le bonheur.

Elle le serra dans ses bras, la joue posée sur sa poitrine, émue un peu plus encore par le battement nerveux du cœur de Christopher qui s'était depuis longtemps reposé de sa course. Puis, n'écoutant qu'une pulsion aussi brutale qu'évidente, elle leva les yeux vers lui.

— *Jeg vil ha et barn med deg.*

— Quoi ?

— Allez, on rentre. Je ne sais pas ce que c'est qu'un Mister Freeze, mais je n'ai pas envie d'y ressembler.

— Sarah, tu m'as dit quoi, là ?

— Tu chercheras sur Google.

Et Sarah allait partir à petites foulées lorsque à son tour, tel le chevreuil qu'ils avaient aperçu, elle s'immobilisa, levant une main pour intimer le silence.

— Qu'est-ce qu'il y a ? Tu veux me faire la même blague, chuchota Christopher.

Elle ne répondit pas. Et dans ce cas-là, il savait qu'il ne fallait pas insister. Elle leva les yeux vers le ciel engourdi par le gris de la nuit tombante. Une brise s'était de nouveau levée et les feuilles mortes semblaient mues par une main invisible qui les tourmentait dans un bruissement sinistre.

— Écoute, murmura Sarah.

Christopher ne percevait que le ressac des vagues mêlé au gémissement du vent dans les branches.

Sarah lui indiqua un point invisible, au loin, vers l'horizon. Quelques secondes s'écoulèrent et, à son tour, il l'entendit.

Le vrombissement des rotors, d'abord léger, se fit de plus en plus distinct. Puis la silhouette imposante émergea, au ras des arbres, se présentant à l'est, en provenance d'Oslo. Il approchait clairement en direction de l'île. La nuit tombante empêchait de distinguer ses couleurs et ses formes avec précision. L'œil n'était attiré que par les deux feux de position brillant de leur éclat rouge.

— Pourquoi tu t'arrêtes, c'est juste un hélico ? demanda Christopher.

— Les hélicoptères ne sont pas autorisés à passer si près de l'île…

Mais, en réalité, c'était un autre détail qui la dérangeait. Elle avait l'impression de reconnaître la ligne de l'aéronef. Et la présence de ce modèle n'aurait eu aucun sens ici.

Christopher comprit que Sarah ne bougerait pas avant d'être rassurée. Il avait appris à respecter l'instinct et la méfiance de celle sans qui ni lui ni son fils adoptif, Simon, ne seraient encore de ce monde.

Il attendit donc avec nervosité que l'hélicoptère les survole et les dépasse.

La découpe noire de l'appareil grandissait dans le ciel à mesure que le vrombissement des pales vibrait dans leur poitrine. Plus rien d'autre n'existait que cette masse volante au débit de mitrailleuse.

Sarah sentait son cœur battre trop vite. Quelque chose n'allait pas. L'hélicoptère avait réduit sa vitesse : il cherchait à se stabiliser au-dessus de l'île en vol stationnaire. Les branches des arbres se couchèrent sous le tourbillon d'air qui s'abattait sur elles, les rares feuilles encore accrochées s'arrachant dans des circonvolutions affolées.

— Sarah, qu'est-ce qui se passe ? cria Christopher pour couvrir le tchop-tchop étourdissant de l'appareil.

Les cheveux virevoltant devant les yeux, Sarah ne décrochait pas son regard de l'engin, qui amorçait sa descente.

— Il est au-dessus de notre maison ! lança Christopher. Qui c'est ? Qu'est-ce qu'ils nous veulent ?! Et Simon qui est tout seul !

Christopher venait d'empoigner la main de Sarah pour redescendre vers leur propriété. Mais elle ne put faire un pas : incapable de distinguer le blason de l'appareil qui aurait permis de l'identifier, elle venait de reconnaître avec certitude le bruit typique de ces quatre pales claquant dans l'air. Moins fort et plus aigu que celui des autres hélicoptères, il trahissait la présence d'un modèle qui n'avait effectivement rien de celui de tourisme. C'était absurde.

Un NH90.

L'hélicoptère des Forces spéciales norvégiennes.

– 2 –

Sarah et Christopher déboulèrent en bas du sentier qui rejoignait leur propriété. Une confortable maison moderne de plain-pied, à l'architecture de bois, aux larges baies vitrées qui permettaient d'avoir une vue à 180 degrés sur la mer et le vaste jardin depuis le salon. Debout devant le canapé, face à la vitre qui donnait vers l'arrière de la demeure, un enfant d'environ dix ans se tenait immobile, comme hypnotisé par l'invraisemblable spectacle qui se déchaînait devant lui.

Dans des bourrasques de tempête, l'hélicoptère venait de se poser dans le jardin. Les flashs des feux de signalisation irradiaient leur luminosité sanguine contre les vitres de la maison, crevant la pénombre avec une régularité épileptique.

Essoufflés, les bras camouflant leur visage, penchés en avant pour offrir moins de résistance au souffle des pales qui tournoyaient encore, Christopher et Sarah aperçurent quatre silhouettes armées sauter à terre.

Si le doute avait encore été permis quelques instants plus tôt, il ne l'était plus. Sarah reconnut en un clin d'œil la tenue des commandos. Leur treillis noir, la poitrine protégée par un épais gilet pare-balles kaki ceinturé d'une rangée de quatre étuis remplis de chargeurs. Leur fusil d'assaut HK 417 en bandoulière, le pistolet HK USP fixé à la cuisse, le visage masqué par une cagoule sombre et le crâne protégé par un casque surmonté de lunettes infrarouges à vision nocturne, les quatre militaires s'approchaient au pas de charge.

— Sarah, qu'est-ce qui se passe ?! paniqua Christopher.

Ce débarquement armé chez eux n'avait aucun sens. Qu'est-ce qui pouvait justifier une telle intervention ?

Il voulut courir vers l'entrée de la maison pour rejoindre Simon, mais Sarah avait anticipé sa réaction et lui agrippa le bras.

— Ne bouge pas ! cria-t-elle, sa voix aux trois quarts recouverte par les turbines qui décéléraient à peine.

Bien qu'elle sût qu'ils seraient morts ou capturés depuis longtemps si leurs visiteurs avaient été offensifs, elle se méfiait des gestes qui pouvaient paraître suspects en face d'une telle force de frappe.

L'un des quatre militaires se détacha du groupe. Un homme d'une quarantaine d'années, d'au moins un mètre quatre-vingt-dix, au visage large et aux yeux étroits, qui dirigea son attention uniquement vers Sarah.

— Lieutenant-colonel Harald Paulen des FSK, déclara-t-il d'une voix puissante et ferme, ignorant le souffle de l'hélico qui faisait claquer le tissu de sa tenue. Êtes-vous bien Sarah Geringën ?

Pourquoi êtes-vous là ? Qu'est-ce que vous voulez ? Toutes ces questions affleurèrent aux lèvres de Sarah. Mais elle savait mieux que quiconque que les militaires fonctionnent aux ordres et non aux demandes. Plus par souci d'éviter une discussion inutile que par respect pour son interlocuteur, elle répondit.

— Affirmatif.

— Que voulez-vous ? lança Christopher inquiet alors que les pales arrêtaient enfin de tourner dans un sifflement strident. C'est quoi, ce… ce… tout ça ?

Le lieutenant-colonel leur fit comprendre d'un geste directif qu'il souhaitait entrer dans la maison.

— Dites-nous d'abord ce…

Sarah serra un peu plus fort la main de Christopher, qui renonça à sa question et se dirigea vers l'entrée, suivi par le commandant et un autre soldat. Les deux autres se postant devant l'entrée en formation de surveillance.

À peine franchi le seuil, Christopher s'empressa de rejoindre Simon, qui venait d'apparaître au bout du couloir menant au salon.

— Qu'est-ce que vous faites ici ? lâcha Sarah en recouvrant sa froideur professionnelle.

Le lieutenant-colonel glissa sa main dans une poche extérieure de sa veste et en tira une enveloppe qu'il tendit à l'inspectrice.

Elle décacheta le courrier et déplia une feuille siglée du logo du ministère de l'Intérieur norvégien.

Inspectrice Sarah Geringën,

Je vous prie de bien vouloir suivre sur-le-champ le commandant Paulen jusqu'à la destination où il vous conduira.

Votre compétence y est requise avec la plus grande urgence.

Pour des questions de confidentialité et de sécurité, la raison de votre collaboration vous sera expliquée une fois sur place.

Mes plus respectueuses salutations.

Kasberg De Hagen
Commandant des Forces spéciales

La lettre était tamponnée, signée. Sarah la leva à hauteur de visage et repéra le minuscule insigne de l'épée encadrée des deux ailes. Quasi invisible à l'œil nu pour ceux qui ne le savaient pas, il permettait une identification de l'officialité d'une demande par les membres connaisseurs. Nul doute qu'il s'agissait d'un document authentique.

Si le lieutenant-colonel ne s'était pas trouvé devant elle dans son immobilité militaire, Sarah n'aurait pas cru ce qu'elle venait de lire. Une sensation de perte de contact avec la réalité la traversa l'espace de quelques secondes. Elle était entraînée, expérimentée et avait surmonté des situations bien plus complexes et violentes, mais ce genre d'intrusion dans sa vie privée était une première.

Alors que son corps réagissait par une augmentation en flèche de la pression artérielle, son esprit s'agitait : quel événement pouvait être si grave qu'il justifie une demande personnelle du commandant des FSK ? Quelle urgence nécessitait de venir la chercher en hélicoptère, en plein week-end ? Mais surtout, pourquoi elle ?

Elle considéra Christopher et Simon dans le salon. Ils la regardaient, l'air d'attendre un verdict capital.

— Madame, nous devons redécoller, précisa le commandant en consultant sa montre.

— Est-ce que j'ai le temps de prendre quelques affaires ?

— Un manteau, très chaud.

Elle porta la main à sa parka d'automne accrochée au portemanteau de l'entrée.

— Plus chaud.

— On est à peine au début de l'hiver…

— Pas là où nous allons. Préparez-vous au pire.

— Une seconde.

Sarah s'empressa de gagner le salon.

— Qu'est-ce qui se passe ? lui demanda Christopher d'un ton pressant.

— Écoute, je ne sais pas exactement, mais le ministre de l'Intérieur ordonne que je sois escortée quelque part où ils auraient un besoin urgent de mes compétences.

Christopher ne parvenait pas à assimiler les informations.

— Quoi ?

— Je dois partir avec le FSK, maintenant. Je n'en sais pas plus.

— Mais tu as déjà vécu un truc comme ça ? C'est normal ?

— Non. Absolument pas. Quelque chose de grave a dû arriver, répondit-elle plus bas en espérant que Simon ne l'entende pas. Mais ils ne me donneront aucun détail avant que l'on soit en vol.

Christopher se passa une main sur le visage, blême.

Dehors, on entendit les turbines de l'hélicoptère se remettre en route et le moulin des pales fouetter de nouveau l'air froid du crépuscule.

— Je… je ne peux pas refuser, reprit Sarah.

— Oui, oui bien sûr. C'est juste que je…

Il aurait voulu lui dire combien il était inquiet, mais il savait que Sarah avait compris sans qu'il ait besoin de parler.

— On en a vu d'autres, non ? le rassura-t-elle en prenant sur elle pour paraître confiante.

Christopher approuva en prenant une profonde inspiration.

— Inspectrice… l'interpella le commandant d'un ton qui trahissait l'impatience. Vous avez servi dans notre division. Vous connaissez le sens du mot urgent.

Sarah s'agenouilla et prit les mains de Simon.

— Chéri, je suis désolé de tout ce remue-ménage, mais ne t'inquiète pas, ce n'est pas parce que ça fait du bruit et qu'il y a des militaires que c'est grave. En revanche, c'est important et il faut que j'aille les aider à éclaircir quelque chose un peu loin d'ici. Je reviens très vite, OK ?

Les yeux rouges de larmes, Simon détourna la tête, et arracha ses mains de celles de Sarah pour courir vers sa chambre.

Christopher ne chercha pas à le rattraper. Et devant le visage défait de celle qu'il aimait, il la prit dans ses bras et la serra fort.

— C'est parce qu'il t'aime tellement. Ne t'inquiète pas à ton tour, les enfants savent très bien faire la différence entre ce que les parents font pour les éviter et ce qu'ils font parce qu'ils sont obligés de le faire… dépêche-toi et appelle-moi dès que tu peux.

Sarah inspira une grande bouffée d'air dans le cou de Christopher, et l'embrassa. Puis elle fila dans leur chambre, en ressortit avec une parka d'hiver déjà sur le dos, des gants, des boots, une polaire et un bonnet qu'elle fourra dans un sac à dos avant de gagner directement l'entrée.

Le commandant tapa sur l'épaule d'un des militaires qui gardaient l'entrée et ils quittèrent la maison sous le tourbillon de vent provoqué par l'envolée imminente de l'hélicoptère.

Juste avant de se hisser dans la carlingue, Sarah se retourna une dernière fois pour voir Christopher lui faire un signe de la main depuis le salon. Elle chercha Simon du regard, sans le trouver.

Le cœur serré, elle grimpa sur le marchepied et prit place sur l'un des sièges que le commandant lui désigna, alors que le dernier militaire à monter à bord refermait la porte coulissante de la cabine.

Elle boucla son harnais de sécurité avec des réflexes qui révélaient son passé militaire et salua les trois autres soldats, qui prenaient place à ses côtés. Ces derniers lui retournèrent respectueusement son salut alors que l'appareil quittait le sol pour s'élever à l'horizontale au-dessus des arbres. Le pilote amorça une manœuvre de pivotement et l'hélico s'éloigna en direction du nord.

Sarah accorda un dernier regard à l'île, son île, chassa son sentiment de culpabilité et enfila le casque de communication accroché à son côté.

— Maintenant, je vous écoute dit-elle au commandant.

Ce dernier ne sembla guère apprécier qu'elle prenne la parole avant lui, mais s'abstint de tout commentaire.

— Le vol va durer sept heures.

Sarah fit un rapide calcul. Ils quittaient le territoire norvégien ?

— Nous ferons une escale à mi-chemin, au camp de Drejva, pour nous ravitailler en carburant, mais nous ne prendrons pas le temps de descendre. Nous atteindrons notre destination sur le coup des deux ou trois heures du matin, en fonction des vents.

Comme elle avait l'habitude de faire lors de ses interrogatoires, Sarah ne réitéra pas sa question et se contenta de regarder le commandant, qui comprit encore plus clairement le message.

— Notre destination est le port de Vardø, dans la mer de Barents.

Vardø… songea Sarah en ayant peine à y croire. La dernière ville de Norvège avant la Russie à l'est et l'Arctique au nord. Jamais elle n'aurait cru se rendre un jour dans ce port de glace perdu sur des terres abandonnées par la vie.

Le commandant savait pertinemment qu'elle attendait la suite des explications, mais il semblait hésitant et nettoyait une tache imaginaire sur la crosse de son fusil.

Habitué à observer les comportements et à en percevoir les modulations les plus infimes, Sarah remarqua que les trois autres membres du commando avaient pour l'un réajusté sa cagoule, et pour les deux autres tourné la tête vers leur hublot.

Ces hommes étaient entraînés toute leur vie à gérer le stress dans des situations extrêmes. Et pourtant ce que le commandant se refusait à révéler les mettait visiblement mal à l'aise. Sarah attendit patiemment, alors que l'appareil était secoué par quelques coups de vent violents et brefs.

— Pourquoi moi ? finit par demander Sarah, bien consciente qu'elle ne pourrait faire transgresser les ordres à cet homme.

Le commandant répondit d'une moue approbative, jugeant la question légitime.

— Le ministre de l'Intérieur a tenu à mettre sur cette affaire une personne reconnue pour sa rigueur, mais aussi sa capacité d'adaptation aux situations… différentes.

— C'est-à-dire ?

— Je regrette, je n'ai pas eu accès aux détails du dossier. Nous avons été sollicités depuis Oslo pour venir vous chercher au plus vite. Je vous ai dit tout ce que je savais. Il faudra attendre votre arrivée sur place où vous serez briefée par le médecin légiste et les officiers actuellement en charge de l'enquête. D'ici là, je vous conseille de vous reposer. Votre nuit va être longue.

— Qu'est-ce que vous entendez par situation différente ? répéta Sarah comme si elle venait de poser la question pour la première fois.

Le commandant lui jeta un regard d'autant plus contrarié qu'il sentait ses hommes attendre de voir comment il allait réagir face à cette femme qui défiait son autorité.

— Comme je vous l'ai dit, je ne suis pas habilité à…

— … à me fournir tous les éléments dont vous disposez, y compris les informations officieuses qui ont fuité, afin que je sois le plus efficace possible en arrivant sur place ? C'est cette pseudo-habilitation dont vous me parlez ? Et dont nous parlerons au ministre de l'Intérieur ?

Paulen secoua la tête et retira son casque d'un air agacé. Il se leva de toute sa haute stature et s'approcha de Sarah. Elle se raidit instinctivement.

Mais il débrancha le commutateur de son casque et souleva un des écouteurs pour lui parler dans l'oreille. Il éleva la voix pour qu'elle entende malgré le bruit de l'hélicoptère, mais pas assez pour que les autres membres du commando comprennent ce qu'il disait.

— La victime est, disons, loin d'être commune. Mais d'après ce que j'ai compris, les équipes de la police scientifique sont encore plus déstabilisées par la façon... dont elle a été tuée. Je sais que ce n'est pas un langage très *professionnel*, mais le terme qui revenait le plus souvent était *étrange*.

Paulen retourna s'asseoir et laissa Sarah à ses interrogations.

Qu'est-ce qu'ils entendaient par un mode opératoire *étrange* ? Et qui était cette victime si particulière ?

Sarah regarda par le hublot.

L'immense nuit norvégienne avait désormais envahi le ciel de son ombre glacée et seul le reflet rougeoyant des lumières de l'hélico sur les nuages permettait de savoir que l'on était en altitude.

Sarah enfila la polaire qu'elle avait emportée avec elle, réajusta le holster qui soutenait son HK P30 de service, troqua ses baskets contre ses boots de neige fourrées, releva le col de sa parka et appuya la tête sur le dossier de son siège avant de fermer les yeux.

Elle espérait que le vrombissement de l'appareil la bercerait et viendrait à bout de la tempête de questions qui grondait sous son crâne, avant son arrivée dans le désert glacé de Vardø.

– 3 –

Debout face à l'une des baies vitrées de leur spa-
cieux salon encore encombré d'une quantité de cartons
de déménagement, Christopher attendit que le dernier
clignotement des feux de l'hélicoptère soit avalé par
l'horizon pour reprendre contact avec son environnement immédiat. Pour quelle destination Sarah était-elle
partie ? Qu'avait-il pu se passer de si grave pour qu'on
vienne la chercher dans des conditions aussi extrêmes ?
Était-elle en danger ? Dans combien de temps aurait-il
des nouvelles ?

Il savait que sa vie auprès d'une femme inspectrice
serait faite d'inquiétude. Mais, pour le moment, c'était
bien la fierté qui primait. Fier d'être le compagnon
d'une femme aussi demandée et reconnue par ses pairs.
Et surtout fier de la façon dont elle envisageait son
métier. Il se rappela avec quelle éloquence elle avait un
jour répondu à l'un de ses copains qui avait déclaré que
flic était quand même plutôt un métier d'homme que
de femme. Allant jusqu'à prétendre, avec l'assurance
de ceux qui sont persuadés de dire tout haut ce que

tout le monde pense tout bas, que les nanas n'étaient pas faites pour ça.

— Pas faite pour *quoi* au juste ? avait répliqué Sarah. Maîtriser la loi et les procédures ? Être intègre et juste ? Faire preuve de patience, de rigueur, de persévérance, de sang-froid ? Savoir s'adapter rapidement, mettre de côté l'émotion, la colère, le dégoût ? Il me semble que toutes ces compétences sont partagées par les hommes et les femmes, non ? Comme la bêtise, l'arrogance et le mépris, qui font de très mauvais flics d'ailleurs. Comme quoi, c'est bien que vous ayez choisi d'être journaliste.

Christopher souriait en se remémorant cet échange lors de son pot de départ de Paris.

Il consulta son téléphone dont l'écran n'affichait aucun message et s'efforça de ne pas céder à la tentation d'envoyer un SMS à Sarah. Plus par peur de la déconcentrer que par risque de passer pour un conjoint stressé.

Et dire qu'ils avaient choisi de vivre sur l'île de Grimsøya pour se tenir à l'écart de l'agitation et de la notoriété récemment acquise par Sarah au cours de l'affaire dite « 488 » ! C'était une franche réussite, ironisa-t-il pour lui-même en regardant l'herbe du jardin encore couchée en spirale, là où l'hélicoptère s'était posé.

Il allait quitter le salon quand il remarqua qu'il manquait un carton sur l'une des piles. Il n'aurait pas su dire lequel, mais il était certain qu'il y en avait six de chaque côté et que l'une des colonnes n'en comptait plus que cinq.

Il quitta le salon et s'engagea dans le long couloir bordé lui aussi d'une baie vitrée pour gagner l'aile de la maison où se lovaient les trois vastes chambres.

— Simon, tu es où ?

Foulant du pied l'épaisse moquette beige qui remplaçait ici le parquet, Christopher frappa à la porte de la chambre du jeune garçon. Pas de réponse.

Il regarda par la serrure et aperçut Simon couché par terre, sa couette arrachée de son lit et tirée sur lui. Il dormait ou plutôt faisait mine de dormir, à même le sol, probablement pour montrer que c'était lui qui décidait de sa vie. À ses côtés, un carton de déménagement était ouvert. Qu'est-ce que Simon était en train de fouiller ? Toutes ses affaires avaient été livrées dans sa chambre. Les cartons du salon ne le concernaient pas.

De là où il était, Christopher ne pouvait pas voir son contenu. Il aurait pu entrer et vérifier, mais pour rien au monde il n'aurait réveillé Simon. Il savait que ce genre de comportement de repli après une colère couvait une crise plus profonde qui éclaterait sous peu. Et mieux valait qu'elle éclate demain matin. Christopher aurait l'esprit clair et pourrait faire face à ces traumatismes qui hantaient Simon depuis la mort de ses parents et encore plus depuis ce qui lui était arrivé au cours de la sombre affaire 488.

Christopher se mordilla les lèvres et entra dans sa chambre à coucher pour s'asseoir au bord de leur large lit. Plus que jamais, il aurait aimé avoir Sarah à ses côtés.

Il alluma la lampe de chevet en bois encore posée sur un carton et toute la pièce se refléta sur la baie vitrée offrant une vue sur le jardin et la mer au loin.

De chaque côté du lit, des piles de cartons s'entassaient les unes à côté des autres. Ils avaient prévu de les défaire ce soir ensemble, mais Christopher décida de s'y atteler, ne serait-ce que pour occuper son esprit tourmenté.

Il entama son entreprise en rangeant ses propres vêtements dans le placard coulissant qui prenait tout un mur de la chambre. Entre chaque carton, il guettait un bruit ou un signe quelconque qui aurait pu trahir la présence de Simon derrière la porte.

Après avoir classé ses nombreux livres sur l'histoire, les sciences et les religions dans la bibliothèque du salon, il revint dans la chambre et considéra un instant les affaires de Sarah. Sur cinq cartons était écrit « vêtements Sarah ». Sur le sixième, il lut « dessins » et, sur les septième et huitième, « livres ». Découragé à l'idée de ranger encore des piles de vêtements, il laissa sa curiosité parler et entreprit de découvrir les ouvrages que Sarah affectionnait.

Sans surprise, il y trouva de nombreux essais sur la psychologie humaine, mais aussi, et cela l'interpella, sur le comportement animal. Il la savait respectueuse de tout le vivant, mais pas à ce point calée sur la psychologie des bêtes. Ravi de voir qu'elle ne lui avait pas encore dévoilé tous ses centres d'intérêt, il vida le deuxième carton de livres, qui contenait des guides de voyage, mais aussi des études approfondies sur des peuples primitifs. L'ensemble de ces ouvrages portaient les marques de crayon et de pliage d'une lecture assidue et répétée.

Les livres précieusement installés à côté des siens sur la bibliothèque, Christopher retourna dans la chambre.

Sarah lui avait parlé de son goût pour le dessin, mais elle ne lui avait laissé voir qu'une ou deux esquisses de portraits, disant qu'elle lui en montrerait plus quand elle s'y remettrait vraiment. Christopher avait immédiatement été frappé par la caractérisation marquée des visages. Le trait pouvait paraître flou au premier abord, notamment pour les contours de la figure et des cheveux, mais plus on s'approchait des yeux, plus la ligne se faisait précise, incisive et vivante. Comme si Sarah n'avait cherché qu'à saisir l'intensité de l'âme de ses modèles et non leur apparence physique.

Curieux d'en voir plus, Christopher envisagea d'ouvrir le carton de dessins en se disant qu'elle ne lui en voudrait pas d'avoir cédé à la tentation un soir de solitude. Mais il se ravisa au dernier moment et reposa le cutter sur sa table de chevet de fortune.

Il s'adossa à un coussin et saisit avec résignation son dictionnaire de poche français-norvégien : ses pages cornées, froissées et salies témoignaient de son vécu. Il allait chercher le mot *radyr* lorsqu'il se rappela la phrase que Sarah avait prononcée en norvégien au sommet de l'île et à laquelle il n'avait rien compris.

Il reposa son dico, lança Google Translate sur son téléphone et tâcha de se remémorer ce qu'elle lui avait dit : « *Jeg vil ha et barn med deg.* »

Encore peu habile dans la transcription écrite du norvégien, il dut procéder par tâtonnement jusqu'à ce qu'une phrase aussi inattendue que bouleversante s'affiche sur l'écran cristallin : « Je veux faire un enfant avec toi. »

Une chaleur enivrante monta en lui. Un sentiment si profond, si bon et si fort qu'il ferma les yeux pour en jouir pleinement par tous les atomes de son être. Deux ans auparavant encore, il était convaincu de terminer sa vie célibataire, voyageur baroudeur sans foyer. Et maintenant la plus formidable femme qu'il aurait pu désirer lui demandait de faire un enfant avec lui.

Le cœur gonflé, la gorge étreinte par l'émotion, Christopher éprouva un besoin fou de serrer Sarah dans ses bras. De l'embrasser, de la toucher. Il devait la sentir auprès de lui. Par réflexe, son attention se reporta sur le carton de dessins. Le désir l'emporta sur la raison. Il découpa le carton et en sortit les premiers crayonnés pour « toucher » Sarah.

Se succédèrent des portraits de femmes, de vieillards, d'enfants et d'adolescents. On sentait qu'elle en avait observé certains à leur insu, dans des parcs, des files d'attente, des cafés. La hâte se percevait dans le trait. Christopher était fasciné par cette capacité à saisir ces détails et ces allures qui font une personnalité. Il la savait chasseuse d'émotions et de changements d'humeur, mais il avait sous les yeux la preuve qu'elle était profondément touchée par chaque personne qu'elle côtoyait. Une empathie à l'opposé de l'attitude froide et indifférente qu'elle affichait dans son métier et qui troublait ses collègues.

Christopher était parvenu presque au fond du carton lorsque ses doigts heurtèrent les arêtes d'une boîte. Il la souleva à hauteur de regard. Carrée, en bois ouvragé de signes en arabesques, elle devait faire une vingtaine de centimètres de côté et était fermée par un cadenas. Il la secoua et entendit qu'elle contenait quelque chose.

Pourquoi protéger son contenu ? Qu'est-ce que Sarah pouvait bien cacher de si secret à l'intérieur ? L'image d'une pince monseigneur lui traversa l'esprit. Mais il se calma et se résolut à lui poser la question quand elle reviendrait. Elle lui dirait forcément ce que contenait ce petit coffre. À moins que.

Assis en tailleur sur leur lit, Christopher soupira, un léger sourire au coin des lèvres. Reposant sur la couette, il avait à sa gauche son téléphone qui affichait encore la traduction de l'engagement le plus total de Sarah à son égard et, de l'autre, ce coffret qui dissimulait quelque chose qu'elle ne voulait pas montrer. Il songea avec un mélange d'amusement et de frustration que se trouvait sous ses yeux toute l'ambiguïté de celle dont il était tombé amoureux.

4

— Vardø en approche. Atterrissage dans cinq minutes.

La voix du pilote venait de crachoter dans les écouteurs et Sarah ouvrit lentement les yeux.

Une chaleur de chauffage avait engourdi l'air de la cabine alors que du givre s'était cristallisé sur les vitres extérieures de l'appareil.

En face d'elle, le commandant Paulen enfilait ses gants et les trois autres membres du commando étaient déjà prêts, leur fusil d'assaut en mains, leur bandeau en laine polaire masquant le bas de leur visage.

Sarah consulta sa montre : 2 h 46 du matin.

— Température extérieure de – 5 degrés, annonça le copilote. Vents forts, mais visibilité correcte.

— Vous êtes la seule d'entre nous à avoir réussi à dormir, commenta le commandant en fixant la lanière de son casque. Certainement un talent féminin.

Sarah se refusa à commenter ce qu'elle considérait comme une remarque déplacée et se pencha pour regarder par le hublot.

C'était encore la pleine nuit, mais le ciel avait abandonné sa profondeur d'encre pour ce crépuscule permanent propre aux interminables nuits polaires. Cette semi-obscurité traîtresse qui donne à l'œil l'illusion de pouvoir cerner les formes juste avant d'en avaler la silhouette. Ce qui semblait être un arbre devenait la découpe squelettique d'un rocher jusqu'à ce qu'il ne s'agisse en réalité que d'une déformation du terrain recouverte d'herbes folles. Le cerveau passant son temps à osciller entre certitude et doute.

Depuis l'hélicoptère, on distinguait malgré tout quelques repères fiables : une interminable terre désertée par la civilisation, dont les collines arides, tachées de langues de neige, conduisaient vers la véritable maîtresse des lieux : la mer de Barents. Disque aveugle dont les eaux argentées menaient au large vers l'archipel de Svalbard et, au-delà, vers les confins du monde, le cercle arctique et le pôle Nord.

Et ce fut à quelques kilomètres de la côte, cernés par ces eaux mortelles, que Sarah aperçut enfin les deux îlots formant la petite bourgade de pêcheurs de Vardø. Les têtes d'épingle de quelques rares lumières y offraient le seul témoin de vie sur cette terre de bout du monde.

— Pourquoi vous avez quitté les FSK ? osa le lieutenant-colonel à l'attention de Sarah alors que l'hélicoptère amorçait son dernier virage.

Elle le savait, il attendait qu'elle prétende avoir compris que c'était un métier trop dur, notamment pour une femme.

— Une de mes camarades a été violée par trois de ses collègues, commença Sarah en dégourdissant ses doigts ankylosés. L'enquête a conclu qu'elle avait volontairement attiré ces hommes à elle. Elle a fait une tentative de suicide. On l'a internée et déclarée inapte à vie pour un travail militaire en raison d'une instabilité psychologique. Ses trois collègues sont toujours en activité. Je me suis dit que je serais plus utile à l'extérieur de l'armée pour mener moi-même ce type d'enquête.

Sarah soutint le regard de son interlocuteur en resserrant les sangles de son harnais avant de conclure :

— Histoire que la Norvège ne batte jamais le joli record d'un viol toutes les trois heures de l'armée américaine.

Le commandant hocha la tête avec une moue dubitative et détourna le regard.

— Atterrissage ! avertit le pilote dans les casques.

Sarah sentit une main lui taper sur l'épaule. L'un des membres du commando qui se tenait à sa droite lui tendait quelque chose.

Du peu qu'elle devinait de lui sous son casque, il devait avoir entre vingt-huit et trente ans. Il tenait un tour de cou en polaire des FSK. Elle saisit à son air qu'il ne voulait pas être mis dans le même panier que son commandant et les sales types dont Sarah venait de parler. Elle le remercia d'un signe de tête, retira son casque de communication, enfila la chaude protection et la releva jusque sous son nez à l'image des trois autres militaires. Puis elle rabattit la capuche de sa parka tandis que l'hélicoptère entamait sa descente.

Ils survolèrent un des bras inhabités de l'île, et Sarah y repéra une étrange construction tout en longueur, en front de mer. Elle crut même apercevoir une lueur vacillante en son centre. Comme une flamme. Mais l'hélicoptère ne lui laissa pas le temps de s'attarder. Il fendit l'air droit vers le port et amorça sa descente sur un ponton en béton.

Le commando qui avait offert un tour de cou à Sarah passa devant elle et ouvrit la porte latérale. L'air glacé de la nuit s'engouffra dans l'habitacle tiède, comme une bande de morts vivants traquant la moindre trace de chaleur.

Le vacarme vrombissant des pales devint assourdissant alors qu'un cratère se formait dans les flots qui jouxtaient la zone d'atterrissage.

Le premier membre du commando sauta à terre, suivi des deux autres. Sarah leur emboîta le pas avant que l'appareil n'ait touché le sol, et le commandant la suivit avec un temps de retard, surpris de la voir descendre avec la même dextérité que ses hommes.

Courbée, Sarah allait s'éloigner vers le hangar de l'héliport quand elle remarqua qu'un des militaires lui désignait le bord du ponton. Qu'est-ce qu'il voulait dire ? Impossible de s'entendre avec le puissant mécanisme du rotor et l'infernal souffle des pales.

Elle suivit la direction qu'on lui indiquait et découvrit que les hommes avaient tous sauté dans un bateau à moteur six places flottant sur la mer aux reflets noirs. Le commandant, qui la suivait, lui cria près de l'oreille.

— La scène de crime n'est accessible que par la mer. Descendez !

Sarah empoigna l'échelle en métal rouillé, agacée de ne pas avoir été prévenue avant.

Elle prit place à l'avant du bateau, sous les antennes radio, juste à côté du pilote.

— Go ! lança le commandant en mettant pied à bord.

L'un des militaires détacha les amarres et le pilote poussa les gaz à fond. La vedette militaire fusa jusqu'à la sortie du port et prit un virage vers la droite, pénétrant alors sur une mer houleuse où les crêtes laiteuses des vagues venaient se briser contre la coque avec fracas. L'embarcation brisait l'océan à toute allure, les éclaboussures marines giflant les vêtements et piquant la peau. Sarah avait l'impression qu'on lui soufflait des grains de sable sur le visage. Elle tourna la tête vers le commandant, le regard chargé de l'impatience de celle qui attend une explication depuis trop longtemps.

— On va là ! lança-t-il en désignant un point entouré de brume devant eux. Sur l'île de Hornøya.

— Pourquoi pas directement en hélico ?

— C'est une réserve ornithologique. Il y a plus de cent soixante mille oiseaux recensés qui nichent sur ce caillou… ça ne fait jamais bon ménage avec les pales d'un hélico. On y est dans six minutes.

Il lui fallut moins de temps pour deviner la singulière forme de cette petite île d'à peine neuf cents mètres de long sur six cent cinquante mètres de large. À l'est, une pente presque douce émergeait de la brume et menait jusqu'au sommet, où l'unique lumière du lieu crevait la semi-obscurité : celle du phare. À l'ouest, comme une revanche prise sur l'autre versant, d'abruptes falaises aux angles tranchants plongeaient à l'aveugle dans le brouillard. Les flancs grisâtres de l'île, faits probablement de schiste ou de grès, étaient parsemés de taches blanches tandis qu'une neige plus épaisse bordait le plateau. Des herbes fauves y obliquaient comme des poupées désarticulées sous les coups du vent. Aucun arbre n'était parvenu à pousser sur ce rocher érodé par les embruns et le froid.

Alors qu'ils n'étaient plus qu'à deux cents mètres de l'île, Sarah s'étonna de plus en plus de voir de la neige accrochée aux parois tombant à pic dans la mer, là où elle aurait dû fondre à cause des gouttelettes d'eau projetées par les vagues.

Jusqu'à ce qu'elle prenne conscience que ces points blancs avaient l'air de bouger. Qu'ils bougeaient comme des milliers de plumage d'oiseaux remuant dans leurs nids installés à même l'aplomb de la roche. Et ce fut là qu'elle les entendit, leurs cris mêlés au vent, au bruit du moteur et à celui, plus lointain, du rugissement des vagues venant se casser au pied des falaises.

Qui avait pu trouver la mort ici ? Le gardien du phare ? Mais l'aurait-on fait se déplacer depuis son île, et dans une telle urgence, pour un gardien de phare ? Cela n'avait guère de sens.

La vedette réduisit sa vitesse à l'approche de la côte dissimulée dans le brouillard. Une guérite en ocre sanguin se matérialisa hors de la brume et la coque du bateau cogna contre le ponton à côté de deux autres embarcations. Rapides et organisés, les membres du commando attachèrent le bateau en quelques secondes et Sarah put débarquer par la vieille échelle alors que les vagues éclaboussaient ses bottes.

— Je vous conduis jusqu'au chef de la police du district, actuellement en charge de l'enquête, précisa le lieutenant-colonel en se hissant sur l'île à son tour.

Partant de la cabane en bois, un sentier de terre maculé de plaques de neige longeait le flanc de l'île en

44

ligne directe vers son sommet. Là où trônait le phare, dont Sarah identifiait maintenant la tour blanche et la cloche rouge surmontée de sa lanterne clignotante.

Dos au flanc de l'île, Harald Paulen décrocha une lampe torche de sa ceinture et la lança à Sarah, qui se trouvait en bord de chemin, dos à la mer.

— Attrapez ça ! lui intima le lieutenant-colonel.

Mais il ne prit pas en compte la puissance du vent et l'objet fut emporté au-delà de Sarah, qui dut faire preuve d'une rapidité et d'une habileté hors du commun pour rattraper la lampe torche juste avant qu'elle ne chute dans la mer.

Sans même perdre son temps à décocher un reproche au militaire, Sarah enclencha la lampe et s'engagea sur la montée, non sans avoir d'abord salué les trois autres membres du commando, qui demeuraient dans le bateau.

— Lieutenant-colonel Paulen, je suis en approche immédiate avec l'inspectrice Geringën. Attente confirmation.

Sa voix avait braillé dans le talkie-walkie pour couvrir le mugissement du vent.

— Bien reçu, autorisation confirmée, répliqua une voix masculine.

Les rabats de sa capuche tremblaient comme des feuilles prises dans la tempête et, à chaque changement de direction du vent, Sarah entendait le tissu de sa parka claquer dans l'air. Ce souffle de pleine mer balayait le sol, s'enroulait autour de gros cailloux et entraînait dans son sillage des flocons de neige qui cinglaient les moindres interstices de peau découverts.

À mi-chemin, Sarah discerna les silhouettes de deux personnes qui barraient l'accès au plateau. Elles braquaient de puissantes lampes dans leur direction.

Parvenue à leur hauteur, Sarah vit deux hommes en uniforme de police chaudement emmitouflés. L'un des deux était en retrait, et chacun avait le doigt sur la détente de son fusil.

Sarah n'attendit pas que Paulen la présente, elle tendit elle-même son badge à l'officier le plus proche. Un homme corpulent d'une quarantaine d'années, au visage dont les rougeurs n'étaient certainement pas dues qu'au froid. Abrité sous sa toque de fourrure, il n'était pas du genre à souffrir des températures polaires et prit son temps pour bien étudier le badge de Sarah.

— Officier Mark Grenssen, finit-il par déclarer avec un accent norvégien teinté d'une sonorité russe que Sarah n'avait jamais entendue. Très honoré de vous rencontrer, inspectrice Geringën.

Il pencha sa tête pour parler dans le commutateur fixé à sa veste.

— L'inspectrice Geringën est sur place.

— Où a eu lieu le meurtre ? demanda Sarah.

— Là-bas, au bord de la falaise. Mais le chef de la police va vous y conduire, répondit l'officier. Il va arriver.

Sarah s'approcha et perçut de l'agitation derrière les deux hommes. Le plateau de l'île avait l'air occupé par de nombreuses personnes.

Elle consulta sa montre : 2 h 47 du matin. Elle n'avait aucune intention de patienter pour attendre qui que ce soit. Elle contourna les deux officiers en faction.

Les deux hommes hésitèrent à s'interposer, mais le signe que le chef des Forces spéciales leur adressa les dissuada de faire du zèle.

Sarah découvrit en face d'elle le phare, qui s'élançait vers ce ciel d'éternel crépuscule et, une centaine de mètres plus loin, encore plus proche de la falaise, se profilait une demeure qu'elle n'avait pas vue depuis la côte. Une maison aux murs blancs qui ne devait être séparée que d'une vingtaine de mètres de l'aplomb rocheux plongeant dans la mer. Deux habitations égarées au sein d'une terre occupée par la nature et les oiseaux.

Tout autour, ce n'était que des mottes d'herbe roussie par le froid, qui recouvraient le sommet de l'île et tremblaient sous les charges du vent. Çà et là, la roche noire affleurait à travers le parterre roux et, par endroits, des taches de neige dessinaient les contours de pays imaginaires. Au loin, malgré la pénombre, on percevait la vigueur de la mer jetant ses vagues à l'assaut des falaises.

Mais ce qui attira l'œil de Sarah, cette nuit-là, se trouvait sur le côté de la maison blanche, au bord de la falaise. Elle y reconnut les puissants spots d'éclairage des scènes de crime installés par la police scientifique. Ils projetaient leur luminosité éblouissante et clinique sur une zone où s'activaient six silhouettes vêtues de combinaisons immaculées. Le nombre de techniciens lui parut très élevé pour une seule victime. Tout comme les hommes armés qui patrouillaient autour.

Elle se fraya un chemin sur le tapis d'herbe, et aperçut la grande tente carrée dont la toile cirée blanche se tendait sous les coups de vent et d'où entraient et sortaient des formes fantomatiques. Les membres de la police scientifique étaient donc encore plus nombreux que ce qu'elle pensait.

Elle brandit son badge à l'un des hommes armés et se baissa pour passer sous le cordon de sécurité jaune et noir qui délimitait la zone d'enquête.

Trois techniciens scientifiques se tenaient autour de la victime et l'empêchaient de la voir. L'un d'eux, agenouillé un appareil photo à la main, devait faire des gros plans tandis que les deux autres avaient l'air d'effectuer des prélèvements sur le corps et le terrain autour.

Sarah s'approcha du chariot en inox dans lequel la police scientifique avait l'habitude de ranger son matériel de terrain. Elle y trouva des gants en latex bleu qu'elle enfila après avoir rangé les siens dans sa parka. L'odeur acide du caoutchouc lui sauta aux narines et l'écœura. Le manque de sommeil devait y être pour quelque chose, mais c'était surtout le souvenir brutal de tous les cadavres qu'elle avait inspectés munie de ces gants médicaux qui lui donnait la nausée.

Elle s'enivra d'air frais, puis, d'un mouvement du corps plus marqué, manifesta sa présence aux trois membres de la police, qui la saluèrent et s'écartèrent.

À moins d'un mètre à peine du bord de la falaise, elle découvrit le corps gras, nu, allongé, face contre terre. Le corps d'une femme. La peau était blafarde, prenant par endroits des teintes bleuâtres.

Sauf au niveau de l'épaule droite, où du sang s'était amassé sur les bourrelets de profondes entailles. La chair était à vif, comme lacérée à coups de griffes.

À l'arrière du crâne, les courts cheveux bruns formaient une masse poisseuse suintant d'une entaille d'où saillaient les pointes de débris d'os.

La jambe gauche était tendue, la droite légèrement pliée. Le bras droit était tendu vers l'avant. Le bras gauche, paume serrée contre le sol, reposait au-dessus de la tête.

Sarah remarqua que le poing contracté retenait quelque chose. Un objet blanc, peut-être une pierre.

Intriguée, elle le fut tout autant par ce qui attira son attention à hauteur des reins. À première vue, il s'agissait d'une simple forme géométrique tatouée longtemps auparavant si l'on se fiait à la couleur passée de l'encre. Un rectangle positionné à la verticale dont le plus grand côté devait mesurer une vingtaine de centimètres, et le plus court, une dizaine. À l'intérieur, un autre rectangle deux fois plus petit avait été dessiné. Il y manquait la ligne du haut et, dans sa partie interne, plusieurs traits perpendiculaires les uns aux autres y formaient un étrange dédale. Comme la délimitation de pièces à l'intérieur d'un vaste bâtiment. Sarah avait du mal à y croire, mais tout semblait indiquer qu'il s'agissait d'une espèce de plan.

Elle voulut l'inspecter de plus près pour en être certaine, mais une odeur de charogne lui sauta à la gorge et la fit reculer. Comment un cadavre si frais et exposé à une température de − 10 °C pouvait-il sentir déjà si mauvais ?

Elle contourna la dépouille pour se positionner devant le visage dont la joue droite reposait sur le sol gelé. La face entière était recouverte de sang épais qui commençait à coaguler, façonnant un masque mortuaire. Mais les traits du visage étaient encore distincts. Seul l'angle penché de la tête empêchait de bien appréhender la physionomie de la victime. Du bout de ses doigts gantés, Sarah fit délicatement pivoter le visage vers le ciel et sentit son cœur rater un battement. Tout devint clair : les Forces spéciales, l'urgence et le sceau du secret.

Malgré le choc, elle demeura impassible. Non pas qu'elle soit insensible. Elle mesurait la crise majeure qui allait bouleverser le pays d'ici quelques heures. Mais elle savait aussi combien seul le sang-froid vient à bout des situations critiques.

Elle perçut la présence immobile des membres de la police scientifique, qui observaient sa réaction, guettant le moment où elle allait laisser transparaître sa confusion.

Mais lorsqu'ils la virent reposer la tête de la victime et se lever pour demander calmement où était le légiste, ils comprirent pourquoi on avait fait appel à elle.

Aux pieds de Sarah gisait, assassinée, Katrina Hagebak, la Première ministre norvégienne.

— Et ce n'est que le début de l'absurde… lança une voix éraillée derrière Sarah.

5

Sarah se redressa lentement.

— Nikolaï Haug, déclara un grand homme d'une soixantaine d'années vêtu de l'uniforme fourré de la police norvégienne. Chef de la police du district de Vardø. Vous devez être Sarah Geringën, continua-t-il en plissant de petits yeux sans sourcils, en forme de fentes bleues.

Il lui tendit une main gantée pour la saluer, mais elle se contenta d'un hochement de tête poli. Non pour être désagréable, mais parce que, sur une scène de crime, elle se devait d'éloigner tout risque d'interprétation subjective, toute inclinaison à suivre l'avis d'un confrère ou d'un témoin. Et elle savait mieux que personne combien un simple contact physique, même furtif, créait un lien entre deux individus, un lien qui les influençait mutuellement sans même qu'ils s'en rendent compte. Son comportement cassant était systématiquement perçu comme du mépris, mais Sarah n'y prêtait plus attention. Dans le cadre de son métier, elle l'avait rappelé à Christopher pas plus tard que la veille au soir, elle n'était là que pour une personne : la victime.

De toute sa dominante stature, le chef de la police releva le menton en considérant Sarah de haut, ses minces lèvres à peine visibles se retroussant dans une grimace froissée.

Une nouvelle rafale colla les manteaux contre les corps et Nikolaï Haug rabattit les oreilles de sa chapka sur ses joues piquées d'une barbe blanche. Sarah le regardait sans mot, attendant de voir par quelle information il allait commencer. Ainsi postée, elle avait des allures d'Amazone défiant silencieusement un géant des glaces sur son territoire.

— Quand elle vient ici dans sa maison secondaire secrète, commença le chef de la police de son intonation rocailleuse en désignant la seule bâtisse qui tenait compagnie au phare, c'est le protocole, son service de sécurité nous contacte toutes les demi-heures dans notre *petit* commissariat de Vardø.

Il acheva son explication en décochant à Sarah un regard aussi cinglant que le vent qui ne cessait de battre l'île.

Elle ignora le complexe d'infériorité qui la faisait passer pour une prétentieuse flic de la capitale et attendit la suite du récit.

— Donc, hier soir à 17 heures, on n'arrivait plus à les joindre. Aucun des trois gardes du corps de la ministre. J'ai cru que c'était juste un problème de réseau, mais je suis quand même venu voir sur place. Le temps que je prenne le bateau et que je débarque, je suis arrivé ici vers 17 h 20. Et je l'ai trouvée là où elle est, exactement dans la même position.

Il termina sa phrase en enlevant l'un de ses gants afin de retirer un morceau de tabac séché collé sur le bout de sa langue. Sarah remarqua alors qu'il tremblait et que le bout de son pouce saignait sous un ongle à demi arraché. Derrière son air de vieux flic aguerri, Nikolaï, comme tout le monde ici, gérait un stress d'une ampleur inédite.

— Les trois membres de sa sécurité sont dans la maison, reprit-il. Le premier a été égorgé. Un autre poignardé et le troisième blessé mortellement à plusieurs endroits. Pratiquement aucune trace de lutte, ç'a été fait vite et forcément par un ou plusieurs individus qui ont du métier. Quant à la ministre, d'après le légiste qui va venir vous parler, elle a été assassinée dans l'entrée. Vous verrez, il y a une sacrée flaque de sang, et puis elle a été traînée jusqu'ici par le ou les tueurs.

Sarah observa la longue traînée qui partait des pieds de la victime vers l'entrée de la maison sur environ vingt mètres. L'herbe y était couchée et, par endroits, souillée par du sang qui apparaissait nettement sous la lumière des lampes.

— Ne me demandez pas pourquoi ils l'ont amenée jusqu'ici, j'en sais fichtre rien, jeta Nikolaï en cherchant quelque chose dans sa poche. Peut-être qu'ils voulaient la foutre à la flotte et qu'ils n'ont pas eu le temps.

C'était exactement ce à quoi Sarah se promit de réfléchir une fois qu'elle aurait digéré les autres informations : comme beaucoup, elle ignorait que la Première ministre venait en retraite sur cette île, dans cette petite maison. Mais elle était encore plus désarçonnée par la facilité avec laquelle le ou les coupables s'étaient débarrassés des gardes du corps. Comment ces hommes, qui faisaient partie de l'élite de la protection rapprochée, avaient-ils pu se faire si aisément tuer ? Elle les connaissait, elle avait même contribué à les former à une époque, et ce n'était pas le genre de soldats à se laisser déborder. Elle n'entrevoyait qu'une explication : l'effet de surprise.

— Par où sont entrés les agresseurs ? finit-elle par lâcher.

Nikolaï hocha la tête d'un air approbatif. C'était vrai qu'elle n'était pas aimable, mais, au moins, elle posait les bonnes questions.

— C'est bien le problème, on n'en sait rien. Il n'y a aucune trace d'effraction nulle part, grogna-t-il. Même pas le début d'un crochetage de porte ou de fenêtre. Rien.

Donc les victimes ont délibérément ouvert la porte à leurs agresseurs, conclut Sarah. Soit sous la menace, soit plus simplement parce qu'ils les connaissaient.

— Des traces de vol ?

— Ah, ça oui ! La maison a été retournée. Il y a même des murs qui ont été entamés ! Ceux qui ont fait ça cherchaient quelque chose, c'est certain.

— Des caméras de surveillance ?

— Vous savez comment était la Première ministre… « Contre la sécurisation extrême au mépris de la vie privée. » Et c'est bien pour ça qu'elle venait ici. Pour être comme une personne *normale* dans sa maison de campagne. Donc, non, rien, pas de caméras. En revanche, les membres de la sécurité étaient équipés d'oreillettes et de talkies-walkies. On est en train de voir s'ils disposaient d'une fonction d'enregistrement.

Sans prévenir, Sarah se dirigea vers la maison au bord de la falaise, posant les pieds entre les amas d'herbe craquant de givre.

— Quelles sont vos hypothèses ?

Il la rattrapa en deux enjambées, ses semelles crantées broyant la végétation gelée.

— Parce que ça vous intéresse ?

Sarah fit mine de ne pas avoir entendu, attribuant ce dérapage à la lourde tension qui régnait sur l'île.

— C'est la guerre, inspectrice.

Nikolaï Haug sortit une cigarette de sa poche intérieure, s'arrêta pour couvrir des mains la flamme de son briquet et reprit son chemin en recrachant un nuage de fumée immédiatement dispersé par le vent.

— C'est pas des types de l'intérieur du pays qui ont fait ça. Ça a tout l'air d'un truc monté par des services secrets étrangers…

— Lesquels ?

Le chef de la police avala une nouvelle bouffée de fumée qui fit rougir ses joues déjà gercées et perça Sarah de son regard de vieux policier à qui on n'apprend plus rien.

— En ce moment, nos amis russes ont une sacrée dent contre Katrina Hagebak, à cause du mur anti-migrants qu'elle avait l'intention de faire construire à la frontière, à quelques kilomètres d'ici. Elle, elle n'en voulait plus, des clandestins syriens qui débarquent par milliers chez nous après avoir traversé le Grand Nord russe, mais les Russes n'ont pas envie de les voir refouler dans leur pays par grappes entières. Et encore moins depuis l'attaque terroriste à Saint-Pétersbourg. Et quand la diplomatie ne fonctionne plus, eh bien on supprime les obstacles. Tout simplement.

L'hypothèse était intellectuellement séduisante, mais Sarah avait du mal à y adhérer. Justement parce que tout laissait croire que c'était les Russes qui auraient pu faire le coup. Et si c'était le cas, ils auraient au moins maquillé la scène pour faire croire à autre chose. Notamment dans leur façon de tuer les gardes du corps. Ils n'allaient pas risquer une accusation aussi évidente et directe. Quant à la maison retrouvée sens dessus dessous, ç'aurait effectivement pu être la mise en scène d'un cambriolage. Mais Nikolaï avait parlé de murs à moitié brisés. À ce niveau-là, ce n'était plus une mise en scène. Ceux qui avaient fait ça cherchaient vraiment quelque chose.

— Vous avez dit que ce n'était que le début de l'absurde, tout à l'heure. Pourquoi ?

Nikolaï Haug eut un hoquet ironique qui se termina dans une quinte de toux grasse.

— Parce que tout ce que je viens de vous dire ne tient plus vraiment la route quand on sait comment notre Première ministre a été tuée… Le légiste va vous expliquer ça.

Soit le chef de la police jouait avec elle, soit il était vraiment démuni face à l'étrangeté de ce crime, songea Sarah.

Ils franchirent la vingtaine de mètres qui les séparaient encore de l'entrée de la maison sans un mot, en suivant le sillage laissé par le corps de la victime traîné dans l'herbe.

Une femme officier d'une trentaine d'années, dont une mèche blonde échappée de la chapka virevoltait au vent, vint à leur rencontre, d'une démarche timide. Grande, très mince, presque maigre si son corps dissimulé sous une épaisse couche de vêtements suivait la géométrie émaciée de son visage. Son nom et son prénom étaient épinglés sur sa parka : Ingrid Vik.

À en juger par son débit saccadé, elle n'était pas à l'aise. Crainte de l'autorité face à son supérieur ou conscience d'être sur une scène de crime dont le retentissement allait être historique ?

— On a trouvé… quelque chose, monsieur, dit-elle, sa voix en partie recouverte par le ressac des vagues en contrebas de l'île.

— Putain, vous ne pouvez pas parler plus fort ! Ou démerdez-vous pour avoir une voix d'homme !

Sarah se retint d'intervenir. La femme officier déglutit et parla presque en criant :

— On a repéré des mousquetons fixés à la falaise, derrière la maison. Les suspects sont peut-être passés par là.

— J'arrive, bougonna Nikolaï.

Sarah sentit le regard gêné de la femme officier sur elle. Gênée d'avoir été humiliée par son supérieur devant une consœur estimée.

Sarah lui offrit l'un de ses très rares et imperceptibles sourires et poursuivit son chemin vers la maison.

— Vous ne venez pas ? s'étonna Nikolaï Haug.

Sans se retourner, elle fit non de la tête : une donnée après l'autre.

Le chef de la police se délecta d'une bouffée de nicotine pour se calmer en couvant Sarah d'un regard de mépris.

Sarah laissa passer un technicien scientifique qui sortait de la maison en tenant un tube rempli de liquide opaque puis se glissa à l'intérieur de la résidence.

La pénombre de l'extérieur laissa place à l'aveuglante lumière clinique de puissants spots, et à l'ivresse du vent et des vagues succéda un calme qui aurait pu être apaisant sans la visqueuse flaque de sang qui s'étalait sur le parquet clair. La nappe sanguine formait presque un huit, comme si deux nappes avaient été reliées entre elles.

Dans le prolongement de l'entrée, on avait une vue directe sur le salon-cathédrale meublé d'un sofa d'angle dont tous les coussins avaient été retournés, éventrés et jetés pêle-mêle par terre. En face du canapé, des bris de verre issus d'un grand écran de télévision parsemaient un tapis lui aussi mis sens dessus dessous. De la cendre salissait le sol près de la cheminée qui avait dû être inspectée et des tableaux lacérés gisaient sur le sol.

De là où elle était, Sarah devinait une cuisine ouverte sur le salon, encombrée de vaisselle cassée.

À mi-chemin de l'entrée de la maison et du salon, une silhouette masculine au crâne rasé était allongée par terre, sur le dos, baignant dans une flaque de sang qui s'était, semblait-il, épanché depuis une zone située à hauteur des reins. Une oreillette et son cordon torsadé transparent pendaient à côté de sa tête renversée en arrière.

Deux membres de la police scientifique procédaient pour l'un à des relevés métriques et pour l'autre à des prélèvements organiques sur le cadavre du garde du corps poignardé. Ils n'échangeaient que de rares paroles à voix basse.

À droite de l'entrée, un couloir longeait le mur. Sarah s'y engagea, découvrant un escalier droit menant à l'étage et deux portes. L'une en bas de l'escalier, ouvrant sur ce qui ressemblait à une chambre, et une autre qui terminait le couloir. Cette dernière, entrouverte elle aussi, avait l'air beaucoup plus épaisse.

Mais Sarah s'attarda en priorité sur le cadavre qui gisait devant la porte de ce qui devait être la chambre. C'était le corps d'un homme sur lequel une main gantée procédait à des prélèvements au niveau de plaies sur le thorax. Lui aussi était équipé de son oreillette, mais, cette fois, Sarah observa que la victime présentait plusieurs blessures.

— Combien de coups ?

Le technicien se tourna vers Sarah et, malgré les lunettes et le masque à gaz, elle crut discerner un sourire dans le regard. Mais l'homme se remit immédiatement au travail.

— Huit coups au total, celui à l'abdomen a été fatal, répondit une voix d'homme rendue métallique par le masque. De ce que je sais, c'est le seul qui a résisté, mais ceux ou celui qui s'est battu devait être doué.

— Pourquoi ?

— On a déjà analysé toutes les traces de sang dans cette zone en PCR temps réel[1] et, chaque fois, elles appartiennent à la victime au sol.

— Effacées ?

— Même au Luminol, rien n'apparaît. Non, ce type s'est bien battu, mais son adversaire n'a pas été blessé une seule fois. En tout cas pas assez grièvement pour laisser couler du sang.

---

1. PCR : *polymerase chain reaction*. Méthode d'analyse rapide d'un échantillon sanguin.

Sarah s'assura que ses gants en latex étaient toujours bien ajustés et ouvrit la porte au fond du couloir. Elle devait bien faire dix centimètres d'épaisseur et Sarah compta cinq points de verrouillage. Une porte au blindage exceptionnel et qui donnait sur une pièce rectangulaire, sans fenêtre, munie seulement d'un écran de contrôle de type visiophone, d'un téléphone, d'un lit défait au matelas éventré lui aussi, de toilettes intégrées à la pièce et d'un réfrigérateur dont le contenu avait été vidé par terre.

Sarah cogna contre les quatre murs de cet étrange endroit et le son mat, sans aucune résonance, lui confirma ce qu'elle pensait : il s'agissait bien d'une pièce de sûreté, une chambre de repli que l'on appelait plus généralement une « *panic room* ». Visiblement, la Première ministre n'avait pas eu le temps d'y entrer pour se protéger, mais le ou les tueurs étaient parvenus à la fouiller.

Sarah ressortit et enjamba le cadavre du garde du corps pour se rendre dans l'autre pièce, qu'il avait peut-être tenté de protéger.

Une chambre agréable et confortable s'y ouvrait sur un balcon en demi-cercle orienté vers la falaise. Une vaste bibliothèque dont tous les livres avaient été jetés par terre couvrait la moitié du mur face à l'entrée. Le matelas vidé semblait baver sa mousse par les déchirures et des impacts dans le mur au-dessus du lit achevaient de prouver les dires du chef de la police.

Une autre porte donnait sur une salle de bains sans fenêtre munie d'une grande baignoire, et dont le seul placard, au-dessus du lavabo, avait été arraché du mur.

Sarah avait la sensation que la fouille de la maison avait été mue par la rage.

Elle s'engagea sur le balcon où elle avait vu un policier scientifique en plein travail.

Elle passa la porte-fenêtre ouverte et découvrit le troisième cadavre de garde du corps. Un homme roux, plus âgé que le premier, aux yeux bleus fixant le ciel noir de la nuit, la gorge profondément tranchée laissant apparaître les épaisseurs de la chair. Le corps était sur le dos, la tête orientée vers la chambre. Si le corps n'avait pas été déplacé, l'homme était donc face à la mer lorsqu'il avait été égorgé. Probablement en train de guetter une possible intrusion par le balcon.

— Des preuves d'une lutte ? demanda Sarah.

— Pas pour le moment. A priori, il a été pris par surprise, répondit un homme masqué. Vous avez une idée de qui a pu faire ça ?

Sarah considéra le technicien avec méfiance.

— Excusez-moi, c'est juste que… ce n'est pas une scène habituelle et… c'est tellement… enfin je veux dire… ce n'est pas possible.

Sarah prit congé sans cérémonie et gravit l'escalier. Elle aboutit à un grand palier équipé d'un large bureau où trônait un ordinateur. Mais avant de s'adresser à la technicienne scientifique qui examinait la machine avec minutie, elle s'attarda sur l'improbable mosaïque qui recouvrait les deux murs encadrant la mezzanine. Patchwork de couleurs et de formes incongrues dans cette demeure austère, les éléments étaient tous des dessins d'enfants représentant des animaux bariolés, des maisons surplombées par d'éclatants soleils et tous accompagnés d'une phrase commençant par « *si j'étais*

Première ministre, je... » Si j'étais première ministre,
j'interdirais la chasse des animaux, je ferais tout pour
qu'il n'y ait pas de pauvres, je donnerais le choix des
menus à la cantine, je rendrais obligatoire d'avoir
une poule chez soi pour avoir moins de déchets...
Il devait bien y en avoir une cinquantaine, et Sarah se
souvint que Katrina Hagebak se rendait souvent dans
les écoles pour recueillir la parole des enfants. Mais
jamais elle n'aurait cru qu'elle puisse garder les dessins que les enfants lui envoyaient, et encore moins
les exposer dans l'intimité de sa vie privée. Preuve
touchante que cette femme n'était pas seulement le bloc
de volonté et de rigueur qu'elle affichait en public, et
que son action visait aussi au bonheur des générations
à venir.

Sarah enjamba les tiroirs du bureau qui avaient été
jetés à terre et s'approcha de l'agent occupée par l'examen de l'ordinateur de la Première ministre.

— Le disque dur ? se contenta-t-elle de demander.

— Disparu, madame.

À droite s'élançait un petit couloir que Sarah suivit
jusqu'à une porte entrouverte. La seule porte dont la
serrure avait été forcée, compte tenu de son évidente
déformation.

Elle pénétra dans la pièce et fut surprise en découvrant l'intérieur. Malgré le capharnaüm, il s'agissait
sans aucun doute d'une chambre médicalisée dont
les appareils de mesure et de surveillance avaient été
démontés, cassés et reposaient désormais les uns sur
les autres dans un désordre d'hôpital abandonné. À qui
était destinée cette chambre ? De ce que Sarah savait,

la Première ministre n'était pas malade. Abritait-elle quelqu'un qui l'était ? Mais qui ? Et pourquoi ici ?

— J'ai fait un calcul rapide. Il y en a, ou plutôt il y en avait, pour environ quinze mille euros de matériel. C'était du très haut de gamme. La personne qui était soignée ici devait avoir toutes les faveurs de notre ministre.

La voix était calme, profonde, presque douce. Sarah regarda par-dessus son épaule. Elle ne l'avait qu'entrevu plus tôt, mais elle reconnut le sourire du technicien scientifique qui lui avait expliqué comment l'un des gardes du corps avait tenté de se défendre en vain.

— Je suis Joachim Trimmer, médecin légiste.

Il ne lui tendit pas la main, mais la salua d'un battement de paupières. Il devait avoir entre trente-cinq et quarante ans, une fine et courte barbe rousse encadrant un visage en longueur, dont la bouche franche et les dents bien nettes inspiraient la sympathie. Ses cheveux coupés court se dégarnissaient légèrement sur le haut du crâne et mettaient en valeur son grand front. Deux yeux noisette dont les coins étaient très plissés lui donnaient un regard à la fois vif et bienveillant. À l'image de Sarah, il se mouvait avec calme, presque lenteur. Sarah remarqua qu'il s'attardait brièvement sur la cicatrice qu'elle avait au coin de l'œil avant de détourner les yeux.

— Pourquoi ne vous ai-je pas dit que j'étais le légiste tout à l'heure, c'est à ça que vous pensez ?

— Quelles sont vos conclusions sur l'origine de la mort de Katrina Hagebak ? rétorqua Sarah qui n'avait ni le temps ni l'envie de jouer aux devinettes.

Joachim Trimmer baissa la tête en souriant, comme s'il s'attendait à cette réponse.

— Suivez-moi, j'ai installé mon cabinet de campagne derrière le bâtiment.

Ils quittèrent la maison, la contournèrent et entrèrent dans une tente pavillon d'une quinzaine de mètres carrés, blanc, en toile cirée, collé à la façade arrière du bâtiment, un peu à l'abri du vent.

La pièce était chauffée et on entendait à quelques mètres le ronronnement d'un groupe électrogène fournissant l'électricité nécessaire au fonctionnement de plusieurs appareils : un système de radiographie portatif sur chariot relié à un ordinateur portable, un microscope électronique, une centrifugeuse pour les analyses biologiques. Sans compter les outils de dissection glissés dans une sacoche déroulée sur un chariot en inox, juste à côté d'une table d'autopsie munie de son évier intégré relié à un jerrican et juchée sur quatre pieds solidement ancrés au sol.

Sarah ouvrit sa parka et s'assit sur le coin du bureau où était installé le matériel informatique.

Le légiste sélectionna une série de vignettes sur son ordinateur.

Une mosaïque de photos s'organisa sur l'écran, présentant les corps des trois gardes du corps.

— Tous sont morts d'une hémorragie soit interne, soit externe. Comme je vous l'ai dit, un seul des trois présente plusieurs blessures. Les deux autres ont été exécutés en un seul coup. Pour l'un égorgé, pour l'autre poignardé au niveau de l'intestin grêle par pénétration dorsale. Mais là où ça devient intéressant, reprit Joachim Trimmer en cliquant sur un autre dossier qui afficha en gros plan les blessures des trois victimes, c'est qu'ils ont tous été tués avec le même couteau : type militaire, d'une lame d'environ quinze centimètres, et de quatre ou cinq millimètres d'épaisseur, non crantée puisque les entailles corporelles ne présentent aucune déchirure irrégulière aux commissures. Autrement dit, soit les coupables étaient plusieurs à posséder la même arme, soit c'est une seule et même personne qui les a tous tués.

— De l'ADN ? Des empreintes ?

Le légiste avait perdu son sourire pour une attitude profondément concentrée. Il inspira longuement avant de répondre.

— Ça doit faire trois heures qu'on est sur place et oui, on a trouvé des empreintes, du sang, des cheveux, tout ce que vous voulez, mais pour le moment, tout cela n'appartient qu'aux victimes, selon les comparaisons que l'on a pu effectuer. Cela dit, on prélève encore des échantillons et certaines analyses ADN sont toujours en cours, donc l'espoir est encore permis. Mais, entre nous, ça ressemble à une opération sacrément soignée, donc je crains qu'on ne trouve quoi que ce soit d'exploitable. D'ailleurs, c'est ça qui m'étonne. Dans un groupe d'individus, même entraînés, il y a de fortes probabilités pour qu'au moins l'un d'entre eux laisse une trace de son passage. Et là, pour le moment, rien d'évident…

Un argument de plus qui allait dans le sens d'un individu isolé, pensa Sarah. Un individu entraîné, précis, concentré.

— Rien non plus dans la pièce sécurisée ?

— Rien de plus, rien de moins qu'ailleurs.

— Votre diagnostic sur Katrina Hagebak ?

Joachim Trimmer lâcha un long soupir. Il fit disparaître les photos des cadavres des membres de la sécurité et afficha sur l'écran d'ordinateur le corps de la Première ministre dénudé, allongé au bord de la falaise, face contre le sol.

— Je n'ai pas encore terminé son analyse et je vais devoir la transporter ici pour une autopsie plus affinée, mais je n'ai touché à rien tant que vous n'aviez pas vu la scène de crime en l'état. Toujours est-il que du peu que j'ai pu voir sur elle, l'affaire se complique, ou disons qu'elle devient vraiment hors du commun…

Joachim Trimmer fixa le sol carrelé pendant quelques instants, rassemblant ses idées.

— Premier point, je n'ai constaté aucune lésion qui pourrait faire penser à un viol. En revanche, voici à quoi ressemble sa poitrine, que j'ai photographiée avant de replacer le corps dans la position exacte où le chef de la police l'a trouvée en arrivant sur les lieux.

Du haut des seins jusqu'au bas ventre, toute la chair de Katrina Hagebak était percée d'une multitude de plaies de la circonférence d'un crayon.

— Si vous regardez bien, reprit Joachim Trimmer en faisant apparaître un agrandissement de l'un des trous, la peau qui forme le contour de chaque orifice est déchirée à plusieurs endroits. Ce qui implique que les plaies ont été… disons, fouillées, soit avec un objet, soit directement avec le doigt. Et ce avant la mort, compte tenu de l'abondance de sang aux abords des lésions circulaires.

Autant Sarah faisait preuve d'indifférence à l'égard des critiques dont elle était souvent l'objet, autant elle entretenait toujours une empathie maladive avec les victimes et la souffrance qu'elles avaient endurée.

Leur Première ministre avait été torturée. Probablement pour lui faire avouer l'emplacement de ce que le coupable était venu chercher.

— La peau arrachée sur l'épaule droite ?

— Eh bien, on note clairement cinq plaies longilignes qui partent du haut de l'omoplate et se terminent au niveau de la clavicule. Les blessures sont profondes et dénotent une volonté nette d'arracher la peau en profondeur.

— Comment cela a été fait ?

— Très étrange aussi. À première vue, compte tenu de la largeur des marques et surtout de leur irrégularité, je dirais que ce sont des griffures produites non pas avec un outil ou une arme, qui aurait montré des coupures plus propres, mais avec des ongles.

— Et aucune empreinte avec ça ?

— Pas sur les premiers relevés mais, une fois encore, je n'ai travaillé qu'en surface pour le moment.

— La cause de la mort ? asséna Sarah en refoulant les images de douleur de la victime qui lui nouaient le ventre.

— J'y viens. Comme vous avez dû le constater, la victime présentait une forte accumulation de sang au niveau de l'arrière du crâne. Je l'ai radiographié, continua-t-il en désignant son système de radiologie portable, et voilà ce qu'on trouve sur la boîte crânienne.

Sarah identifia rapidement quatre fractures tout en longueur sur le cliché qui apparut sur l'écran.

— Comme vous pouvez le constater, on observe deux cassures de biais au niveau de l'os occipital, au-dessus de la nuque. La première mesure dix-huit centimètres de longueur et la seconde quinze. Puis, vous avez ces deux autres entailles osseuses, elles aussi inclinées, mais cette fois sur l'os pariétal droit, juste au-dessus de l'oreille. Ces quatre coups portés sur l'arrière et la face latérale droite du crâne ont engendré des hémorragies mortelles.

Sarah avait assisté à des dizaines de diagnostics médico-légaux, mais c'était la première fois qu'elle était confrontée à des blessures rectilignes de ce type. Comme si le crâne avait été hachuré par quatre coups.

— L'arme ? demanda-t-elle.

Joachim Trimmer haussa les sourcils, et regarda Sarah, comme si elle n'allait pas le croire.

— J'ai mis du temps à trouver, car cela n'est pas commun du tout. En tout cas, plus à notre époque. Mais les marques sont formelles : elles ont été provoquées par une arme longue et lourde, pointue, dotée d'une lame étroite. Les blessures montrent que l'arme a coupé plus qu'elle n'a perforé ou tranché, comme l'aurait fait une hache, par exemple. Par conséquent, les coups n'ont pu être portés que par une épée.

Sarah se retint de laisser transparaître sa stupéfaction. Mais elle comprenait mieux pourquoi le chef de la police lui avait dit tout à l'heure que l'hypothèse du commando russe ne tenait plus la route. Même s'ils avaient voulu maquiller leur assassinat, ils ne seraient pas allés chercher un mode opératoire aussi singulier.

— Comment les coups ont-ils été portés ?

— Très probablement de derrière et par au-dessus, compte tenu de l'inclinaison des marques. Ce qui laisse à penser que la victime était à genoux. Les coups ayant tous été portés dans la même région, cela indique que Katrina Hagebak ne s'est pas débattue et qu'elle était donc très certainement immobilisée lorsque l'épée a frappé.

— Une exécution ? lâcha Sarah.

— Oui et non, précisa Joachim Trimmer. Si on avait tenté de la décapiter, on aurait retrouvé des traces au niveau de la nuque et du cou, mais là, l'intention est claire : celle de blesser à plusieurs reprises pour entraîner une mort lente.

— Lente, comment ?

— Je ne sais pas encore, mais la victime a pu survivre entre une et dix minutes après les frappes. Il faut que j'ausculte plus précisément la profondeur des fractures.

Sarah enregistrait chaque information avec une vivacité qui ne laissait pas le temps au légiste de reprendre son souffle.

— Pourquoi le corps, notamment la partie crânienne, dégage-t-il une telle odeur de putréfaction ?

— Vous avez remarqué aussi. Je n'arrive pas à comprendre pour le moment. Ça ne peut pas venir du corps de la Première ministre. Elle n'est morte que depuis neuf ou dix heures, selon mes premières estimations. L'autopsie nous en dira plus.

— Le tatouage dans le dos ? De quand date-t-il ?

— Bizarre, non ? Je ne l'imaginais pas avec ça dans le dos quand elle faisait ses discours à la télé. Bref, il est ancien, sans aucune hésitation. Plusieurs années.

— Et l'espèce de caillou de couleur blanche qu'elle tient dans la main ?

Joachim Trimmer plissa les yeux, considérant Sarah avec perspicacité.

— Vous voyez tout... Eh bien, il s'agit d'un morceau de craie. Et puisque l'on est dans le bizarre, cela va peut-être vous intéresser : il est fixé avec de la colle forte, à même la paume de main de Katrina Hagebak.

Aussi intrigante soit-elle, Sarah conserva l'information pour plus tard. Depuis qu'elle avait pénétré dans la maison et vu la flaque de sang dans l'entrée, un autre point tout aussi dérangeant ne cessait de la questionner. Et ce qu'elle venait d'apprendre sur les conditions de la mort de Katrina Hagebak attisait un peu plus son doute.

— La victime a bien été exécutée dans l'entrée de la maison, là où se trouve la plus grande quantité de sang ? Pas au bord de la falaise ?

— C'est l'hypothèse la plus évidente, compte tenu de la surface d'hémoglobine retrouvée sur le carrelage. Le territoire vasculaire cérébral est très abondant, comme tout le monde sait. Les coups d'épée ont forcément déclenché un épanchement sanguin qui correspond en tout point à la quantité observée dans l'entrée. Épanchement que l'on ne retrouve absolument pas près de la falaise, là où le corps a été découvert.

— Pourquoi avoir traîné le corps dehors, jusqu'au bord de la falaise ?

— Ce n'est pas moi le flic, mais j'imagine que le ou les tueurs voulaient faire disparaître le corps et qu'ils n'ont pas eu le temps. Vous devriez en discuter avec...

La réponse du légiste se perdit dans les méandres de la réflexion de Sarah. Elle venait de retourner toutes les hypothèses du déroulé du drame. L'exécution à genoux, la craie dans la main, les gardes du corps supprimés avec une redoutable efficacité. Quelque chose ne collait pas avec ce corps traîné dehors et laissé là, comme abandonné. Elle en avait désormais la conviction, ils faisaient tous fausse route depuis le départ. Il lui fallait une preuve de ce qu'elle supposait. Et si elle avait raison, cela changerait tout.

— Inspectrice Geringën ? Vous m'écoutez ? s'inquiéta Joachin Trimmer.

Sans prévenir, Sarah se leva, sous le regard surpris du légiste, et quitta la tente en coup de vent.

– 6 –

Sarah frissonna avant de refermer sa parka. Le vent souleva ses cheveux noués et des mèches rousses oscillèrent devant son visage. Elle se dirigea vers la maison et alluma sa lampe torche pour éclairer la traînée de sang qui partait du palier vers le cadavre de la Première ministre, à une vingtaine de mètres.

Elle suivit le sillon en marchant de côté, observant la façon dont les herbes avaient été pliées et s'arrêtant à plusieurs reprises pour chercher des empreintes ou des marques dans la terre.

Du coin de l'œil, elle aperçut le chef de la police approcher. Il avala une dernière bouffée de fumée de sa cigarette, puis sortit une petite boîte de métal de sa poche et y écrasa le mégot avant d'en refermer le couvercle.

— Fausse piste, bien sûr. Il ne reste qu'un mousqueton sur la falaise et il sert aux ornithologues quand ils doivent tendre des filets pour capturer les oiseaux afin de les baguer. Et de votre côté ? Vous avez vu Trimmer ?

— Quel est le scénario que vous avez en tête pour expliquer qu'on ait retrouvé la ministre là-bas, et pas là où elle a été frappée ? demanda Sarah en désignant la lisière de la falaise.

— Je vous l'ai dit, ils l'ont tuée et ensuite ils ont décidé de la balancer à la flotte pour faire croire à un accident. Sauf qu'entre-temps, ils m'ont entendu arriver et ils sont partis avant d'avoir un autre problème à régler.

— Ils auraient essayé de faire croire à un accident alors qu'on aurait forcément vu la disparition des trois gardes du corps ? Comme si toute la maisonnée s'était envolée d'un coup ? Ça n'a pas de sens.

Nikolaï Haug écrasa son pouce meurtri sous son gant et répondit d'un ton qui se voulait calme, mais où perçait l'agacement.

— Peut-être qu'ils cherchaient juste à se débarrasser du corps ?

— Et ils auraient abandonné l'idée à seulement dix centimètres du précipice, parce qu'ils vous auraient vu arriver ? Ça semble peu probable quand on voit l'efficacité avec laquelle ils se sont débarrassés de trois agents de sécurité entraînés.

Sarah mesurait la vexation qu'elle infligeait au chef de la police, mais elle n'était pas là pour faire plaisir.

— Faites venir deux techniciens scientifiques et le légiste, conclut-elle.

Nikolaï Haug bougonna quelques paroles emportées par le vent et le roulement des vagues, puis saisit son talkie-walkie pour exécuter l'ordre de cette inspectrice aussi agaçante que sagace.

Quelques secondes plus tard, deux silhouettes vêtues de la combinaison blanche intégrale inspectaient la longue trace laissée par le corps de la ministre sur le sol herbeux, avec pour mission de déceler des empreintes de pas de chaque côté du sillon, dans l'hypothèse où quelqu'un aurait traîné le corps en le tirant par les bras.

Le légiste s'était agenouillé pour être à la même hauteur que Sarah. Le chef de la police observait, debout derrière eux.

— Vous me confirmez que le sang a été étalé sur l'herbe ? demanda Sarah en éclairant précisément trois mottes d'herbe ruisselante.

— Effectivement… murmura Trimmer d'un air circonspect. Les pieds qui traînaient par terre ont glissé sur le sang et l'ont réparti sur l'herbe…

— … Sauf que la surface d'herbe tachée est très large. Bien plus large qu'une paire de pieds.

— Où vous voulez en venir ?

Sarah ne répondit pas. Elle surveillait le travail minutieux des hommes en combinaison stérile alors qu'il faisait de plus en plus froid et que le soleil ne se lèverait pas avant au moins trois heures. Elle en profita pour envoyer un SMS à Christopher pour le rassurer, lui dire qu'elle était bien arrivée à destination, qu'elle espérait que cela s'était arrangé avec Simon, qu'elle les aimait tous les deux et était certaine que sa première journée de travail allait formidablement bien se passer.

— C'est pour vous, l'interpella soudain le chef de la police en lui tapant sur l'épaule.

Il lui tendait un téléphone portable.

— Jens Berg, le ministre de l'Intérieur, veut vous parler.

Sarah prit le combiné, se redressa et s'éloigna du petit groupe.

— Sarah Geringën, lâcha-t-elle en rabattant sa capuche pour protéger le micro téléphonique du vent.

— Merci d'avoir si vite répondu à notre demande, inspectrice. Nul besoin de vous dire à quel point la situation est grave, je pense que vous le mesurez parfaitement. Qu'avez-vous trouvé ?

Sarah détestait avoir affaire à des politiciens hauts placés. Non pas qu'elle soit intimidée ou méfiante à leur égard. C'était seulement qu'ils exigeaient tous des résultats immédiats, nets et clairs, alors qu'un crime et sa résolution n'étaient faits que de temps et de nuances.

— En l'état des recherches, je peux vous donner trois points. Un, contrairement à Nikolaï Haug, je pense que ce qui s'est passé peut être l'œuvre d'une seule personne aguerrie, ayant une formation militaire de haut niveau, et qu'elle n'appartient pas aux services secrets russes. Deux, la Première ministre n'était peut-être pas exactement la femme stricte et conformiste, que l'on croyait connaître publiquement, si l'on se fie au tatouage qu'elle a dans le dos. Trois, l'interprétation de la scène de crime fournie par Joachim Trimmer, le légiste, et Nikolaï Haug, le chef de la police, n'est selon moi pas la bonne, mais je n'ai pas encore de preuve pour vous confirmer mon analyse. J'en saurai plus d'ici une demi-heure.

— Écoutez, tout ce que vous me racontez ne va pas m'aider à rédiger la déclaration que je vais devoir faire au peuple norvégien, répliqua le ministre de l'Intérieur d'un ton cassant. Vous imaginez bien que l'annonce de cet assassinat va avoir des répercussions mondiales et que je ne peux pas dire un mot de ce que vous m'annoncez ! Je peux retarder ma déclaration jusqu'à 17 heures maximum, puisqu'on est encore dimanche. Il est... 4 h 19 du matin ça vous laisse moins de douze heures pour me fournir au moins une piste sérieuse sur le ou les coupables !

Sarah savait surtout que le ministre de l'Intérieur allait être montré du doigt pour son incompétence après un tel drame, tout en devant gérer la fébrilité d'Allan Dahl, le président de l'Assemblée nationale, qui allait endosser le rôle de Premier ministre par intérim jusqu'à une prochaine nomination.

— Allan m'a dit que vous étiez la meilleure, renchérit Jens Berg. Qu'il avait travaillé avec vous sur le debrief de l'affaire 488 et qu'il vous faisait pleinement confiance. Alors, demandez-moi tout ce dont vous avez besoin, mais prouvez-moi que vous êtes à la hauteur de votre réputation, ou mon nom et le vôtre seront associés à l'un des plus grands échecs de notre Histoire !

Sarah redonna son téléphone au chef de la police, qui l'interrogeait du regard.

— Alors ? lui demanda Joachim Trimmer.

Sarah se contenta de hausser les épaules. Céder à la pression d'un supérieur, quel qu'il soit, c'était obéir à une volonté qui ne se maîtrisait pas. Et ce n'était pas aujourd'hui que Sarah allait déroger à sa règle de conduite. Elle oublia les menaces du ministre en scrutant à nouveau les deux policiers scientifiques à l'œuvre le long du tracé ensanglanté.

Quelques minutes s'écoulèrent, seulement rythmées par le souffle glacial, le bruissement des herbes et la

litanie épuisante des rouleaux d'écume qui encer-
claient l'île.

— Si je ne me suis pas présenté tout de suite, finit
par intervenir Trimmer en se frottant les mains pour
tenter de les réchauffer sous ses gants, c'est que je
voulais vous observer avant que vous sachiez qui
j'étais. Voir si vous étiez comme vos collègues vous
décrivent : taiseuse, du genre à tailler chacune de vos
phrases au scalpel pour n'en laisser que le strict nécessaire. D'une beauté aussi froide que votre approche
d'une scène de crime.

Sarah entendait distraitement les paroles du légiste,
concentrée sur les réactions des deux policiers scientifiques. Trente minutes s'écoulèrent, au cours desquelles Trimmer tenta de nouer le contact à plusieurs
reprises, sans succès. Sarah commençait à être gelée à
rester sans bouger. Encore que les paroles du légiste
lui échauffaient les sangs.

— Inspectrice ! appela soudain un technicien scientifique qui venait de terminer de remonter le sillage
jusqu'au cadavre de la ministre.

Sarah se redressa et opina du chef pour signifier
qu'elle écoutait. L'homme se rapprocha, glissa un
regard ennuyé vers le directeur de la police et le légiste
avant de confier :

— Je n'ai trouvé aucune empreinte de pas, ni le
long du tracé ni sur le tracé lui-même. Nulle part
l'herbe n'a été foulée. Les empreintes sont certes dif-
ficiles à identifier sur un terrain comme celui-ci, mais
je suis formel : personne n'a mis les pieds le long de
ce chemin.

La nouvelle eut l'effet d'un électrochoc au sein du petit groupe. Nikolaï Haug chercha une cigarette tandis que Trimmer jetait un regard incrédule vers Sarah.

— De votre côté ? demanda-t-elle au second technicien.

— Pas d'empreinte non plus. En revanche, il y a de fines entailles récentes dans la terre gelée tout le long du sillon. Elles sont par groupe de cinq de chaque côté du sillon et apparaissent à des intervalles réguliers, mais peu éloignés.

Sarah n'eut pas à dire au légiste ce qu'il avait à faire. Il s'empressa de rejoindre le cadavre de Katrina Hagebak, s'agenouilla, lui prit la main droite et inspecta l'extrémité de ses ongles à la loupe avant de jurer entre ses dents.

Sarah se dressait juste derrière lui alors qu'il laissait retomber la main gauche de la Première ministre.

— C'est elle. Personne ne l'a traînée jusqu'ici. C'est elle qui a rampé jusqu'à la falaise, lâcha-t-il, abasourdi.

— Quoi ? Mais vous avez vu ça comment ? s'étonna Nikolaï Haug.

Sarah laissa Trimmer parler.

— Sur le sillon, le sang est plus étalé que si deux pieds avaient glissé dessus, parce que c'est le sang de son ventre blessé et traînant par terre qui a tapissé l'herbe. Les cinq marques à intervalles réguliers ce sont ses ongles sales de terre qui ont agrippé le sol gelé pour ramper.

— Mais pourquoi ? Pourquoi elle aurait fait ça ? demanda le chef de la police à voix haute.

Sarah éclaira l'espace juste au-dessus du crâne de la morte et remarqua un reflet en dehors de la zone d'éclairage des spots. Du sang maculait la pointe des rochers, comme si un élément ensanglanté avait roulé ou glissé dessus. Le bras de la Première ministre tendu vers la falaise, comme si elle avait lâché quelque chose juste avant de mourir, lui sauta cette fois aux yeux.

Sarah sentit son cœur palpiter de cette excitation que rien ne pouvait remplacer.

— Hé, vous allez où !? lui lança le chef de la police. Vous allez tomber et on n'a pas besoin de ça en plus !

Sarah venait de s'approcher dangereusement du précipice. Elle fit signe à Trimmer de lui tenir la main, ce qu'il s'empressa de faire.

Puis elle se pencha lentement au-dessus du vide en projetant le pinceau de sa lampe torche sur le flanc de la falaise. Tout en bas, l'écume grise entamait une chanson qu'elle ne finissait jamais en se fracassant contre le rempart rocheux. Un peu au-dessus, on distinguait des nichées d'oiseaux endormis dans la pénombre.

Mais la seule chose que Sarah voyait, c'était cette légère avancée rocheuse située à une dizaine de mètres en dessous. Une plate-forme naturelle sur laquelle reposait une imposante forme noire aux contours indistincts et dans laquelle le faisceau lumineux de sa lampe venait de faire briller deux orbites luisantes.

7

— Qu'est-ce que c'est ? interrogea Joachim Trimmer en se penchant au-dessus du précipice.

— Où sont les pompiers ? demanda Sarah en guise de réponse. C'est à eux de descendre.

Le chef de la police maugréa entre ses dents.

— Ils sont tous en mer, un de ces putains de tankers chypriotes a lancé un signal de détresse cette nuit pour une voie d'eau. Ils sont en pleine évacuation. On peut contacter ceux de Vadsø…

— Combien de temps ?

— Je dirais deux heures avec les conditions météo.

— Deux cordes et un harnais ! ordonna Sarah à l'attention du chef de la police.

Nikolaï la regarda comme si elle n'avait pas toute sa tête, mais transmit la demande à ses équipes *via* son talkie-walkie.

Sarah se tourna vers le légiste.

— Procédez à l'autopsie détaillée de Katrina Hagebak. Je veux connaître tous les détails sur ses blessures à la poitrine, aux épaules et à l'arrière du crâne. Commencez par celles de l'épaule. Si elles ont effectivement été faites à la main, c'est sur elles qu'on a le plus de chances de trouver des empreintes. Et étudiez aussi la craie et la substance avec laquelle elle a été collée.

Joachim Trimmer s'adressa à deux techniciens scientifiques qui se trouvaient derrière lui.

— Trouvez-moi un spécialiste en géologie, qu'on lui envoie les analyses de la craie. Et transportez la victime dans la tente d'autopsie, s'il vous plaît. Je vous y rejoins. Et inspectrice... soyez prudente.

Elle trouva l'attention touchante, jusqu'à ce qu'il ajoute :

— Je n'ai pas envie de vous voir nue sur ma table en inox.

Et il partit d'un pas cadencé vers l'arrière de la maison. Sarah s'épargna une réponse, songeant que certains hommes se plaisaient à déshabiller les femmes par la parole quand ils ne pouvaient le faire de leurs mains.

— Les cordes et le harnais, monsieur ! intervint un officier essoufflé, deux solides cordages marins et un baudrier à la main.

Sarah s'en empara avant que Nikolaï n'ait le temps de se saisir des liens.

— Passez une corde derrière votre dos et celui de deux autres officiers, demanda-t-elle au chef de la police. Laissez glisser la deuxième corde à côté de moi. J'attacherai ce que je trouverai en bas pour que vous remontiez le paquet. En attendant, donnez-moi un talkie-walkie.

— Vous allez descendre sans lumière ? lui demanda le chef de la police.

Sarah considéra une nouvelle fois la paroi rocheuse plongée dans la semi-pénombre de la nuit arctique. Elle était abrupte, mais les prises semblaient nombreuses. Le seul risque était de lâcher la corde ou de réveiller les oiseaux.

Un talkie-walkie récupéré, le chef de la police et les deux officiers en place, Sarah enfila le harnais, empoigna fermement la corde et cala ses pieds sur le bord friable de la falaise, les talons dans le vide. Une rafale ébranla le cordage, la semelle de sa botte frotta la roche et une pierre se détacha. Sarah la regarda tomber vers le gouffre sombre léché à plus d'une trentaine de mètres en-dessous par l'écume. La peur la gagna. Pas cette peur instinctive de la chute et de la mort, mais plutôt deux angoisses contradictoires. D'abord celle de mourir avant d'avoir accompli sa vie et fondé une famille avec celui qu'elle aimait. Et, plus profondément, ondoyant dans les eaux sombres de son esprit, une peur qui semblait rôder en elle depuis toujours, et qui se démasquait soudainement : la peur de soi-même. Cette inavouable partie d'elle qui pouvait avoir envie de tout lâcher pour céder à l'appel du vide.

Où cette pulsion mortifère prenait-elle racine dans son histoire personnelle ? Dans ses traumatismes de guerre ? Peut-être. Et pourtant, l'origine semblait remonter bien plus loin encore. Qui était-elle vraiment ? Incongrue, terrifiante, la question n'en traversa pas moins Sarah comme le souffle hurlant d'un train fantôme.

— Prête ?! lança Nikolaï Haug, sa voix emportée par une bruyante bourrasque.

Sarah secoua la tête, déroutée d'avoir cédé à cette effrayante introspection. Les éléments hostiles et la manœuvre délicate qu'elle s'apprêtait à effectuer l'aidèrent à reprendre contact avec la réalité. Elle déplaça lentement ses mains le long de la corde pour se pencher en arrière. Puis elle inspira une grande goulée d'air, évita de regarder sous elle et entama sa descente dans le gouffre.

Au premier pas, le vent se jeta sur elle comme un fou poussant un innocent dans le vide. Ses cheveux claquèrent contre sa joue, son corps se déporta sur le côté et ses muscles compensèrent de justesse pour la rétablir perpendiculaire à la paroi.

— Ça va ?! hurla Nikolaï.

Sarah reprenait ses esprits, tâchant d'oublier la douleur de la corde s'enfonçant dans la chair de ses mains.

Elle respira profondément deux fois et se dispensa de répondre à Nikolaï, craignant de réveiller les oiseaux agglutinés par centaines à moins de dix mètres sous elle.

Profitant d'une soudaine accalmie venteuse, elle avala deux mètres de paroi avec agilité. Les muscles des bras tendus par l'effort, les yeux pleurant d'irritation, elle regarda par-dessus son épaule. Elle n'était plus qu'à deux mètres du petit balcon rocheux.

L'artère de sa carotide palpitant à lui nouer la gorge, elle déplaça sa jambe droite le long de la falaise, puis la gauche. Encore quelques efforts et elle serait en sécurité. Sauf qu'elle eut la certitude qu'on l'observait.

Elle tourna la tête vers la droite et se retrouva presque nez à nez avec le bec orange et crochu d'un macareux moine. Caché sous un monticule rocheux, il n'était pas visible d'en haut.

Immobile, le volatile la fixait de son œil noir. S'il frappait, Sarah savait qu'il viserait l'œil. Sous elle, le mugissement des vagues enfla, annonçant une bourrasque. Le vent la poussait vers le macareux et sous elle, le ressac marin semblait scander un funeste encouragement à la violence.

L'oiseau gonfla ses plumes, entrouvrit le bec. Et frappa.

Sarah sauta en arrière en laissant glisser la corde entre ses mains. Sa vie défila devant ses yeux. Le haut et le bas n'existaient plus. D'instinct, elle resserra la corde d'un coup sec. Le choc fut immédiat. Projetée contre la paroi, elle sentit ses semelles déraper et son épaule percuter la roche. Une pluie de gravats dévala en contrebas et l'enfer à plume s'envola dans un chaos de cris stridents.

Du haut de la falaise, les membres de la police virent s'élever un nuage d'oiseaux affolés.

— Tenez ferme !! hurla Nikolaï Haug, craignant que ses hommes aient le réflexe de tout lâcher pour se protéger.

Abasourdie par l'effervescence des volatiles, Sarah se laissa glisser à toute vitesse. Sa jambe cogna sur le promontoire rocheux, une aile d'oiseau lui gifla le visage, elle perdit le contact avec la corde et chuta.

Son corps roula vers le bord de l'étroit balcon et bascula dans le vide.

Sarah tendit une main désespérée et saisit la crête rocheuse. Ses doigts s'agrippèrent dans une crispation de survie. Les jambes pendant dans le vide, les rochers tendant vers elle leurs dents acérées, elle assura sa prise avec l'autre main.

Puis, de toutes ses dernières forces, elle se hissa dans un cri de rage. Elle parvint à poser un coude sur le balcon rocheux et à se tirer à plat ventre sur l'exiguë plateforme, la joue collée à la pierre humide.

Épuisée, dans un état de panique absolu, elle prit deux bouffées d'air et manqua de vomir. Une infecte odeur de putréfaction lui souleva l'estomac. Elle leva les yeux et ne put réprimer une sensation de frayeur.

Son pelage noir trempé de sang, sa gueule ouverte sur des dents brisées surmontées de naseaux dilatés, appuyée sur l'une de ses cornes, la tête tranchée d'un taureau gisait sur l'avancée rocheuse.

Sarah se redressa en tâtonnant la roche, comme hypnotisée. Autour d'elle, les oiseaux avaient flairé la viande et s'approchaient dangereusement. Sarah s'empara de la seconde corde qui pendait le long de la falaise et l'enroula fermement autour du crâne de l'animal, avant de tirer deux coups secs pour signaler que l'on pouvait remonter le ballot.

Elle s'assura que rien d'autre ne se trouvait sur la plateforme, s'accorda quelques minutes de répit et entreprit de regagner le plateau en piochant dans le peu de force qu'il lui restait.

Elle tira à trois reprises sur la corde glissée dans le mousqueton pendu à sa ceinture pour prévenir qu'elle remontait et entama son ascension.

Il lui fallut moins de cinq minutes pour poser une main au bord du sommet. Nikolaï accourut vers elle pour l'aider. Il avait l'air tout autant inquiet qu'épuisé par l'effort qu'il avait dû fournir pour remonter Sarah.

— Vous nous avez foutu une de ces trouilles ! Et merde, vous êtes blessée !

Sarah effleura le haut de sa joue et sentit la douleur fuser sous son œil. Rien de grave.

— C'est encore sous le même œil, lança Nikolaï Haug en faisant allusion à la cicatrice de Sarah.

Sans rien montrer de la peur qui irradiait encore en elle, elle se dirigea vers la tête de taureau qui reposait comme une pièce de boucherie abandonnée dans un champ. Le spot blafard qui éclairait auparavant le cadavre de la Première ministre baignait désormais la gueule à demi ouverte du bovin d'une lueur médicale.

Sarah fit signe aux deux médecins de l'équipe scientifique de la rejoindre. Elle s'adressa au plus grand des deux. Il avait les cheveux frisés et un regard doux.

— Votre nom ?

— Gérald Madkin.

— Vous allez vous charger de la comparaison du sang de l'animal avec celui trouvé sur les traces laissées par la victime. Dans la maison et dehors sur l'herbe. Je veux savoir depuis quel endroit précis Katrina Hagebak a traîné ça avec elle, et je veux une image précise de la scène de crime avant que la ministre ne se traîne dehors. Où était le corps de la ministre ? Où était la tête de taureau ?

Les deux policiers acquiescèrent avant de se diriger vers leur chariot pour s'équiper des seringues, pipettes, spatules et tubes dont ils auraient besoin pour leurs prélèvements.

— C'est donc ça que Katrina Hagebak a jeté par-dessus la falaise… lâcha Nikolaï Haug en s'accroupissant. Une putain de tête de taureau qui pue la charogne.

L'air de vieux loup de mer du chef de la police s'était mué en une expression d'incrédulité.

— Mais qu'est-ce qu'elle faisait avec un truc pareil ?

— J'aimerais faire un point sur la liste des suspects et sur… ça, déclara Sarah sans quitter la tête de la bête des yeux. L'heure tourne.

Le chef de la police n'avait pas l'air de l'avoir entendue. Figé de stupéfaction, il ne comprenait pas comment une telle étrangeté avait pu arriver dans son petit district.

— Officier Haug ! le rappela à l'ordre Sarah en consultant sa montre.

Il se redressa en frottant l'arrière de son crâne, mais sans quitter la dépouille animale des yeux.

— OK, OK…

Sarah prit les devants en se dirigeant d'un pas pressé vers la maison. Avant que le chef de la police ne la rejoigne, elle décrocha son talkie-walkie et demanda à l'officier Ingrid Vik de la rejoindre au premier étage de la maison dans une dizaine de minutes.

Puis elle gagna le palier qui faisait office de bureau de la Première ministre. La technicienne scientifique chargée d'analyser cette partie de la maison était en train de ranger son matériel.

— Attendez, dit Sarah.

Une quarantaine d'années, des cheveux bruns tirant sur le blanc-gris, des yeux cernés, un teint de cendre, cette femme semblait avoir recueilli sur son visage un peu de la mort de chacune des scènes qu'elle avait étudiées.

— Je suis Sarah Geringën, en charge de l'enquête. Votre nom ?

— Émilie Charrant.

Sarah reconnut immédiatement l'accent français et lui parla dans sa langue natale.

— Avez-vous terminé l'analyse de cette pièce ?

La femme aux traits fatigués sembla s'illuminer d'une brève lueur d'étonnement.

— Euh… oui. Je retourne au PC pour procéder aux analyses, répondit-elle à son tour en français.

— Passez à l'exploration des talkies SVR-19 des membres de la sécurité, poursuivit Sarah. C'est le plus urgent. Je veux savoir s'ils ont enregistré quelque chose des derniers moments.

— Bien inspectrice.

— Hé, vous racontiez quoi là ? s'agaça le commandant Haug en norvégien en croisant la quarantenaire au sommet de l'escalier.

— Je lui ai demandé de procéder à l'analyse des talkies-walkies. Elle est française, je lui ai parlé dans sa langue maternelle. Pas pour vous écarter, mais pour créer un lien avec elle.

Nikolaï haussa les épaules puis tendit une compresse désinfectante à Sarah, qui le remercia et l'appliqua sur sa joue blessée.

— Vous fumez ? lui demanda-t-il en lui offrant son paquet.

Elle fit non de la tête, se rappelant l'époque où elle aurait accepté, ou même demandé une cigarette avant même qu'on lui propose. Mais c'était avant qu'elle comprenne que moins elle sympathisait avec ses collègues, mieux les choses se passaient.

Le chef de la police fit glisser une cigarette de son paquet et l'alluma en plissant son regard bleu lorsque la fumée lui piqua les yeux.

— Vous êtes une sacrée femme, quand même ! lança-t-il en tirant une chaise pour s'asseoir alors que Sarah restait debout. Ce n'était pas des blagues, ce qu'on racontait sur vous dans le métier. Je serais verni si j'en avais des solides comme vous ici ! Vous voyez, pas les froussardes avec lesquelles je suis obligé de bosser !

Et elles de travailler avec le misogyne de premier ordre que vous êtes, allait répliquer Sarah. Mais elle avait prévu une forme d'argumentation plus concrète pour ce genre de mise au point. Et qui viendrait en son temps.

— Vous vivez ici depuis toujours. D'où peut venir cette tête de taureau ? Y a-t-il des élevages dans les environs ?

— Écoutez, je ne sais pas comment vous faites pour encaisser tout ce qu'on vient de trouver, mais moi, il me faut un peu de temps pour accuser le coup, vous voyez.

Du temps, Sarah n'en avait pas. Non seulement elle comprenait l'urgence de fournir des éléments de réponse au ministre de l'Intérieur, mais de plus rien ne prouvait que celui ou ceux qui avaient fait ça n'allait pas recommencer ailleurs dans les prochaines heures. Sarah savait aussi l'importance de l'écoute dans n'importe quelle enquête. Elle accorda quelques instants à Nikolaï.

Ce dernier venait de tirer une nouvelle bouffée de sa cigarette, et laissa la fumée plus longtemps que d'ordinaire flotter dans ses poumons avant de la recracher.

— Enfin je veux dire une tête de taureau, une craie collée dans la main, une espèce de plan tatoué dans le dos, des trous dans le corps, une exécution à l'épée, énonça le chef de la police. On parle de notre Première ministre, là ! Celle que l'on voyait à la télé nous expliquer qu'il fallait baisser encore plus les charges salariales ou jouer un rôle plus fort dans l'Union européenne, ou... putain, elle avait l'air normale, quand même !

Nikolaï semblait attendre une approbation de Sarah, ou même une contradiction. Mais la seule conclusion utile à laquelle Sarah aboutissait, pour faire écho aux propos de Nikolaï, c'était qu'elle avait désormais la certitude de devoir enquêter autant sur le ou les suspects que sur la victime elle-même. Il était évident que Katrina Hagebak n'était pas la femme publique que l'on croyait connaître.

Le chef de la police la considéra un instant et elle crut qu'il allait lui jeter à la figure qu'il en avait assez de ce mutisme. Mais il se contenta de lui faire un signe en direction de sa joue.

— Enlevez-moi cette compresse avant que ça colle à la croûte et que vous refassiez tout saigner. Ce serait dommage d'abîmer de si jolies taches de rousseur.

Sarah retira le pansement, s'assura que sa blessure ne saignait plus et plia la compresse avant de la ranger dans une poche pour ne pas risquer de contaminer les lieux.

— Dans l'ordre, dit-elle enfin : ratissez tous les élevages des environs, les boucheries, les abattoirs à la recherche d'une tête de taureau vendue ou volée. Deux, trouvez-moi quelqu'un pour sonder les murs de la panic room. Ce genre de pièce sert aussi de cache pour des coffres-forts. Il y en a peut-être un. Et c'est peut-être ça que les tueurs cherchaient. Si on trouve ce qu'il y a dedans, ça nous donnera une indication sur les motivations des agresseurs et donc leur profil. Trois…

— En gros, je vais être votre assistant sur cette affaire, c'est ça ?

— Disons qu'en attendant d'autres membres de mes équipes, vous êtes la personne la plus qualifiée et la plus expérimentée pour m'aider à répondre au plus vite au ministre de l'Intérieur.

Le chef de la police plongea son regard sans sourcils dans celui de Sarah pour lui montrer qu'il n'était pas dupe.

— Eh bien, comme ça, j'aurai au moins travaillé une fois sous les ordres d'une femme avant ma retraite. C'est pas que…

— Savez-vous à qui est destinée la chambre médicalisée ? le coupa Sarah.

— Hum… commença Nikolaï en ravalant sa fierté. Oui, c'est celle du père de la ministre. Il est soigné à l'hôpital de Vadsø pour des problèmes cardiaques. Quand la ministre vient ici, elle passe le prendre et l'installe avec elle pour le week-end.

— Pourquoi n'est-il pas là ? On est dimanche.

— Je me suis posé la même question, et j'ai appelé l'hôpital. Il est bien là-bas. Il a eu une complication hier matin et ils ont préféré le garder en observation.

— J'imagine qu'il n'est encore au courant de rien.

— De rien et, vu son état, on peut d'office le rayer de la liste des suspects.

— Le rayer des suspects actifs certes, mais pas des éventuels commanditaires, précisa Sarah.

Nikolaï plissa les lèvres en levant ses sourcils d'un blond si clair qu'ils semblaient avoir été épilés.

— Mouais, je connais le bonhomme. C'est un ancien pêcheur de la région. Un gars qui ne cherche de problème à personne et qui veut juste vieillir peinard, au calme, auprès de sa fille si possible. Mais bon, c'est vous la cheffe. Et justement, c'est quoi vos hypothèses ? Qui a pu faire un truc aussi tordu ?

Bien évidemment, en cas d'assassinat d'une personnalité du gouvernement, la piste de l'adversaire politique était la première envisagée. Et les seuls éventuellement capables de vouer une telle haine à Katrina Hagebak ne pouvaient être que les membres du Parti d'extrême droite dit du Progrès. Mais, de ce que Sarah avait déduit jusqu'ici, la méthode employée n'était pas assez simple et directe. La tête de taureau, les plaies dans le torse, l'épée : ils ne seraient jamais allés chercher une mise en scène aussi complexe. Non, ces gens-là voulaient juste éliminer les obstacles à leur idéologie.

— Katrina Hagebak avait-elle des ennemis dans la région ?

— Pas à ma connaissance, et je crois être pas mal informé de ce qui se passe dans mon comté. Les gens de Vardø savaient qu'elle venait ici pour qu'on lui fiche la paix. Personne ne lui rendait visite sur son île et elle n'allait jamais en ville. On respectait son souhait de tranquillité. À vrai dire, on était même fiers qu'elle décide de se ressourcer chez nous.

— Il n'y a pas de gardien dans le phare ?

— Si, mais pas le week-end parce que le port est fermé. Cela dit, je sais que Katrina Hagebak et Olaf se parlaient de temps en temps. Mais juste comme des voisins qui se saluent poliment. Rien de plus.

— Mais quand même le genre de relation à qui on ouvre sa porte sans se méfier.

— Parce que vous imaginez qu'Olaf ait pu faire un truc pareil ?

— Pour moi, Olaf n'est qu'un nom sur une liste, pas un type de ma ville que je connais depuis l'enfance, et, de mon point de vue, il est suspect. Il fera donc partie des personnes dont on va vérifier l'emploi du temps. Comme on va le faire pour tous les individus qui font partie du premier cercle de connaissances de Katrina Hagebak dans la région. Dans moins de six heures, je veux l'emploi du temps précis de toutes ses connaissances professionnelles, familiales et amicales qui vivent dans les environs. Je vais demander de l'aide à Oslo pour procéder au même travail au niveau national. Cherchez aussi tous les témoins éventuels qui auraient pu voir quelqu'un d'étranger à Vardø se promener dans les parages, ou prendre un bateau vers l'île entre hier matin et hier soir.

— Parce que vous pensez que c'est forcément quelqu'un d'ici ?

— Non, mais pour les autres, leur nombre est bien trop important pour qu'on puisse tous les interroger. Il faut que j'en sache plus sur les conclusions du légiste et des policiers scientifiques pour tenter de définir un profil plus précis du ou des assassins.

Nikolaï opina du chef, écrasa sa cigarette dans sa petite boîte et se redressa de toute sa hauteur. Il ramassa ses gants et sembla prendre un peu plus de temps que nécessaire. Sarah le sentait, il hésitait à lui dire quelque chose.

— Vous pensez à quoi, Nikolaï ?

Il la toisa avec un rictus.

— Vous ne vous arrêtez jamais, hein ?

Elle patienta, l'invitant par son calme à confesser ses pensées.

— Ils cherchaient quoi, ceux qui ont fait ça. Je veux dire, ils ont retourné la maison, pété les murs et ils l'ont torturée... qu'est-ce qu'elle cachait ? Est-ce qu'ils l'ont trouvé ?

Sarah approuva sans l'interrompre.

— Et puis, je sais pas, mais tout ce fatras de tête de taureau, de craie, des trous dans le corps, des coups d'épée... franchement, ça ne vous fait pas penser à un truc... sataniste ?

Sarah allait lui expliquer ce qu'elle avait prévu de faire sur cette question quand on entendit des pas gravir l'escalier.

— Qu'est-ce que vous faites là ? grogna le chef de la police de Vardø.

Ingrid Vik, les épaules rentrées, regarda son supérieur avec la crainte de l'enfant face au proviseur de son école.

— C'est moi qui lui ai demandé de venir, dit immédiatement Sarah.

Puis se tournant vers Ingrid, elle ajouta :

— J'ai un travail à vous confier.

La jeune femme avança timidement, un peu voûtée, sa petite tête blonde comme figée par la peur de déranger, ses grands yeux bleus enfoncés dans leurs orbites creuses hésitant à regarder ses interlocuteurs en face.

— J'ai besoin de tout savoir sur les rituels, satanistes ou pas, religieux ou autres, qui mettent en scène une tête de taureau, déclara Sarah. J'en ai besoin au plus vite. Dans les deux heures.

Nul besoin d'être un aussi fin observateur que Sarah pour remarquer l'émotion dans les yeux de la jeune policière. Elle consulta son chef, qui contenait sa contrariété avec difficulté.

— À partir de maintenant, sur cette enquête, vous me rendez compte directement de ce que vous trouvez, déclara Sarah pour couper court à toute contestation. Nikolaï n'aura pas le temps de jouer les intermédiaires.

— À vos ordres, inspectrice.

Et la jeune femme adressa un signe de tête à son chef avant de tourner les talons.

— Alors comme ça, vous aviez tout prévu avant même que j'en parle. Une fois de plus, vous méritez votre réputation. Sauf que vous ne vous en prendrez qu'à vous si celle-là vous fournit un mauvais travail. Vous auriez dû me demander avant, je vous aurais conseillé quelqu'un d'autre de bien plus qualifié qu'elle.

— Peut-être, mais qui n'aura jamais autant la rage de prouver de quoi elle est capable. Ne serait-ce que pour se venger de la façon humiliante dont vous la traitez.

Le chef de la police quitta le palier en marmonnant quelques paroles à l'encontre de la gent féminine.

— Nikolaï ! l'interpella Sarah. À partir de maintenant (elle consulta sa montre), il nous reste officiellement onze heures et vingt-sept minutes.

— Ce n'est pas en nous foutant la pression qu'on ira plus vite ! rétorqua-t-il.

— Compte tenu des questions que l'on va poser, les gens vont se douter de quelque chose et l'information va fuiter. Je nous donne trois ou quatre heures maximum avant que Vardø ne soit envahie par des dizaines de journalistes déchaînés qui mobiliseront toutes vos forces pour éviter les débordements. Croyez-moi, vous ne pourrez plus travailler et c'est sans compter la panique des habitants et bientôt de tout le pays. Ça va être un cataclysme, Nikolaï. Alors si, pour une fois, vous devez donner raison au ministre de l'Intérieur, c'est maintenant : faisons au mieux, mais aussi au plus vite.

— Je retourne sur le continent pour diriger les interrogatoires. Je crois que vous n'avez plus besoin de moi sur l'île. Au cas où, voici mon numéro, dit-il en lui tendant sa carte.

Puis le chef de la police disparut au pied de l'escalier et Sarah entendit son pas lourd cogner contre le plancher du rez-de-chaussée.

Elle déclencha un chronomètre sur sa montre pour s'accorder deux minutes de repos et se laissa glisser accroupie contre le mur de la mezzanine. Elle avait mal à la tête de ne pas avoir assez dormi, le froid crispait ses muscles et la peur qu'elle avait vécue le long de la falaise était encore prégnante. Surtout cette peur incompréhensible qu'elle avait ressentie à l'égard d'elle-même et de ce dont elle était capable.

Elle pensa alors à sa sœur, à ses parents, à ses amis, ses collègues, et surtout à Christopher et Simon, qui allaient bientôt apprendre la nouvelle de l'assassinat de la Première ministre.

Elle éprouvait déjà le choc qui allait tétaniser le pays puis une partie du monde. Les hypothèses les plus folles qui allaient alimenter les conversations dans chaque foyer de Norvège, l'urgence des questions qui allaient tourner en boucle à la télévision et dans les têtes mal réveillées des cinq millions de Norvégiens.

Son cœur battit plus vite, sa respiration s'accéléra, ses mâchoires se contractèrent et l'envie d'une cigarette l'obséda.

À ses côtés, Christopher aurait su trouver les mots et les gestes pour la calmer. C'est comme ça qu'ils fonctionnaient. Quand l'un tremblait, l'autre n'avait pas peur ou en tout cas, il ne le montrait pas. Ce n'était pas un mensonge, plutôt une conscience aiguë du besoin de chacun. Une générosité mutuelle qui s'était manifestée au cœur de l'épreuve deux ans auparavant, lorsque Sarah avait aidé Christopher à sauver Simon d'une mort certaine.

C'était cette main solide qu'ils s'étaient mutuellement tendue dans les pires moments qui les avait liés et qui avait scellé les fondations de leur couple. Une confiance absolue sur laquelle avait germé le désir puis une promesse de bonheur partagé.

Pour compenser l'absence de Christopher, Sarah renoua avec une habitude qu'elle avait abandonnée depuis au moins trois ans. Elle tira de sa poche un crayon et un petit carnet de notes d'enquêtes qu'elle gardait toujours sur elle.

Puis elle entama le dessin du corps de Katrina Hagebak dont la position, les stigmates et le tatouage rendaient ce crime si étrange. Comme si elle était face à une énigme plus qu'à un meurtre. Confrontée au décodage d'un symbole plus qu'à la découverte d'un mobile.

La concentration l'apaisa, son esprit réfléchissait, explorant des hypothèses à la limite de l'irrationnel.

Et si Katrina Hagebak avait elle-même tué ses gardes du corps avant de mettre en scène sa mort ? Cela expliquerait l'absence d'effraction et la facilité avec laquelle les membres de la sécurité avaient été assassinés ? Et si le père de Katrina n'était pas aussi malade qu'il le prétendait et simulait sa convalescence pour éloigner les soupçons ?

Au fur et à mesure que la mine de son crayon glissait sur la feuille, elle laissait les idées les plus absurdes passer en elle, comme pour éviter qu'elles polluent sa pensée en demeurant des possibles non explorés.

La pression retomba et ne demeura que la tension de l'esprit concentré.

Elle allait ranger son carnet de dessin quand son téléphone carillonna pour lui annoncer un message.

À sa lecture, un sourire ému suivi d'une rougeur gagna son visage. Autant elle contrôlait parfaitement cette réaction épidermique dans le cadre professionnel, autant elle rougissait immédiatement dans l'intimité.

Sarah allait pianoter une rapide réponse et rejoindre les policiers scientifiques pour savoir ce qu'ils avaient trouvé, mais son talkie-walkie grésilla à sa ceinture.

— Joachim Trimmer pour Sarah Geringën.

La voix du légiste était plus pressée que ce qu'elle avait constaté jusqu'ici.

— J'écoute, dit-elle en décrochant.

— Vous devriez venir voir. Je… je crois que j'ai trouvé quelque chose.

Sarah ignora le bond que son cœur venait de faire dans sa poitrine.

Elle se leva et fila vers la tente d'autopsie.

8

Assis dans son lit, Christopher patienta une petite minute devant l'écran de son téléphone, sans se faire trop d'illusions sur une réponse imminente de Sarah à son message.

Le radio réveil affichait « 5 : 39 ». Christopher sortait tout juste d'un sommeil nerveux, avec l'impression de n'avoir bénéficié d'aucune interruption du fil de ses pensées depuis la veille.

Entre le départ impromptu de Sarah, son premier jour de travail dans un grand quotidien norvégien et la colère de Simon, son cerveau avait jeté ses inquiétudes les unes contre les autres à la façon d'une boule de flipper coincée entre deux bumpers.

Ne t'inquiète pas, tout va bien pour elle, se répéta Christopher en descendant de son lit. Rappelle-toi qu'elle t'a sauvé la vie et celle de Simon, et qu'elle sauvera donc très bien la sienne en cas de problème.

Passablement rassuré, Christopher alla vérifier si Simon dormait bien depuis sa crise de la veille au soir.

Éclairant son chemin à l'aide d'une lampe de poche, ses pieds nus foulant l'accueillante moquette, il avança en silence jusqu'à la porte de la chambre du jeune garçon. Et alors qu'il s'apprêtait à l'entrouvrir, il y remarqua une feuille scotchée qui n'était pas là la veille. Quelque chose y était écrit à la main :

« Elle sera jamais ma maman
et toi t'es pas mon papa. »

De la part d'un autre enfant, Christopher aurait presque souri, en se disant que ce n'était qu'une crise passagère brillamment mise en scène, qui serait oubliée une demi-heure plus tard.

Mais c'est une angoisse acide qui le consuma.

Après la mort soudaine de son père et de sa mère dans un accident de voiture, le jeune garçon de huit ans avait perdu le sens de l'existence.

À l'époque, son oncle Christopher menait une vie décousue, entre deux avions et deux femmes, à la recherche du scoop et du plaisir sans engagement. Il entretenait malgré tout une relation étroite avec son neveu, qu'il emmenait en balade au moins une journée par mois.

À l'annonce du drame, Christopher avait refusé que l'on place Simon dans une famille d'accueil et, du jour au lendemain, il avait bouleversé sa vie pour accueillir le petit garçon chez lui et endosser un rôle qu'il n'envisageait même pas d'assumer un jour : celui de père. Échangeant l'adrénaline de son métier de reporter de guerre pour un poste de journaliste scientifique dans un magazine basé à Paris, abandonnant chacune de ses relations féminines, il s'était dédié à la construction d'un environnement cadré, rassurant et bienveillant pour Simon. Une chambre à son goût, repas et sommeil à heures régulières, échanges quotidiens sur leurs activités respectives, invitation de copains et copines à la maison, aucun défilé de femmes dans l'appartement. Il avait même fini par quitter son CDI pour devenir pigiste afin de pouvoir accompagner Simon à l'école et venir lui-même le chercher.

Les débuts avaient été épouvantables, Simon se murant dans un silence morbide, rejetant Christopher, déclarant qu'il préférerait mourir pour rejoindre ses vrais parents.

Mais grâce à une constance émotionnelle qui émerveilla son entourage, Christopher parvint à apprivoiser Simon. Sans être son père, il devint petit à petit le remplaçant le plus attentionné qu'un enfant aurait pu espérer.

Et puis il y avait eu la tragédie de l'affaire 488. Mais, contre toute attente, cet événement les avait rapprochés. Le petit garçon avait instinctivement compris que son oncle et cette Sarah qui l'avait aidé étaient capables de donner leur vie pour le sauver. Comme l'auraient fait de vrais parents.

Et, le soir de leur retour à Paris, c'est les larmes aux yeux que Christopher avait vu Simon s'endormir non plus avec le sweat-shirt de son papa défunt, mais avec le sien, demandant s'ils allaient revoir la femme aux cheveux roux.

Quelques mois plus tard, ils quittaient Paris pour rejoindre Sarah à Oslo et former une vraie famille, offrant enfin à Simon un foyer chaleureux et rassurant.

C'est en tout cas ce que Christopher espérait jusqu'à ce soir.

L'angoisse de voir Simon renouer avec ses démons de l'abandon et de la peur fit naître un début de nausée.

Il poussa la porte de la chambre et distingua la silhouette de Simon allongé dans son lit. Mais dormait-il vraiment ? Christopher prit le risque de s'approcher quand il entendit un bruit de papier froissé sous ses pieds.

Ce n'est qu'à ce moment-là que le carton de déménagement éventré et les dizaines de coupures de journaux étalées par terre apparurent dans le faisceau de sa lampe. Simon avait tout vidé dans sa chambre. Et, malheureusement pour lui, Sarah avait traduit les gros titres en français pour Christopher.

Dagbladet
*Une inspectrice norvégienne démantèle
un complot scientifique et sauve
un petit garçon.*

Dagens Næringsliv
*Affaire 488 : l'inspectrice Sarah Geringën met fin
à trente ans de mensonge dans la psychiatrie.*

Dagsavisen
*La rousse venue du Nord qui a bravé
sa hiérarchie pour la vie d'un homme
et de son neveu.*

Aftenposten
*Oslo : l'hôpital de Gaustad au cœur d'expériences
inavouables et de torture d'enfants.*

Et au sein de cette presse généraliste traînait une photo du tabloïd *VG* sur laquelle on distinguait Sarah et Christopher tenant la main de Simon à la sortie de l'aéroport d'Oslo, suivie de la légende :

« À peine un mois après son divorce, l'héroïne d'Oslo passe les menottes à son nouvel amour français ! »

L'article détaillait ensuite avec un plaisir malsain combien le petit garçon, Simon, avait beaucoup souffert à la mort de ses parents dans un accident de voiture un an auparavant.

Christopher et Sarah avaient conservé tous ces journaux pour les montrer à Simon le jour venu, quand le temps aurait passé et cicatrisé les blessures. Histoire de poser des mots clairs sur des souvenirs forcément déformés.

— Qu'est-ce que tu fais dans ma chambre ?

Christopher sursauta et éblouit Simon en braquant sa lampe vers lui.

— Je venais voir si tu dormais bien.

— Laisse-moi tranquille !

Christopher hésita. Était-ce le moment d'entamer une discussion épineuse, à 5 h 45 du matin, avec un enfant en colère et en manque de sommeil ? Certainement pas. Mais l'esprit déjà encombré par son premier jour de travail et l'incertitude qui entourait le départ de Sarah, il céda à la tentation de soulager son inquiétude en réglant le problème au plus vite.

— Simon, j'ai lu le mot que tu as collé sur ta porte. Je comprends que tu sois en colère, mais Sarah n'a jamais souhaité un tel remue-ménage et encore moins de partir comme ça, à l'improviste, en plein week-end. Tu sais combien elle t'aime et combien elle aime que l'on soit ensemble. Elle va vite revenir.

— Laisse-moi, tu ne comprends rien !

— Mais toi, tu es grand aujourd'hui, et tu comprends que ce qui s'est passé ce soir est exceptionnel. Ça ne fait pas partie du travail normal de Sarah. Même elle m'a dit qu'elle n'avait jamais vécu ça. Et que ce genre de mauvaise surprise ne se reproduirait pas.

— Tu m'as déjà dit ça et tu vois bien, ça recommence ! Tu mens, tu mens tout le temps ! Ils reviennent toujours ! Et vous, vous allez m'abandonner, je le sais. Va-t'en !

Aux éclats de colère se mêla une intonation de détresse qui déchira le cœur de Christopher.

— D'accord, je m'en vais, chéri. Je suis dans ma chambre. Tu peux venir me voir quand tu veux. Jamais je ne t'abandonnerai. Jamais. Ni moi, ni Sarah. Je t'aime.

— Pars !

Christopher se mordilla les lèvres, mais il savait que Simon, ayant eu la confirmation que son père se souciait de lui, avait maintenant besoin de solitude pour se calmer.

Il rentra dans sa chambre à coucher pour s'asseoir au bord du lit et consulta son téléphone, se demandant où Sarah était et quelle était la gravité de l'affaire pour laquelle on était venu la chercher.

Il s'efforça de ne pas lui envoyer un nouveau message pour ne pas la déranger, et se dirigeait vers la salle de bains attenante à la chambre quand son téléphone lui signala l'arrivée d'un SMS.

Impatient de découvrir la réponse de Sarah à son « indécente » proposition, il fut surpris de découvrir un numéro qu'il ne connaissait pas.

9

— Vous avez été bien inspirée de me demander d'entamer l'autopsie au niveau des plaies sur l'épaule droite.

Debout derrière la table où reposait le cadavre de Katrina Hagebak, dissimulé derrière un masque, Joachim Trimmer tendait à Sarah un pot d'huile de camphre dont elle s'empressa d'humecter la base de ses narines. Même sous cette tente ouverte aux courants d'air, l'odeur de putréfaction souillait l'atmosphère.

— Vous avez trouvé quoi ? le pressa Sarah en se concentrant sur les effluves camphrés qui dissimulaient à peine ceux de la mort.

Trimmer tendit le doigt vers son ordinateur posé sur une commode en inox.

— Sur l'écran là, vous voyez un agrandissement des plaies de l'épaule. On y distingue nettement les cinq déchirures longilignes qui partent du milieu de l'omoplate jusqu'à la clavicule.

Le légiste parlait en désignant les détails du cliché de la pointe d'un feutre.

— Comme vous pouvez le constater, les plaies présentent des bordures irrégulières et en épis. Et comme je n'y ai retrouvé aucune trace de métal, de plastique ou de bois, je suis à peu près certain qu'elles n'ont pas été infligées avec un objet ou une arme. Ces plaies ont forcément été faites avec des ongles.

— Allez droit au but, lui intima Sarah.

Trimmer ferma brièvement les yeux comme pour réprimer une remarque d'agacement.

— Je vois que nous partageons la même vivacité d'esprit, inspectrice, répondit-il poliment, mais j'avais besoin de vous exposer mes recherches afin que vous soyez certaine que ma conclusion est sans aucun doute la bonne.

— Et...

— ... j'ai mesuré la largeur des plaies. Bref, les cinq sillons de déchirures épidermiques font exactement la même largeur que les doigts de Katrina Hagebak. Et ce même en tenant compte de la déformation des tissus suite au décès.

Trimmer jeta un coup d'œil vers Sarah, qui demeurait impassible, et ajouta :

— C'est elle qui s'est infligé cette blessure, inspectrice. Et, pour parvenir à une telle profondeur dans les plaies, elle a reproduit le geste à plusieurs reprises et avec... disons de la force, pour ne pas dire de la rage. Chaque fois en replaçant les doigts dans les mêmes sillons, comme si elle tenait à labourer cette partie précise de la peau. J'ai retrouvé des échantillons de peau mêlés à de la terre sous ses ongles. Il me reste à vérifier que cette peau est bien à elle et pas à son bourreau, mais j'en doute.

Trimmer s'attendait à voir Sarah écarquiller de grands yeux surpris, ou à tout le moins marquer une certaine stupéfaction, mais elle demeura de marbre.

— Inspectrice ? s'enquit le légiste. Vous m'écoutez ?

Sarah le glaça d'un regard qui le dissuaderait pour longtemps de lui faire ce genre de remarque.

Elle réfléchissait.

Avait-on obligé Katrina à se mutiler ? Mais pourquoi précisément là, sur cette épaule gauche et pas ailleurs ?

Une rafale de vent déforma la toile de la tente et un courant d'air serpenta entre les interstices des jointures. Sarah frissonna.

Pas tant à cause du froid qu'en raison de l'idée qui venait de surgir en elle.

Tout comme elle s'était traînée elle-même jusqu'au bord de la falaise alors qu'ils avaient au départ tous cru qu'elle y avait été amenée par ses tueurs, Katrina Hagebak s'était elle-même infligé cette blessure volontairement à l'épaule ? Et si c'était le cas, pourquoi ?

Malgré son trouble, Sarah remarqua que Trimmer guettait fébrilement le moment où elle allait de nouveau lui accorder son attention.

— J'ai trouvé autre chose… déclara-t-il.

Sarah s'était approchée de l'écran d'ordinateur sur lequel le légiste venait d'afficher des vues agrandies des plaies de l'épaule. Sur l'un des clichés, un cercle rouge entourait une zone située au sommet de l'épaule meurtrie.

— J'ai failli ne pas la voir, tellement elle était abîmée par la mutilation, expliqua Trimmer, mais c'est bien un morceau d'empreinte digitale à même la peau que vous voyez là. Et, ajouta-t-il en anticipant la réaction de

Sarah, qui ouvrait la bouche pour parler, je peux d'ores et déjà vous confirmer que ce morceau d'empreinte ne provient pas de la main de Katrina Hagebak.

Cette fois, Sarah ne s'y attendait pas et son œil brilla d'une lueur d'excitation qui n'échappa pas au légiste.

— Ne vous emballez pas, je vais devoir vous décevoir. Autant je peux confirmer que ce minuscule bout d'empreinte n'est pas compatible avec celles de Katrina Hagebak, autant cet échantillon est inexploitable pour retrouver un individu. Il en manque les trois quarts. Regardez vous-même.

L'image zoomée montrait effectivement une fraction d'empreinte d'un centimètre maximum et dont Trimmer avait rehaussé le contraste avec de la poudre magnétique noire. Ce microscopique reliquat de preuve se situait à la commissure d'une des cinq plaies, comme une marque mal effacée.

— Avec une moitié d'empreinte, on aurait pu tenter une reconstitution par extrapolation, mais là c'est tout simplement impossible, reprit le légiste.

Sarah décrocha son talkie-walkie et demanda au premier technicien libre de venir la rejoindre.

— D'autres empreintes ailleurs sur le corps ? s'enquit-elle sans espoir.

Trimmer secoua la tête d'un air désolé.

— C'est la première chose que j'ai contrôlée après avoir trouvé celle-là. Il n'y en a pas d'autre.

Sarah se rapprocha du corps nu et livide de Katrina Hagebak allongé sur la glaciale table d'autopsie, les yeux braqués sur ces marques de griffes à l'épaule. Elle sentit les poils de ses bras se hérisser quand, enfin, elle s'autorisa à formuler clairement l'improbable hypothèse qui germait en elle depuis quelques secondes.

— Inspectrice ?

Un homme d'une trentaine d'années, petit, chauve et aux gestes vifs, venait d'entrer dans la tente. Il portait la combinaison blanche et les gants bleus de la police scientifique.

— Vous voyez cette portion d'empreinte sur l'écran, lui expliqua Sarah sans cérémonie. Peut-on retrouver son propriétaire ?

Le jeune homme s'approcha d'un pas rapide de l'écran et haussa les sourcils d'embarras.

— Eh bien… disons que la seule solution serait de comparer cet extrait avec une somme de suspects précis. Sinon, les programmes informatiques de recherche vont trouver une quantité astronomique de correspondances. Même si les empreintes digitales de chaque être humain sont différentes prises dans leur intégralité, elles s'empruntent mutuellement des similitudes si on ne compare que des morceaux.

Ce jeune policier avait l'air de comprendre vite. Sarah aimait ça.

— Lancez la recherche malgré tout et transmettez-moi personnellement les résultats. Je me chargerai de les transférer à mes équipes à Oslo pour tenter de procéder à un tri.

— Bien madame, répondit le jeune officier en interrogeant Trimmer du regard.

— Je vous dépose le fichier photo sur votre réseau à l'instant, lui répondit le légiste en pianotant sur son ordinateur.

Le policier scientifique salua d'un geste bref et quitta la tente.

Sarah ne se faisait guère d'illusion sur les résultats de l'analyse de cette empreinte. Mais elle n'avait pas le luxe de négliger une piste.

— Ce n'est quand même pas de chance que le seul endroit où il y ait une empreinte soit si abîmé, se plaignit Trimmer en validant la dernière étape de son transfert de fichiers d'un claquement sonore sur son clavier.

Sarah fixa Trimmer et réprima une remarque déplacée sur son manque de perspicacité. Il n'avait donc pas fait le lien ?

Le seul endroit où l'on avait trouvé une empreinte du possible meurtrier, qui aurait permis de l'identifier, était bizarrement la seule partie du corps où Katrina Hagebak s'était griffée jusqu'au sang.

Le cœur battant comme si elle s'apprêtait à sauter dans le vide, Sarah murmura son intime conviction à l'adresse d'elle-même et du légiste :

— Katrina Hagebak a délibérément cherché à effacer cette empreinte.

– 10 –

Il était 7 h 45 pile lorsque Christopher entra dans le *coffee shop* situé à une centaine de mètres de l'école française d'Oslo, René-Cassin. Il venait de déposer Simon dans sa classe après être convenu avec lui que les parents de Sarah viendraient le chercher le soir et s'occuperaient de lui jusqu'au mercredi. Au moment de partir à l'école, Christopher avait trouvé Simon dans sa chambre, avec son sac à dos sur les épaules et un mot dans la main sur lequel il avait écrit : « Je veux partir d'ici. Simon. »

Le petit garçon avait refusé toute forme de communication malgré les efforts répétés et angoissés de Christopher. Ce dernier avait alors décidé d'accéder à la demande de son fils adoptif en espérant que quelques jours de séparation prouveraient à Simon combien Christopher et Sarah lui étaient indispensables.

En entrant dans l'école, le petit garçon avait refusé d'embrasser son père. Christopher l'avait regardé s'éloigner le cœur lourd de ne pouvoir atténuer la souffrance de Simon.

Il fut tiré de son tourment par un homme assis au fond du café qui lui faisait un signe de la main. L'individu devait bien avoir une cinquantaine d'années, un visage tassé où la pointe du nez semblait vouloir toucher la bouche, des cheveux gris et raides séparés par une raie sur le côté, et arborait de grosses lunettes à la monture carrée qui ne détonnaient pas avec sa vieille veste marron.

Christopher se faufila entre les clients tout autant qu'entre les enivrants effluves de café latte, de cafés viennois surmontés d'une montagne de crème Chantilly et les pâtisseries torsadées tout juste sorties du four.

— Merci d'être venu, dit l'homme dans un français correct.

Christopher observa son interlocuteur avec acuité. Avait-il bien fait d'accepter cette entrevue ?

Après avoir reçu l'étrange message, il avait envisagé d'avertir Sarah qu'un journaliste voulait lui poser des questions sur elle. Et puis il s'était dit que ce n'était pas le moment de la déconcentrer. Et très vite, la curiosité avait pris le pas sur la prudence.

Pas cette curiosité qui vous nargue et vous charme l'espace d'un instant, mais celle qui se niche en vous et vous invente sournoisement des excuses pour soulager votre conscience de céder à la tentation.

C'était donc avec le prétendu objectif de pouvoir mieux informer Sarah de l'éventuelle menace journalistique qui planait sur elle que Christopher s'était rendu à ce rendez-vous.

Il prit place en face de son mystérieux invité d'un mouvement qui se voulait détaché, espérant dissimuler au mieux la fébrilité qui le tenaillait.

— En temps normal, je vous aurais volontiers serré la main, déclara-t-il. Mais vous comprendrez que votre démarche intrusive a quelque chose d'agaçant et de suspect. Par conséquent…

— Je comprends, et j'apprécie déjà le courage que vous avez eu en venant ici.

Christopher sourit intérieurement en reconnaissant l'une des règles du journalisme d'investigation : flatter le témoin indécis pour transformer sa culpabilité en fierté. Faire de lui un héros alors qu'il croit être un traître.

— Je vous écoute, enchaîna Christopher.

Tomas Holm le regarda avec une certaine admiration derrière les larges verres de ses lunettes.

— J'ai lu pas mal de vos reportages de guerre, notamment sur le Kosovo, et je dois dire que jamais je n'aurais eu le cran d'aller recueillir les témoignages que vous avez rapportés.

Une flatterie de plus, songea Christopher en opinant du chef poliment.

— J'ai aussi lu votre conférence sur les impostures de l'histoire et de la science, ajouta le journaliste. Brillant, notamment sur l'escroquerie de l'astrologie. Et j'en suis à la moitié de votre nouvel ouvrage, *Ces détails qui changent tout*, lorsque vous expliquez pourquoi le haut lieu de la chrétienté qu'est le plafond de la chapelle Sixtine est en réalité un hymne à la sexualité, et à l'homosexualité en particulier.

— Et j'en écris un prochain qui s'appelle *Pourquoi Tomas Holm enquête sur Sarah Geringën,* le coupa Christopher, lassé.

Le journaliste eut un bref mouvement nerveux de l'épaule droite, comme s'il avait été piqué par un insecte. Il ajusta ses lunettes et regarda sa tasse de café.

— Oui, oui, vous avez raison, venons-en au fait. Mais avant, permettez-moi de vous poser une toute dernière question.

Christopher soupira en réajustant son assise sur le vieux fauteuil en cuir patiné.

— Comment se fait-il que vous n'ayez rien publié sur l'affaire du patient 488 ? En tant que grand reporter de talent, et tout premier acteur de l'affaire, vous auriez signé un document exceptionnel !

Ce n'était pas la première fois qu'on lui posait la question. Christopher avait l'habitude de répondre qu'il était justement trop partie prenante dans cette histoire pour livrer un témoignage objectif. Et puis il n'était pas sûr d'être prêt à affronter des souvenirs si pénibles.

En réalité, tous ceux qui connaissaient les secrets de leur enquête étaient morts. Christopher et Sarah étaient les deux seuls à savoir ce que le patient 488 cachait, et ils s'étaient juré de ne jamais dévoiler la vérité.

— Pourquoi suis-je ici ? répliqua Christopher qui n'avait plus de temps à perdre.

— OK, OK, d'abord sachez que je ne nourris aucune mauvaise intention à l'égard de votre compagne. Je cherche seulement à éclairer une partie de sa fulgurante carrière. Pour être clair, après l'affaire dite du patient 488, Sarah Geringën a fait la une de tous les journaux en Norvège, et on a commencé à s'intéresser au parcours de cette femme, héroïne de la nation. La presse a interrogé quelques collègues bienveillants qui l'ont décrite comme une femme d'une efficacité redoutable. Et, pour la plupart, mes confrères ont reco-pié une biographie élogieuse fournie par le service de presse de la police d'Oslo…

— Oui, je vois, et donc ? relança Christopher qui ne montra rien de son adhésion à cette analyse d'un travail journalistique bâclé.

— Et donc je me suis installé en free-lance parce que mon directeur de la rédaction ne voulait pas finan-cer une enquête sur une femme dont on voulait seule-ment célébrer l'héroïsme. Et qui de surcroît était tout simplement impossible à interviewer.

— C'est donc ça que vous voulez, un passe-droit pour interviewer Sarah ? lâcha Christopher, déçu.

— Non ! asséna Tomas en agitant sa main en signe de dénégation au-dessus de sa tasse. Non, je sais qu'elle a autre chose à faire.

— Alors quoi, vous voulez que je vous raconte tout sur elle, c'est ça ? Sous prétexte que vous et moi serions collègues ?

— Non plus. En fait, j'aimerais vous faire part d'un élément, disons troublant de l'enquête que j'essaye de mener sur Mme Geringën depuis un an.

Christopher allait lui demander d'accélérer, mais Tomas le devança et leva posément la main.

— J'arrive, j'arrive. Juste pour que vous compreniez l'élément déclencheur de ma démarche. Quand j'ai lu tous les articles sur Mme Geringën, je n'ai vu que le portrait d'une femme dévouée à son travail, tout aussi brillante que physiquement entraînée. Une femme intègre, travailleuse, froide, mais juste. Une militaire qui avait combattu en Afghanistan jusqu'en 2012 et qui, après un stage de février à avril 2013 dans la station de montagne de Hemsedal, pour décompresser, s'était reconvertie dans la police en s'y démarquant dès ses premières enquêtes. Bref, pas un accident de parcours, pas un doute.

Tomas regardait sa table comme s'il s'apprêtait à y clouer ses prochaines paroles.

— Or, il est impossible d'affronter ce que cette femme a affronté, il est impossible de prendre tous les risques qu'elle a pris, sans une part d'ombre ! J'en suis convaincu. Je veux dire, on peut être courageux, volontaire. Mais d'après ce que l'on comprend en analysant le compte rendu de l'enquête sur l'affaire dite du patient 488, elle a tout simplement été suicidaire. Et ça, personne ne l'a vu ou, en tout cas, n'a osé le dire !

Tomas évalua l'effet de ses paroles sur Christopher d'un air embarrassé. Mais ce dernier ne pouvait lui donner tort. Ce que Sarah avait fait pour lui et Simon tenait effectivement du renoncement.

— Où voulez-vous en venir ?

— J'ai voulu savoir dans quel état elle était arrivée à son stage de « décompression » pour les « retours d'Afgha », comme ils disent. Le Centre norvégien d'études sur la violence et le stress post-traumatique d'Oslo m'a confirmé que Sarah Geringën avait effectivement effectué un séjour dans leur domaine d'Hemsedal. Je me suis rendu sur place. Une espèce d'hôtel-spa situé en dehors de la zone touristique, avec des psys, du sport, de la relaxation, des tables rondes. Je vous passe les détails, mais j'ai fini par avoir le directeur du centre, qui m'a confirmé que Sarah Geringën faisait partie des patients qui avaient rapidement retrouvé leur équilibre et ne présentaient aucune manifestation de stress post-traumatique.

Christopher regarda l'heure sur l'horloge du coffee shop. Dans moins de vingt minutes, il devrait se présenter à son nouveau rédacteur en chef et il avait de plus en plus l'impression de perdre son temps. Cette crainte d'être en retard pour son premier jour mêlée à l'inquiétude sur l'état moral de Simon et cette menace sur le passé de Sarah qui tardait à se révéler, tout cela eut raison de sa patience.

— Je vous laisse soixante secondes pour me balancer ce qui mériterait que je sois ici à vous écouter. C'est clair ?

L'index pointé vers son interlocuteur, le buste penché en avant, Christopher remarqua que les clients assis autour d'eux le surveillaient du coin de l'œil.

Conscient de s'être emporté, il réajusta sa veste, peu fier d'avoir perdu son sang-froid, se demandant comment Sarah faisait pour rester calme dans n'importe quelle situation. À tout le moins dans le cadre professionnel.

— Effectivement, vous devez vous dire qu'il n'y a pas de problème, reprit Tomas d'une voix calme. Et j'étais sur le point également d'abandonner mes recherches. Sauf qu'en rentrant chez moi, je me suis rendu compte que les dates du séjour fournies par le directeur n'étaient pas les mêmes que celles données par le département de la police. Elles différaient de quelques jours. Quand je l'ai rappelé, il a eu l'air gêné et m'a alors dit que celles de la police devaient être les bonnes, qu'il avait trop de choses dans la tête. Je lui ai suggéré de vérifier dans ses archives. Il m'a proposé de me recontacter pour me confirmer tout cela. Il ne l'a jamais fait. Quand j'ai fini par réussir à le joindre de nouveau, son ton avait radicalement changé. Il m'a conseillé d'arrêter de fouiner dans la vie des gens et m'a menacé de me dénoncer pour harcèlement.

Christopher consulta sa montre.

— Trente secondes monsieur Holm…

Le journaliste ne se pressa pas pour autant. Il hocha la tête et regarda Christopher dans les yeux pour dérouler le reste de son récit.

— C'est après cet épisode que je suis sorti des sentiers battus. J'ai suivi cinq aides-soignants du centre de Hemsedal pendant deux semaines. De leur lieu de travail à leur domicile. Parmi ces cinq, j'ai repéré celle qui avait le plus de problèmes financiers… et je l'ai soudoyée.

Christopher plissa un regard méfiant.

— Oui, je sais, lança Tomas en balayant l'air d'un revers de main. Moyennant 5 000 couronnes, je lui ai demandé comment s'était passé le séjour de Sarah Geringën. Elle n'a rien voulu me dire. Je suis passé à 10 000 couronnes et là, eh bien, elle a paru bien plus embarrassée que je ne l'aurais cru et m'a avoué que Sarah Geringën n'était jamais venue dans leur centre.

Christopher releva la tête de son chronomètre, secoué par un éclair de doute.

— Peut-être qu'elle n'était pas dans son département et qu'elle ne l'a pas vue. Ça ne prouve rien.

Tomas Holm lissa ses cheveux qui n'avaient pourtant pas bougé d'un millimètre. Il semblait hésiter à révéler la suite.

— C'est ce que je me suis dit aussi, mais mon témoin m'a alors avoué qu'on leur avait demandé de confirmer la présence de Mme Geringën dans leur établissement à la presse s'ils n'avaient pas envie de perdre leur emploi.

Christopher se frotta le front en arborant une moue peu convaincue. Il attendit avant de se prononcer.

— Bref, l'inspectrice Sarah Geringën n'a très probablement jamais mis les pieds à Hemsedal, conclut Holm. Se posent donc deux questions. Pourquoi veut-on nous faire croire le contraire ? Et où était-elle à ce moment-là ?

Christopher soutint le regard interrogatif du journaliste.

— Écoutez, si Sarah n'a effectivement pas participé à ce séminaire, c'est qu'elle était peut-être sur une enquête sous couverture, peut-être sur une mission gouvernementale qui devait rester discrète. Mais je vous connais, vous commencez déjà à imaginer un complot, un mystère malsain qui justifierait votre intuition de la fameuse part d'ombre, n'est-ce pas ?

Tomas Holm redressa la monture de ses lunettes en plissant le nez.

— Très sincèrement, je n'en sais rien. Mais si votre compagne n'avait pas été élevée en héroïne de la nation, je ne me serais jamais intéressé à elle. Or, là, je refuse d'entretenir un mythe dont les fondements n'ont pas tous été vérifiés. Et, comme vous dites, les raisons de son absence et du mensonge entretenu autour ont peut-être une raison louable. Mais si ce n'était pas le cas ?

— Vous attendez quoi de moi ?

— Je veux connaître la vérité sur l'inspectrice, et vous peut-être la vérité sur votre compagne, à moins bien évidemment qu'elle vous ait déjà parlé de tout ça et que tout soit très clair pour vous.

Ce qui était clair, c'était que Christopher avait envie, pour la première fois de sa vie, de mettre son poing dans la figure de quelqu'un. Il était en colère contre Tomas Holm. Car non, Sarah ne lui avait jamais parlé de ce passage en centre de réadaptation. Mais elle ne lui avait pas non plus raconté toute sa vie dans ses moindres détails.

Sauf que, maintenant, il était obligé de demander la vérité à Sarah et d'exposer son couple à une éventuelle situation de conflit.

Trop perturbé pour livrer une pensée claire, Christopher se leva et se rendit compte trop tard qu'il tendait la main à son interlocuteur. Ce dernier ne rata pas l'occasion.

— Je vois que vous me faites donc confiance, désormais. J'apprécie. Aurai-je de vos nouvelles ?

À cet instant, Christopher n'en savait sincèrement, rien.

Il s'éloigna de la table et quitta le *coffee shop* en pensant déjà avec appréhension au moment où il demanderait innocemment à Sarah comment s'était passé son stage de « décompression » à Hemsedal.

11

Sous la tente qui servait de zone de repos et de restauration pour les équipes de la police, Sarah faisait défiler un long texte sur l'écran de son smartphone professionnel. Juste après avoir quitté la tente du légiste, elle avait convaincu Jens Berg, le ministre de l'Intérieur, de lui faire parvenir le dossier des services secrets sur Katrina Hagebak.

Elle y trouva quelques témoignages sur une consommation de cannabis une vingtaine d'années auparavant, sa participation au sabotage d'un zoo et à l'enfermement du directeur dans la cage des lémuriens à l'âge de vingt-sept ans et, enfin, une plainte pour attentat à la pudeur pour avoir omis de porter un soutien-gorge lors de l'inauguration d'une église alors qu'elle était encore maire de la ville de Hamar. Quant à sa vie privée, les services secrets n'avaient jamais pu dénicher aucune trace de relations avec aucun homme ni avec aucune femme. Sa seule famille vivante étant Marius Hagebak, son père malade.

Sarah trouva aussi la liste des adversaires politiques de la Première ministre et s'en servit pour demander à

Haug de faire interroger en priorité les personnes citées. Mais, hors ces informations, rien qui puisse aider à orienter l'enquête dans une direction précise.

Elle rangea son téléphone dans sa poche, croqua une dernière bouchée de son sandwich au thon et termina sa tasse de café froid sans sourciller.

— À croire que le ciel sait ce qui se passe ici, souffla un militaire en se faufilant un passage dans la tente. Il est déjà plus de 8 heures et on se croirait encore à 3 heures du matin. C'est pire qu'à Oslo !

Sarah aperçut l'extérieur par une fenêtre en plastique transparent et n'y vit qu'une masse grise et lourde de nuit polaire.

Le militaire passa son fusil dans son dos, se servit un café, l'avala d'un trait et ressortit de la tente.

Dans moins de huit heures, le ministre de l'Intérieur tiendrait sa conférence. Et Sarah n'avait pas l'embryon d'une piste à lui fournir. Ne serait-ce que pour rassurer la population et afficher un niveau de réponse à la hauteur de l'événement vis-à-vis des autres pays.

— Inspectrice Geringën, l'interpella une voix masculine dans son talkie-walkie.

Sarah reconnut Gérald Madkin, le grand policier scientifique à qui elle avait confié l'étude des traces de sang sur le sentier et dans l'entrée de la maison.

— Nous avons des conclusions à vous livrer.

Sarah confirma qu'elle arrivait, releva la fermeture de sa parka dans un glissement sonore et souleva le pan amovible de la tente pour sortir. Le vent lui fouetta de nouveau les sangs, couchant l'herbe rousse et faisant grimacer d'inconfort tous les visages qu'elle croisait.

La tente de la police se trouvait à moins de trente mètres et Sarah n'eut le temps de songer que quelques secondes à Christopher, qui devait entrer dans son nouveau bureau. Elle espérait qu'il se contenterait de cette pensée, à défaut d'un message qu'elle n'avait pas le temps de lui envoyer.

— Je vous écoute ! lança Sarah alors qu'elle venait à peine de franchir le seuil de la tente de la police scientifique.

Gérald Madkin était accompagné de trois autres policiers scientifiques, le visage penché sur des microscopes électroniques.

— Le test OBTI nous a rapidement révélé qu'une partie du sang présent sur le parquet de l'entrée n'était pas de nature humaine. L'analyse plus poussée a confirmé qu'il provenait d'un bovin et plus précisément du taureau dont vous avez retrouvé la tête. Cette partie bovine du sang est concentrée sur la plus petite boucle du huit, formée par la tâche globale d'hémoglobine. L'autre boucle plus étendue est constituée uniquement du sang de la victime, Katrina Hagebak. Autrement dit, au départ, la scène de crime devait ressembler à quelque chose comme ça.

Le policier scientifique tendit à Sarah un croquis sur lequel il avait dessiné la silhouette de Katrina Hagebak face contre terre sur le parquet de l'entrée de la maison, et la tête du taureau posée juste au-dessus.

— Vous avez, j'imagine, retrouvé des traces du taureau sur le sillon de sang laissé entre l'entrée de la maison et la falaise ? s'enquit Sarah afin d'être bien certaine de sa conclusion.

— Absolument. Une fois encore, on y retrouve le sang de Katrina Hagebak et celui de l'animal. Seulement ces deux individus. Il ne fait guère de doute que la victime a traîné le crâne de taureau depuis l'entrée de la maison jusqu'à la falaise.

Et ce, après avoir été laissée pour morte par son bourreau, termina Sarah dans sa tête. Elle décrocha son talkie-walkie.

— Trimmer, apportez le corps de Katrina Hagebak et la tête de taureau dans l'entrée de la maison.

— Maintenant ?

Sarah ne se donna pas la peine de répondre et fonça vers la maison de la Première ministre.

Dix minutes plus tard, le corps de Katrina Hagebak baignait de nouveau dans son sang, le visage contre le parquet, la partie arrière du crâne en partie défoncée. Et là où la vaste flaque de sang décrivait une plus petite boucle, quelques centimètres au-dessus d'elle, trônait la tête de taureau.

Voilà comment le tueur avait laissé sa victime en la croyant morte, pensa Sarah en photographiant la scène avec son téléphone.

— Avait-elle la craie dans la main à ce moment-là ? demanda Sarah.

— Probablement, émit Gérald Madkin derrière elle. J'ai oublié de vous dire que nous avons retrouvé des traces de craie mélangée au sang du bovin retrouvé dans l'herbe, ainsi que sur sa corne droite. La victime avait déjà la craie collée dans la main lorsqu'elle s'est déplacée vers la falaise.

Le tableau était donc complet : Katrina Hagebak avait été forcée de se déshabiller puis de se mettre à genoux. C'était d'ailleurs certainement à ce moment-là que le tueur avait commis une erreur en appuyant à main nue sur l'épaule de la Première ministre. Il l'avait ensuite frappée à plusieurs reprises à l'arrière du crâne avec une épée. Puis il l'avait laissée s'effondrer par terre, à côté de la tête de taureau tranchée. Avant ou après, il lui avait collé ce morceau de craie dans la paume de la main.

La mise en scène semblait répondre à un symbolisme précis, mais si original que Sarah ne parvenait pas à entrevoir de signification.

— Elle a dû se réveiller peu de temps après le départ du tueur, glissa Trimmer, sinon elle se serait vidée de son sang et aurait succombé. Elle a peut-être même fait semblant d'être morte en présence de son assassin.

Elle a compris qu'elle ne survivrait pas et qu'on allait venir enquêter sur sa mort, poursuivit Sarah en pensée. À l'agonie, elle a entrepris de traîner la tête de taureau jusqu'à la falaise pour la faire disparaître. Au bord de la mort, elle s'est souvenue des mains du tueur sur ses épaules quand il la torturait. Dans un dernier sursaut de rage, elle s'est griffé la peau jusqu'à l'arracher pour tenter d'effacer les empreintes qui nous auraient permis de retrouver l'assassin. Et elle est morte.

Pour la première fois de sa carrière, et probablement pour la première fois dans les annales du crime, Sarah était face à une victime qui avait tout fait pour effacer les preuves qui auraient permis de retrouver et d'accuser son assassin.

À en juger par les visages des policiers scientifiques au courant de l'avancée de l'enquête, tous aboutissaient à la même conclusion incompréhensible : Katrina Hagebak avait consacré ses tous derniers instants de vie à protéger l'identité de celui qui l'avait tuée.

Retournée, Sarah sortit de la maison pour prendre l'air. Elle marcha en direction de la falaise en suivant une nouvelle fois le sillon ensanglanté laissé par la ministre. Les images de cette femme nue rampant sur l'herbe glacée en traînant cette tête de taureau la bouleversèrent de nouveau.

Parvenue au bord du précipice, elle contempla un instant la mer grise et constata qu'elle ne voyait plus la côte de Vardø, mangée par une pénombre bizarrement plus opaque qu'au milieu de la nuit.

Elle appela Nikolaï Haug qui se trouvait justement sur le continent et l'informa de la façon dont ils avaient reconstitué la scène de crime, avant de lui envoyer la photo prise avec son téléphone.

— Cherchez dans les archives nationales et internationales tous les homicides avec la même mise en scène : tête de taureau, crâne arrière fracassé, craie dans la main. Et n'hésitez pas à remonter loin.

— J'ai été contacté par les services de police d'Oslo. Ils mettent leurs moyens à notre disposition. Je coordonnerai leurs recherches sur cette reconstitution et je vous tiendrai au courant.

— Dites-leur de m'appeler directement, je les connais bien, ça ira tout aussi vite. Je préfère que vous restiez concentré sur les interrogatoires des proches de la ministre. D'ailleurs, où en êtes-vous ?

— Pour le moment, toutes les personnes que j'ai interrogées ont fourni des preuves flagrantes de leur présence ailleurs que sur l'île pendant les dernières vingt-quatre heures. Quant au père de Katrina Hagebak, il est dans le coma depuis deux jours. Je vous tiens au courant de la suite.

Sarah remercia Haug et raccrocha.

— Inspectrice Geringën !

C'était la policière française, Émilie Charrant, qui avait couru pour la rattraper.

— Les enregistrements des talkies-walkies des membres de la sécurité. Vous pouvez venir les écouter.

Sarah fit volte-face.

— Vous les avez écoutés ?

Émilie Charrant acquiesça d'un mouvement de tête.

— Et ?

La jeune policière hésita, visiblement mal à l'aise.

— Il s'est passé quelque chose d'étrange.

12

— Où puis-je les écouter ?

— Je me suis installée dans la maison, à l'étage, pour avoir moins de bruit, précisa la jeune policière.

Les deux femmes rebroussèrent chemin en direction de la résidence de la Première ministre.

Émilie Charrant marchait devant, et Sarah sentit qu'elle était plus alerte que lors de leur première rencontre. Comme si sa nouvelle responsabilité lui avait redonné confiance en elle.

— Dites-moi ce qui vous a paru étrange ?

— Katrina Hagebak a eu un comportement absurde lorsqu'un des gardes du corps a tenté de la mettre en sécurité…

— C'est-à-dire ? insista Sarah en laissant Émilie passer devant sur le sentier menant à la maison.

— D'après ce que j'ai compris, Katrina Hagebak a ref…

Trois coups secs claquèrent dans l'air, le sang jaillit de la gorge d'Émilie en éclaboussant la joue de Sarah.

— À terre ! hurla une voix derrière.

Sarah saisit Émilie par les épaules et la coucha au sol alors qu'une rafale de balles crépitait au-dessus de leurs têtes.

Sarah eut tout juste le temps de distinguer une silhouette masculine armée s'enfuir derrière le mur de la maison criblé de balles. Elle se retourna et aperçut un militaire qui venait de lui sauver la vie courir dans sa direction.

— On est attaqués ! hurla-t-il.

D'autres tirs résonnèrent au loin, de tous les côtés. Puis des cris de panique.

Une nouvelle salve de coups de feu éclata et le militaire qui accourait s'effondra à son tour, blessé à la jambe. Il eut tout juste le temps de se retourner pour voir un nouvel assaillant, à une quinzaine de mètres, pointer son fusil d'assaut pour l'achever.

Mais une première balle dans le tibia mit l'assaillant à terre et une seconde lui fit éclater la mâchoire.

Sarah rengaina son arme puis, tâchant de reprendre ses esprits, saisit Émilie Charrant sous les bras et la tira jusqu'à l'entrée de la maison où elle l'allongea sur le côté pour éviter qu'elle ne s'étouffe avec son propre sang.

La jeune policière avait été touchée au thorax, au bras et à la gorge, d'où le sang s'écoulait par d'abondantes giclées. Le visage déformé par la peur et la souffrance, elle cherchait dans le regard de Sarah la confirmation que tout cela n'était pas vrai.

— Ça va aller, Émilie, il y a des médecins, ici, chuchota Sarah en retirant sa parka puis sa polaire qu'elle écrasa sur la plaie au cou de la policière.

Une fusillade éclata de nouveau à quelques mètres derrière elles. Sarah dégaina son arme, mais deux militaires eurent raison avant elle d'un autre tireur armé d'un AK-47. Elle en profita pour décrocher son talkie-walkie.

— Il me faut une unité d'urgence médicale immédiatement à l'entrée de la maison !

Sarah connaissait le pouvoir destructeur des balles de la kalachnikov. Pénétrant en vrillant dans le corps, elle le traversait, arrachant les organes et provoquant des hémorragies bien plus graves que des balles d'un calibre supérieur. Il fallait faire vite.

— Émilie ! insista-t-elle sans relâcher sa pression sur la plaie. Émilie ! Ne fermez pas les yeux ! On va vous soigner !

Sarah parlait en scrutant les alentours, dos au mur, elle aussi sous le choc. Qu'est-ce qui leur arrivait ? Qui étaient ces hommes ? Combien étaient-ils ? D'autres tirs se firent entendre et puis plus rien. Un silence macabre enveloppa l'air. Même les oiseaux avaient cessé leur cri. Seule la mer se moquait du drame, poursuivant sa litanie roulante avec indifférence. Et puis des plaintes montèrent et des ordres criés déchirèrent le silence.

Soudain, une silhouette émergea de derrière un dénivelé en se ruant vers Sarah. Elle pointa son HK P30 et il s'en fallut d'une microseconde pour qu'elle n'écrase la gâchette.

— C'est moi ! lança Trimmer le regard vissé sur le canon de l'arme.

Sarah abaissa son pistolet et le légiste s'agenouilla auprès d'Émilie en ouvrant son sac à dos de secours.

— J'en ai vu un planqué derrière la maison, chuchota-t-il à Sarah tout en déballant un masque à oxygène. De l'autre côté.

Sarah regarda autour d'elle à la recherche d'un soldat ou d'un policier qui pourrait assurer leur protection, mais le seul individu armé qu'elle vit était en train de prodiguer un massage cardiaque à une victime couchée sur la terre glacée.

L'homme caché derrière la maison pouvait surgir à n'importe quel moment pour les exécuter d'une rafale d'AK-47. Sarah se redressa.

— Sauvez-la, chuchota-t-elle en serrant l'épaule du légiste effrayé par la gravité des blessures de la jeune policière.

Désormais vêtue d'un simple débardeur, son arme braquée à hauteur du visage, Sarah se faufila à pas feutrés le long du mur de la maison.

Elle se pencha à l'angle pour jeter un coup d'œil furtif avant de se remettre à couvert. L'arête du mur éclata sous les coups d'une dizaine de balles.

Elle passa sa main à l'angle du mur et tira à l'aveugle. La réplique se compta en une dizaine de projectiles.

Sarah rebroussa chemin à toute vitesse, repassa devant Trimmer et Émilie, contourna la maison pour s'arrêter à l'autre angle et fit de nouveau feu. Les tirs de riposte plus rapides que prévu frappèrent son arme qui lui échappa des mains et manquèrent de lui arracher un doigt. Mais elle entendit le clic-clic qu'elle cherchait à obtenir : l'assaillant avait vidé son chargeur de trente balles.

Elle surgit à découvert et fonça sur le tireur, situé à une dizaine de mètres. Effrayée, elle vit qu'il avait scotché un deuxième chargeur au premier, ce qui réduisait considérablement le temps de recharge. Poussant une brutale accélération, elle parvint à sa hauteur à l'instant même où il pointait son arme vers elle, le doigt écrasant la gâchette.

Sarah saisit le canon de la main gauche pour le détourner de son visage et décocha un coup de pied dans le genou de son adversaire. Les balles frôlèrent la tempe de Sarah dans un vacarme assourdissant alors que le tireur perdait l'équilibre en poussant un cri de douleur.

Sarah voulut lui asséner un coup de poing dans l'oreille pour le sonner, mais l'homme para avec adresse de son avant-bras. Vif, il se releva et décocha un coup de pied faucheur que Sarah contra d'un mouvement de jambe et auquel elle répliqua d'une frappe descendante du poing au thorax.

Le souffle coupé, l'homme recula, courbé en deux, Sarah lui décocha un coup de pied au ventre qui l'envoya s'écrouler deux mètres plus loin. On entendit un son d'os brisé et l'individu s'immobilisa, l'arrière du crâne fracturé sur une pierre saillante.

Un policier déboula le souffle court, tenant le tireur à terre en joue.

— Blessée ? demanda-t-il à Sarah.

— Réanimez-le ! répliqua-t-elle en désignant le tueur.

Puis elle retourna vers l'entrée de la maison en courant.

Trimmer était toujours aux côtés d'Émilie, mais le geste qu'il exerçait sur elle tétanisa Sarah. Concentré, haletant, il pratiquait un massage cardiaque à même la peau de la jeune femme.

Deux militaires en sueur s'approchèrent, leur arme proche du corps, l'index engagé sur la gâchette.

— L'île est sécurisée, inspectrice. En tout cas, pour ce qu'on en a vu. Et l'évacuation des blessés est en cours.

Sarah ne pouvait décrocher son regard du corps d'Émilie, entre la vie et la mort.

— Quels sont vos ordres ? insista l'un des hommes armés.

— Combien de victimes de notre côté ?

— Un soldat mort, trois membres de la police scientifique blessés sans gravité, un policier dans un état critique, Karl blessé à la jambe, ajouta-t-il en désignant son coéquipier militaire à quelques mètres, et...

Le militaire baissa le regard vers Émilie Charrant.

— Des vivants parmi les assaillants ? poursuivit Sarah, qui arrivait à peine à respirer en suivant le massage cardiaque du regard.

— Non.

— Combien étaient-ils ?

— Quatre avec celui que vous venez de... neutraliser.

— On sait qui étaient ces hommes ?

— Ils parlaient russe, madame. Plusieurs d'entre eux ont crié « la Russie aux Russes ! » Et tous portaient le chiffre 88 tatoué sur le cou.

Sarah connaissait ce signe des néonazis russes, répétant la huitième lettre de l'alphabet, le H, pour Heil Hitler.

— Ce doit être les mêmes qui ont tué la Première ministre, affirma le chef militaire.

Sarah fronça les sourcils, dubitative.

— Comment ont-ils pu arriver sur l'île sans qu'on les voie approcher ?

— Ils ont dû profiter du brouillard et ont escaladé les falaises.

— Je veux tous les corps des assaillants sous une des tentes, une autre équipe qui cherche par où exactement sont arrivés ces hommes, et une autre encore qui évacue les blessés. Faites venir des renforts pour ratisser l'île, renforcez la sécurité autour de la maison et informez le ministre de l'Intérieur de ce qui s'est passé.

— À vos ordres ! répondit le militaire en s'éloignant au pas de course.

Sarah reporta son attention sur Émilie et son cœur se comprima de douleur lorsqu'elle vit Trimmer se redresser, essoufflé.

— Je suis désolé...

Le sang s'étalait sur le cou d'Émilie, jusqu'à sa poitrine livide, que le médecin avait dû découvrir pour le massage cardiaque.

Les yeux de la jeune femme fixaient désormais le vide, là où ils suppliaient encore Sarah, quelques instants auparavant, de lui dire qu'elle n'allait pas mourir.

Sarah s'agenouilla auprès d'elle, la regarda intensément, puis couvrit son visage, et ferma les yeux à son tour.

13

Dix minutes plus tard, après avoir supervisé l'évacuation du personnel blessé et s'être assurée que l'île
était effectivement sécurisée, Sarah rejoignit la tente
du légiste, suivie du chef militaire et du second de
Nikolaï Haug.

À leur entrée, Trimmer déroula la bâche en plastique qui recouvrait les quatre cadavres des agresseurs,
tous allongés sur des tables en inox. Tous blonds au
crâne rasé.

Sarah enfila des gants en latex et inspectait les
tatouages sur chacun des corps avec une certaine circonspection quand son téléphone sonna. Elle reconnut
le numéro et inspira posément avant de décrocher.

— Inspectrice Geringën, je viens d'être informé de
l'attaque, lança le ministre de l'Intérieur d'une voix
blanche. Vous confirmez que ce sont des nationalistes
russes ?

— Ce qui ressemble à des extrémistes nationalistes
russes, le corrigea Sarah.

— Comment ça, qui ressemble ? répliqua Jens Berg
d'une voix glacée. D'après ce que l'on m'a dit, ils

portent tous le 88 des néonazis dans le cou, ils ont crié
« la Russie aux Russes » pendant leur tuerie… ça fait
plus qu'y ressembler, non ?

Autour d'elle, Sarah sentit les regards pesants du
chef militaire et du policier, qui n'appréciaient pas
qu'elle mette en doute leur analyse.

— Il est encore trop tôt pour en être certain, main-
tint Sarah en faisant signe à Trimmer de jeter un coup
d'œil aux tatouages des assaillants.

— Vous n'êtes pas sans savoir que ces groupuscules
ont clairement affiché leur hostilité à la construction du
mur anti-migrants à la frontière entre nos deux pays !
insista le ministre en appuyant sur chacun de ses mots.
Et quand je dis hostilité, c'est la version officielle. Nos
services secrets ont rapporté des appels au meurtre de
notre Première ministre.

— Heureuse de l'apprendre ! répondit Sarah, agacée
de ne pas avoir été informée de cette menace. Cela
dit, cette attaque ne prouve en rien que ces hommes
appartiennent au même groupe que celui ou ceux qui
ont assassiné Katrina Hagebak.

Autour d'elle, les regards se firent plus pesants
encore, comme si elle s'attirait des ennemis à chacune
de ses paroles.

— Parce que vous imaginez que, le même jour, il
y aurait eu deux attaques contre la Première ministre,
mais menées par deux groupes qui n'ont rien à voir ?
répliqua Jens Berg. Vous plaisantez ?

Sarah changea son appareil de mains pour permettre
à sa paume de sécher. Sa position était difficile à tenir,
mais elle se devait d'aller au bout de son raisonnement.

— Pourquoi seraient-ils revenus ? demanda-t-elle, sans la moindre déférence hiérarchique. Ils savaient qu'ils avaient fini le boulot et que Katrina Hagebak était morte. Quel intérêt de revenir ?

— C'est mal connaître la stratégie militaire, inspectrice : éradication et humiliation ! Vous n'avez pas envisagé une seconde que ces types sont venus nous jeter à la figure que, non contents d'avoir assassiné notre Première ministre, ils étaient capables d'anéantir nos militaires et nos policiers. Vous n'avez pas l'impression qu'ils cherchent à nous humilier ?

— L'affaire est trop grave pour que je vous prive de l'exposé de mes doutes, monsieur le ministre.

On entendit un souffle de colère contenu, puis :

— Allez-y. Dites-moi pourquoi vous avez raison contre tout le monde. Mais faites vite.

Sarah ne supportait pas qu'on lui parle sur ce ton, mais conserva son calme pour mieux défendre sa conviction.

— Premièrement, commença-t-elle, cette offensive brouillonne est à l'opposé de la discrétion et du professionnalisme de l'opération menée la nuit dernière. Ces hommes ont agi dans la précipitation, sans organisation. Les responsables du meurtre de Katrina Hagebak étaient d'un niveau qui n'a rien à voir. Le même qui sépare un FSK entraîné d'un mercenaire mal formé. S'ils avaient voulu nous humilier, pourquoi n'ont-ils pas renvoyé les professionnels, ceux qui auraient fait le double, voire le quadruple de morts dans nos rangs ?

Jens Berg ne commenta pas, attendant la suite.

— Deuxièmement, reprit Sarah, je sais que c'est un détail qui ne va pas vous paraître évident, mais les extrémistes nationalistes russes ont pour habitude d'utiliser le *Systema* comme technique de combat rapproché. Ils s'entraînent dur et le plus rigoureusement du monde. Ils vont même jusqu'à organiser des rencontres clandestines entre bandes rivales pour se battre en conditions réelles. Or, je connais très bien le *Systema* et la première chose que l'on apprend, c'est d'inspirer et de souffler en permanence et à grande vitesse pour diminuer la douleur des coups reçus et éviter les effets de respiration coupée. L'homme contre qui je me suis battue a plié à la première frappe et ne connaissait absolument pas cette technique.

— C'est léger, inspectrice.

— Et enfin le médecin légiste Joachim Trimmer va vous confirmer ce que je pense au sujet de l'âge des tatouages de nos quatre assaillants.

Sarah tendit le téléphone au médecin, qui la regarda d'un air entendu, comprenant tout de suite où l'inspectrice comptait en venir.

— Monsieur le ministre, les contours des tatouages sont encore très rouges et, pour certains, saignent encore. Sans aucun doute, ces marques ont été réalisées il y a moins de vingt-quatre heures.

Sarah reprit tranquillement le combiné.

— Ma conclusion, monsieur le ministre, c'est que cette attaque n'a eu pour objet que de créer une diversion afin d'orienter notre enquête sur une mauvaise piste. Ces hommes ont été recrutés à la va-vite, déguisés en nationalistes russes et envoyés à une mort certaine par ceux qui ont réellement tué Katrina Hagebak. Ce sont des mercenaires. Ne tombons pas dans le piège.

— Quel piège ?

— Je suis à peu près certaine qu'aucun de ces hommes n'est fiché. Que rien sur eux ne nous conduira au commanditaire et que toute recherche dans ce sens nous fera perdre du temps et des ressources.

— Autrement dit ?

— On cherche malgré tout à retrouver l'identité de ces hommes, on renforce la sécurité de l'île, mais l'enquête doit se poursuivre là où elle a été interrompue, sans se laisser influencer par cette espèce de mise en scène grossière.

Sarah attendit le verdict du ministre. Elle avait la certitude d'avoir dit et démontré ce qu'elle pensait, mais elle était bien consciente de l'audace de son raisonnement.

— Ayez la gentillesse de mettre le téléphone sur haut-parleur, inspectrice, afin que tout le monde entende bien mes ordres.

— C'est fait, dit-elle.

— Bien, ce que je viens d'entendre de votre part prouve que vous n'êtes pas de taille à assurer une situation de cette envergure, inspectrice Geringën.

Sarah tressaillit, mais demeura de marbre pour ceux qui scrutaient sa réaction.

— Vos propos sont irresponsables, renchérit le ministre, et témoignent malheureusement de votre manque de vision globale face à une menace terroriste d'ampleur. Je vous ai laissé votre chance sur les conseils du président de l'Assemblée nationale, Allan Dahl, mais je n'ai plus le temps de prendre ce risque. À partir de maintenant, vous travaillerez sous les ordres de l'inspecteur Peter Gen, qui sera sur place d'ici trois heures. D'ici là, tâchez de lui préparer au mieux le terrain pour qu'il puisse me fournir des éléments convaincants dans les meilleurs délais. Est-ce bien clair ?

Sarah avait la sensation que l'échafaudage de son squelette venait de s'effondrer en elle. Elle ne dut sa capacité à demeurer debout qu'à une force intérieure qu'elle avait forgée au cours de toute sa vie.

— Est-ce bien clair ? répéta Jens Berg en séparant chaque syllabe.

— J'ai bien compris qu'il me restait trois heures pour vous faire regretter votre décision, monsieur le ministre, répliqua Sarah.

Le chef de la police et des armées l'observait avec un mélange de crainte et d'admiration. Trimmer lui adressa un franc regard de soutien.

Jens Berg raccrocha.

Jamais de sa carrière Sarah n'avait eu à subir un tel affront, mais elle savait aussi que c'était dans ces moments que se jouait l'autorité d'un chef.

— Vous avez tous entendu, déclara-t-elle. Rien ne change pendant les trois prochaines heures.

Puis, s'adressant plus particulièrement aux deux représentants de la police et de l'armée.

— Et je veux un rapport complet sur ce qui vient de se passer dans moins de deux heures : qui patrouillait où au moment de l'attaque ? Qui a vu le premier assaillant ? Tout ce qu'on trouvera sur leur embarcation et sur eux. Si l'on me cherche, je suis à l'étage de la maison.

Sarah quitta la tente, brûlant de colère. Elle ne voyait pas comment les assaillants avaient pu approcher l'île et commettre autant de dégâts alors que l'armée et la police protégeaient les lieux comme jamais ils ne l'avaient été.

En attendant d'en savoir plus sur cette question, une seule phrase résonnait en elle. Celle d'Émilie Charrant, qui, juste avant de mourir, lui avait dit que les enregistrements des talkies-walkies de l'équipe de sécurité révélaient un comportement étrange de Katrina Hagebak.

Hantée par le masque mortuaire de la jeune femme et la culpabilité de n'avoir su la protéger, Sarah gravit à toute vitesse l'escalier de la maison, s'installa devant le bureau de fortune de la policière et plaça les écouteurs sur ses oreilles.

Sur l'écran de l'ordinateur, Émilie avait intitulé l'enregistrement : *Agent 2 retrouvé mort devant la chambre de la Première ministre au rez-de-chaussée. Écoute calée 35 secondes avant la fin de la bande.*

.

14

— Agent 2 à agent 3, répondez ! Agent 2 à agent 3 répondez ! Merde…

C'était la voix d'un homme apeuré. Celle du dernier agent tué.

Suivaient des bruits de souffle de quelqu'un en train de courir, puis le bruit d'une porte qu'on ouvre à la volée.

— Madame, suivez-moi !

— Mais qu'est-ce qui se passe !

Sarah venait de reconnaître la voix de la Première ministre.

— Les autres agents ne répondent plus ! Je vous mets en sécurité dans la pièce fortifiée !

On entendit des pas sur le parquet et la voix se fit plus forte, comme si Katrina Hagebak s'était approchée de l'agent de sécurité.

— Mais… que leur est-il arrivé ?

— Je crains une attaque, madame ! Vite !

— Quelqu'un est entré ?

— Je… j'ai entendu des bruits de combat et des cris de mes deux collègues. Ce n'est qu'une question de secondes avant que l'ennemi arrive ici !

— Lâchez-moi !

— Madame ! Que faites-vous ? La pièce fortifiée, vous y serez en sécurité !

— S'il est là, il est trop tard. Je ne veux pas mourir loin de mon *yero*.

— Votre quoi ? Mais pourquoi allez-vous par-là !? Madame, la pièce fortifiée est de l'autre côté !

Succéda un cri de douleur et des ahanements d'effort mêlés à des bruits de coups qui durèrent une dizaine de secondes.

— Fuy… !! commença à hurler le garde du corps avant que sa voix ne meure dans un borborygme d'agonie.

Un pas de course sur le parquet résonna dans le micro jusqu'à ce qu'un cri strident explose dans les tympans de Sarah.

— Je n'ai pas peur de vous ! rugit Katrina Hagebak. Mais vous tremblez parce qu'après tous ces millénaires votre monde va disparaître !

Un déchirement de tissu suivi d'un nouveau cri.

— Je ne vous dirai jamais où chercher ! Jamais où sont les deux autres !

Un choc mat et violent qui éclata dans le microphone. La voix de Katrina Hagebak s'éteignit, ne laissant qu'une bande-son muette.

Secouée par la violence de ce qu'elle venait d'écouter, Sarah reposa les écouteurs sur la table et mit quelques secondes avant de pouvoir tirer une première conclusion : Katrina Hagebak savait qui était son agresseur et ce qu'il cherchait. Mais à quoi faisait-elle allusion en parlant de millénaires et d'un monde voué à mourir ? Qui étaient les deux autres dont elle voulait tellement taire le nom ? Le tueur envisageait-il de les assassiner aussi ?

Toutes ces questions étaient pour le moment dominées par une autre : trouver où Katrina Hagebak avait voulu se rendre à la place de la panic room. Et pourquoi.

Elle rembobina l'enregistrement et réécouta le passage qui l'intriguait.

— S'il est là, il est trop tard. Je ne veux pas mourir loin de mon *yero*.

— Votre quoi ? Mais pourquoi allez-vous par-là !? Madame, la pièce fortifiée est de l'autre côté !

Son *yero*, mais qu'est-ce que ça veut dire ? réfléchit Sarah. On ne dirait pas du norvégien…

Par réflexe, elle tapa le mot *yero* dans Google translate et fit défiler toutes les langues proposées. Aucun résultat. Elle tenta avec plusieurs orthographes différentes : *iero, yerro, hiero*. Rien. Et pourtant, elle était de plus en plus certaine que c'était une des clés de cette affaire. Et probablement ce que le tueur était venu chercher.

Elle sortit son petit carnet de croquis et dessina le plan du rez-de-chaussée de la maison en réfléchissant. Si l'agent de sécurité lui avait crié qu'elle n'allait pas du bon côté, c'était qu'elle se dirigeait forcément… vers la salle de bains.

Sarah se précipita vers l'escalier, dévala les marches, enjamba le corps de l'agent de sécurité n° 2 et déboula dans la salle de bains. Son *yero* est quelque part ici, se murmura-t-elle.

Après avoir appelé deux membres de la police scientifique pour venir sonder les murs de la pièce, elle commença elle-même à frapper contre les parois à la recherche d'une résonance creuse.

– 15 –

À 8 h 42 du matin, soit environ deux heures après avoir entamé les recherches sur l'ensemble des parois de la salle de bains, Sarah dut se rendre à l'évidence, ni elle ni l'équipe de la police scientifique n'avaient rien trouvé. Les murs donnaient soit sur la chambre, soit sur le salon, soit directement sur l'extérieur. Mais aucun ne dissimulait de cachette ou même de passage secret.

Il restait à peine une heure avant l'arrivée de l'inspecteur Peter Gen et Sarah ne parvenait pas à éteindre sa colère. Cette colère de ne pas être capable de prouver à Jens Berg qu'il se trompait en suivant la piste des nationalistes russes.

Elle quitta la salle de bains en espérant qu'Ingrid Vik avait avancé sur ses recherches et lui permettrait de débloquer l'enquête.

En chemin vers la tente où travaillait la policière, Sarah croisa les renforts militaires qui quadrillaient l'île et plusieurs policiers qui fouillaient encore le terrain à la recherche d'indices permettant d'identifier les auteurs de la fusillade.

Elle ne s'attarda pas pour leur demander où ils en étaient et poussa le battant flottant de la tente. Épaules voûtées, discrète, la jeune policière n'entendit même pas qu'on s'approchait d'elle par-derrière et sursauta quand Sarah lui adressa la parole.

— Qu'avez-vous trouvé ?

— Mon Dieu, vous m'avez fait peur...

Sarah écarta brièvement les mains en signe d'excuse, attendant surtout une réponse à sa question.

Sur l'écran de l'ordinateur, relié à Internet en 4G, s'affichaient des images de bêtes cornues et de pentacles sur fond rouge.

— Un site retraçant l'historique des rituels satanistes, expliqua Ingrid quand elle eut repris ses esprits.

— Qu'avez-vous trouvé ?

— Je me demande si on ne fait pas fausse route en pensant à un rituel sataniste... répondit timidement Ingrid Vik.

Habituée à ce que son supérieur lui coupe sans cesse la parole, la jeune femme espérait que Sarah la relance, mais à son habitude Sarah attendait la suite en silence, son regard attentif fixé sur la jeune femme.

— Je continue ?

Sarah battit des paupières.

— Ah ! d'accord, eh bien en fait... je pense que le rite ne peut pas être sataniste, c'est impossible parce que c'est justement le taureau qui est associé au diable dans la pensée sataniste. Satan y est représenté avec des cornes et des pattes de taureau. Le sacrifier serait totalement à l'encontre de la révérence que ces gens lui accordent... ce serait absurde.

— Et la craie ?

— Elle sert souvent à dessiner les pentacles.

— Et comme la craie se trouvait dans la main de Katrina Hagebak, réfléchit Sarah à voix haute, cela sous-entendrait que c'était elle la sataniste et que son assassin l'a punie en sacrifiant son animal fétiche.

— Il faudrait donc chercher du côté d'un extrémiste religieux, reprit Ingrid.

— Le mot « yero » fait-il écho à vos recherches ?

— Euh… non, je suis désolée.

— Autre chose ?

— Désolée, non, j'ai tenu à bien recouper mes informations, donc je n'ai pas eu le temps de…

— C'est parfait, Ingrid.

La jeune policière esquissa un pâle sourire et parut se tenir un peu plus droite.

— Et… pour Émilie je… voulais savoir si…

— C'est allé très vite, mentit Sarah qui revoyait la terreur de la mort dans le regard de la jeune femme. Je suis désolée. Mais le temps du deuil viendra plus tard. Nous devons rester concentrés. Poursuivez vos recherches sur d'éventuels groupuscules religieux connus pour des violences contre les satanistes. Et, si vous avez le temps, cherchez-moi le sens du mot « yero », quelle que soit la façon dont cela s'écrit.

Sarah avait aperçu le crâne chauve de Gérald Madkin, qu'elle avait chargé d'enquêter sur le résidu d'empreinte retrouvé sur l'épaule de Katrina Hagebak. Il se trouvait tout au fond de la tente.

Elle alla le voir en souhaitant ardemment qu'il ait une bonne nouvelle à lui annoncer.

— Le morceau d'empreinte a parlé ? demanda Sarah.

— C'est malheureusement ce qu'on craignait. L'échantillon est bien trop mince pour une extrapolation. Même à Oslo, ils n'aboutissent à rien...

Sarah encaissa la mauvaise nouvelle.

— Je viens aussi de réaliser l'analyse des empreintes des auteurs de la fusillade, poursuivit Gérald Madkin. Ils n'apparaissent dans aucun fichier...

Sarah hocha la tête, satisfaite de constater que sa prédiction était juste. Mais cela n'allait pas l'aider à progresser dans son enquête. Ne restait que Nikolaï Haug qui pourrait lui faire part d'une percée.

Elle quitta la tente et appela le vieux chef de la police, une main devant le combiné pour éviter que le vent ne parasite sa voix dans le micro.

— Qu'obtenez-vous du côté des proches de Katrina Hagebak vivant dans la région ? Des alibis fragiles ?

— Comment vous faites ?

— Pardon ?

— Vous venez d'encaisser une fusillade qui a failli vous dézinguer, le ministre de l'Intérieur vous a humiliée, vous allez vous faire remplacer dans... moins d'une heure et je n'entends pas une once de stress dans votre voix. Punaise, c'est quoi votre truc ?

La vie, aurait voulu répondre Sarah. Mais cela aurait appelé bien trop de questions, surtout dans un moment pareil.

— Qu'importe, répondit-elle. Je vous écoute.

— OK... eh bah, pour le coup, vous devez l'entendre à ma voix, je n'ai rien. J'ai dû parler à une quinzaine de personnes qui auraient pu la croiser ces dernières vingt-quatre heures et, comme je vous le disais tout à l'heure, ils étaient soit chez des amis, soit au travail, soit en train de faire des courses, bref tous avec un alibi béton et rapidement vérifiable. J'ai l'impression de perdre mon temps.

Et je pense que c'est le cas, pensa Sarah.

— Mon remplaçant en jugera par lui-même.

Elle allait raccrocher quand Haug l'interpella.

— Hé… je vous disais que c'étaient les Russes qui avaient fait ça. Pourquoi vous ne croyez jamais les gens du coin à Oslo ?

— Je ne suis pas là pour vous croire ou non, seulement pour trouver la vérité.

Abattue, mais toujours droite, Sarah fit un détour par la tente de Trimmer.

Quand il la vit entrer, ce dernier lui fit signe d'approcher.

— J'ai trouvé quelque chose qui pourrait vous intéresser, dit-il, le regard plissé par le plaisir de pouvoir aider Sarah. Je ne l'avais pas vu au premier coup d'œil, et pour cause : c'était caché entre les orteils. Mais regardez…

Il déplia le bras de sa lampe pour diriger la lumière vers les pieds du cadavre de Katrina Hagebak.

— Prenez ça, vous verrez mieux.

Sarah plaça la loupe qu'on lui tendait devant ses yeux et finit par distinguer une minuscule inscription tatouée sur la peau de la Première ministre : *Etta*.

— Une idée de ce que ça peut vouloir dire ? demanda Trimmer.

Sarah haussa les épaules. Le prénom d'une personne chère ? Mais qui ? Ce prénom n'apparaissait jamais dans le dossier que les services secrets avaient compilé sur la vie publique et privée de Katrina Hagebak.

Pour le moment, ce n'était qu'une énigme de plus pour Sarah.

— Bon, sinon, je suis désolé, mais aucune nouvelle analyse ADN de la scène de crime n'a permis d'identifier de suspect.

Sarah ne s'attendait pas à un miracle, mais la nouvelle l'accabla un peu plus. Trimmer le sentit.

— Vous connaissez ce Peter Gen ?

Sarah fit non de la tête.

— Je suis désolé de ce qui se passe, dit-il. Mais si je peux me permettre, ce n'est pas votre faute. Je pense juste que le ministre de l'Intérieur est en panique et qu'il veut mettre un homme qu'il connaît…

Sarah hocha brièvement la tête d'un réflexe poli et ressortit dans le froid pour constater qu'elle avait reçu un message. Il provenait de la police d'Oslo et lui demandait de rappeler le service des archives criminelles. Elle reprit espoir. Et c'est d'une main fébrile qu'elle composa leur numéro.

La personne qu'elle eut en ligne lui apprit malheureusement qu'il n'existait aucun précédent à un crime mettant en scène une tête de taureau, une craie et des coups d'épée.

— Oui, nous avons utilisé le fichier international également, confirma un homme à l'autre bout du combiné. Et rien. Même en remontant jusqu'à 1900, madame. Ni avec les mots clés traités ensemble, ni pris séparément. Ce genre de mode opératoire est inédit en Norvège et dans le reste du monde.

Aussi désolé soit-il, l'archiviste ne pouvait deviner qu'il venait d'annoncer à Sarah que son enquête était définitivement dans l'impasse.

Elle rangea son téléphone dans sa parka et demeura quelques instants sans bouger, debout devant la maison de Katrina Hagebak. Le brouillard serpentait le long de ses bottes, glissant entre les herbes, alors qu'au-dessus de l'île les oiseaux tournoyaient dans le ciel à l'austérité métallique.

Un policier la croisa et détourna le regard. Les deux hommes en poste à l'entrée de la maison firent de même lorsqu'elle passa devant eux.

Sarah gagna l'étage et s'assit là où elle avait écouté l'enregistrement des talkies-walkies des agents de sécurité.

Seule dans le silence de la maison, elle s'infligea un interrogatoire sans pitié : qu'est-ce qu'elle ratait dans cette enquête ? Pourquoi rien ne se déclenchait ?

Soudainement, elle écrasa son poing sur la table. L'impact résonna tandis que le choc remontait le long de son bras.

Déstabilisée par son geste, Sarah contempla sa main comme si ce n'était pas la sienne. À la stupeur succéda la peur. Après avoir perdu son talent d'enquêtrice, perdait-elle ses nerfs, elle qui n'avait jamais perdu patience ?

L'enchaînement d'idées la prit de court et une angoisse aux allures de vieille connaissance entra sans prévenir dans la demeure de son esprit. Cette angoisse qu'elle croyait avoir vaincue depuis longtemps.

Se rappelant les vieux réflexes dont elle usait auparavant pour endiguer cette peur incontrôlable, elle tenta d'y opposer un raisonnement logique : pourquoi la peur de l'échec déclenchait en elle cette panique ? N'avait-elle pas enfin réussi à donner à sa vie un autre sens que la seule réussite professionnelle ? Comment pouvait-elle se laisser dévaster par cette frayeur alors qu'après tout ce n'était qu'un travail ? Sa nouvelle existence auprès de Christopher n'était donc qu'un illusoire rempart contre ses peurs les plus profondes ? S'était-elle trompée ?

Sarah serra ses mains l'une contre l'autre pour ne pas les voir trembler. Elle aurait aimé arracher ces idées de sa tête avec les doigts. Mais elle tombait, elle le sentait.

Elle chercha son petit tube d'anxiolytiques qu'elle gardait toujours sur elle, un peu comme un gri-gri, dans la poche intérieure de sa parka. Mais elle se rappela qu'elle avait pris la décision de s'en séparer deux mois avant, persuadée que plus jamais elle n'aurait à faire face à cette épouvante. Une nouvelle lame d'angoisse fusa et la crise de panique s'empara d'elle.

Elle aurait pu chercher à parler à quelqu'un. Quelqu'un qui la rassurerait, qui lui dirait que ça allait passer. Mais elle savait que rien n'éteindrait la crise. Rien sauf la certitude, à tout le moins l'espoir de résoudre cette fichue enquête.

La main crispée, elle voulut reprendre son portable, le lâcha, se baissa pour le ramasser et fut saisie d'un vertige. Elle n'arrivait plus à respirer. Un voile sombre lui tomba devant les yeux et son corps perdit toute sa force pour n'être plus qu'un tremblement qui la fit pleurer de rage. Son téléphone sonna, mais elle ne pouvait pas répondre.

Puisant dans les fondations les plus profondes de sa volonté, il lui fallut plus de deux minutes pour faire tenir son téléphone dans la paume de sa main. Victime des spasmes, elle parvint malgré tout à taper un message maladroit, y joignit la photo de Katrina Hagebak morte à côté de la tête de taureau et, le pouce vacillant, elle hésita encore quelques secondes, bien consciente du risque qu'elle prenait.

Mais elle savait au fond d'elle qu'elle ne pouvait pas faire autrement : elle avait besoin de croire qu'une dernière aide était possible. Et s'il fallait prendre le risque d'être radiée de la police à vie pour cette faute, elle le prenait.

Elle pressa le bouton « envoyer » et laissa tomber son téléphone en cherchant pathétiquement à reprendre le contrôle d'elle-même.

16

Lorsque Christopher entra dans l'open space de la rédaction du journal, il eut l'impression que les Norvégiens étaient définitivement plus matinaux que les Français. Il était tout juste 9 heures du matin, et il y régnait déjà une agitation bourdonnante de fin de journée, comme si tous les journalistes s'empressaient de terminer leur papier avant le bouclage.

Poliment, Christopher sourit à quelques futurs collègues qui ne lui prêtèrent aucune attention. Il patienta quelques minutes et comprit que cet état d'agitation n'était pas normal. Le personnel était tout simplement en ébullition, les uns l'oreille vissée à leur téléphone, parlant vite tout en tapant sur le clavier de leur ordinateur, d'autres passant d'un bureau à un autre d'un pas si pressé qu'ils avaient l'air de se retenir de courir, certains allant même jusqu'à crier des ordres à des collègues en plaquant leur main sur le micro de leur téléphone.

Soudain, Christopher aperçut le rédacteur en chef qui l'avait recruté et lui fit signe de la main. Un homme d'une cinquantaine d'années, d'allure sèche aussi bien de corps que de visage.

Il relisait un papier tout en répondant à un journaliste et parut embarrassé en reconnaissant Christopher. Il posa la feuille qu'il tenait entre les mains sur le coin d'un bureau, griffonna quelques mots et la tendit au journaliste qui repartit avec sur-le-champ.

— Christopher… je suis désolé de vous accueillir dans de telles conditions, lança Erik Johannessen en grattant nerveusement le peu de cheveux blancs qu'il lui restait sur les tempes.

Christopher réprima une grimace lorsque l'haleine de cigarette et de café de son interlocuteur atteignit ses narines.

— Pas de problème, qu'est-ce qui se passe ?

— Il y a une grosse rumeur qui court depuis une heure… On aurait observé d'importants mouvements de la police et de l'armée du côté de Vardø, tout au nord. C'est là que la Première ministre a sa maison secondaire.

Christopher pensa immédiatement à Sarah.

— Quelque chose qui concernerait Katrina Hagebak directement ?

Erik Johannessen parlait vite, tout en regardant autour de lui, guettant le moindre geste de ses équipes.

— On sait que plusieurs personnes de son entourage ont été interrogées sur leur emploi du temps de ces dernières vingt-quatre heures. Il se peut qu'il lui soit arrivé quelque chose. On est en train d'activer tout notre réseau pour en savoir plus et préparer une éventuelle édition spéciale. Je ne vais pas avoir le temps de m'occuper de vous aujourd'hui. Je suis désolé…

Je vous rappelle demain dès qu'on y voit plus clair, d'accord ?

— Mais je peux peut-être faire quelque chose pour aider ?

— Erik ! appela une voix derrière un bureau.

— Faut vraiment que j'y aille…

Le rédacteur en chef était à moitié retourné lorsqu'il fit volte-face.

— Hé, mais… évidemment que vous pouvez faire quelque chose ! Et c'est le moment ou jamais.

Christopher comprit tout de suite où le rédacteur en chef voulait en venir.

— Oubliez, dit-il tout de suite. Quand bien même elle saurait quelque chose, Sarah ne me dirait rien.

— Christopher, susurra Erik Johannessen en prenant Christopher à part. Écoutez-moi. Si la rumeur est vraie, c'est une catastrophe nationale, mais aussi internationale qui va éclater d'ici quelques heures. La police et l'armée vont tout verrouiller et ça va être l'enfer de faire notre boulot ! On a besoin de gens comme vous qui sont un lien vers la vérité !

Amusant de voir comment cet homme venait de montrer en quelques secondes un visage que Christopher aurait peut-être mis des mois à découvrir et à détester. Il dégagea poliment son bras de la main du rédacteur en chef et hocha la tête.

— Je vais voir ce que je peux faire, mentit-il.

— Génial ! s'emporta Johannessen. Génial…

Et il lui tendit sa carte avec son numéro de téléphone portable, qu'il n'avait pas jugé bon de fournir à Christopher après son recrutement.

— Je compte sur vous. Ça ferait une entrée toni-
truante dans notre équipe…

Et la menace de licenciement déguisée en encouragement, analysa Christopher en lui-même.

Il salua le rédacteur en chef sans lui dire tout le
bien qu'il pensait de lui, quitta l'immeuble du journal
et, à peine dehors, il appela Sarah. Il tomba sur son
répondeur, mais ne laissa pas de message.

C'était forcément sur cette affaire qu'elle était partie
au milieu de la nuit. Et, si c'était le cas, c'était donc
qu'il y avait eu homicide. Christopher sentit sa respiration s'accélérer. Alors qu'il était parvenu à contenir son
inquiétude depuis la veille, il se sentit soudain inquiet.

Il allait rappeler lorsqu'un message de Sarah apparut
sur l'écran de son smartphone. Il lui fallut plusieurs
secondes pour assimiler l'étrangeté du contenu.

Christopher fut d'abord troublé par la qualité ortho-
graphique du texte. Sarah n'avait pas l'habitude d'écrire
avec des fautes, même de frappe. Elle devait être dans
une urgence rare.

Mais, plus encore, c'est le contenu du texte qui
l'interpella. Sans qu'il puisse vraiment dire pourquoi.
Il ouvrit la photo jointe et eut le souffle coupé. Avec
ce que Johannessen lui avait dit, il reconnut immédiatement le corps de Katrina Hagebak, nue, baignant
dans une flaque de sang, une tête de taureau gisant à
côté d'elle.

Choqué, il chercha un appui et s'assit sur le rebord
d'un muret. Un passant lui demanda même si tout allait
bien et Christopher craignit que l'homme ait vu l'image
du téléphone. Il fit un rapide signe de la main en guise

de remerciement et l'individu charitable poursuivit son chemin.

C'était donc vrai. La Première ministre avait été assassinée. Christopher se laissa quelques secondes pour assimiler l'information puis relut le texte du message de Sarah.

Cette mise en scène très particulière lui disait effectivement quelque chose. Mais où l'avait-il déjà vue ? Dans quelles circonstances ?

Il héla le premier taxi qui passait devant lui et lui demanda de le ramener au plus vite à l'embarcadère pour regagner sa maison sur l'île de Grimsøy. S'il avait vu cette image quelque part, elle devait encore se trouver quelque part dans ses cartons de déménagement.

17

Face à la baie vitrée de sa petite chambre d'hôtel, Sarah contemplait le port de Vardø bordé de ses maisons aux façades boisées de couleur rouge, jaune et bleu liserées de neige. La crise de panique avait fini par suffisamment s'estomper pour que Sarah puisse quitter l'île en donnant le change devant les équipes de police et de militaires qui, heureusement, n'avaient rien vu de son malaise. Elle était même parvenue à paraître normale face au nouvel inspecteur, Peter Gen. Rencontre qu'elle avait malgré tout écourtée, craignant que sa fébrilité ne se dévoile au grand jour.

Discrètement, elle avait rejoint le continent et gagné le seul hôtel de la ville.

Si, de l'extérieur, il pouvait faire penser à un motel bas de gamme, l'intérieur avait récemment été rénové, troquant ses chambres au papier orange et à la moquette bleue contre des murs blancs et un parquet clair qui le rendaient, non pas agréable, mais à tout le moins propre.

Sur la table de nuit, la brochure touristique vantait le calme et le dépaysement de Vardø, dernier lieu civilisé de la Norvège avant la mer de Barents, le cercle arctique et la côte russe, à l'est.

Mais là, à 20 heures, les eaux glacées grouillaient des embarcations de pêcheurs louées à prix d'or par une nuée de journalistes avides de fournir leurs chaînes de télévision en images de l'île du drame, Hornøya.

Comme l'avait prévu Sarah, Nikolaï Haug avait dû interrompre ses interrogatoires et rapatrier toutes ses équipes pour contenir le flux hystérique de la presse qui débarquait par grappes dans la petite ville. Les premiers reporters avaient commencé à arriver vers midi, attirés par une rumeur de plus en plus persistante. Mais le gros du troupeau avait débarqué à partir de 19 heures, soit environ cinq heures après l'annonce officielle de l'assassinat de la Première ministre par Jens Berg, le ministre de l'Intérieur. Le temps pour les journalistes de se rendre par avion sur cette terre perdue dont ils ignoraient presque l'existence.

Les rues, d'ordinaire désertes à cette heure, se gonflaient sans cesse de nouveaux cars satellites siglés des logos des télévisions nationales et bientôt étrangères, de caméramans qui se bousculaient pour tenter d'obtenir des images meilleures que celles de leur concurrent et des gyrophares bleus des voitures de police qui tentaient en vain d'éviter une saturation des axes de circulation.

Sur l'écran de la télévision de la chambre, une chaîne d'information diffusait en boucle le bandeau annonçant l'assassinat de Katrina Hagebak, tandis que la plus grande partie de l'image était consacrée à des plans live de l'île de Hornøya et des rues saturées de Vardø. En plateau, des experts du terrorisme, de la criminalité et des relations internationales conjecturaient à l'envi sur le vide et la rumeur, attendant que d'autres, sur le terrain, fassent le travail à leur place et leur fournissent une nouvelle information dont ils pourraient s'emparer, pour ne rien dire de plus.

La piste criminelle la plus discutée reposait sur les déclarations de Peter Gen, l'inspecteur nommé par Jens Berg et qui avait pris le commandement de l'enquête à la place de Sarah. Son interview repassait à l'instant sur la chaîne d'information en continu. À peine descendu du zodiac qui le ramenait de l'île à la nuit tombée, l'homme au visage ovale, aux yeux creux et à la barbe mal rasée parlait à la forêt de micros avec un dédain à peine dissimulé.

— Je vous rappelle que l'île de Hornøya est d'accès strictement interdit et vous prie donc de ne pas tenter de l'approcher. Nos services de police ont autre chose à faire que de protéger le site de contrevenants.

— Avez-vous une piste sur les responsables de cet assassinat ?

— Comment est morte exactement la Première ministre ?

— D'autres hommes politiques sont-ils visés ?

À chaque question qui fusait, Peter Gen semblait se contenir de rembarrer les personnes qu'il avait en face de lui.

— Les détails de la mort de Katrina Hagebak seront révélés plus tard, lorsque l'examen médico-légal sera terminé.

— On parle d'une seconde attaque, c'est vrai ? avança une femme.

— C'est en cours de vérification.

— On aurait aperçu l'inspectrice Sarah Geringën à Vardø. Quelle est sa responsabilité sur l'enquête ?

— Je suis seul en charge de cette enquête, asséna Peter Gen en se grattant l'avant-bras.

— On dit que les nationalistes russes pourraient être derrière le meurtre de la Première ministre ? Vous confirmez ?

— Toutes les pistes sont explorées.

Parce que tu n'as aucune idée de ce qui s'est passé, songea Sarah. Et moi non plus.

À l'écran, l'inspecteur au visage fermé se fraya un chemin entre les ronces de caméras, de questions et d'invectives toutes plus pressantes les unes que les autres.

De retour en plateau, le présentateur relança le débat :

— Les autorités n'ont donc pas nié qu'il puisse s'agir d'une manœuvre des nationalistes russes pour punir notre Première ministre de la construction du mur anti-migrants. Dorian Janvik, vous pensez que des groupuscules russes ont commandité cet assassinat ?

Fatiguée, déçue, Sarah arrêta sa télévision et alla dans la salle de bains pour se passer de l'eau sur le visage.

Elle se regarda un instant dans la glace, les gouttes d'eau perlant sur ses taches de rousseur. Ses yeux s'étaient cernés et leur éclat bleu de glace s'était terni. C'était donc à ça que ressemblait le visage de la défaite, pensa-t-elle.

De toute sa carrière, elle n'avait jamais buté à ce point sur une affaire. Les analyses d'empreintes, le mode opératoire, les témoignages avaient toujours fini par orienter sa réflexion et débloquer son enquête.

Après s'être calmée de sa crise, Sarah n'avait pu s'empêcher de repenser à ce qui la déstabilisait tant : pour la première fois, ce n'était pas le comportement du coupable qui la questionnait le plus, mais celui de la victime : qu'est-ce qui avait poussé Katrina Hagebak à vouloir effacer les indices laissés par son meurtrier ?

Les mains appuyées au bord du lavabo, Sarah tenta de se mettre à la place de la victime et entrevit deux réponses. Soit Katrina Hagebak avait voulu protéger son bourreau. Et dans ce cas, c'était parce qu'elle l'aimait plus que tout, plus qu'elle-même. Peut-être comme un amant, un frère, un enfant. Mais les services secrets étaient formels, Katrina Hagebak n'avait aucune famille à part son père malade, et de surcroît dans le coma au moment des faits. Elle n'entretenait aucune relation intime et n'avait pas d'enfant.

Ne restait alors qu'une hypothèse : l'identification du coupable lui aurait causé préjudice, à elle, par-delà la mort. Quelque chose qui aurait sali sa réputation posthume ou qui aurait détruit un projet en cours ?

Mais aussi intéressante que soit cette éventualité, Sarah ne voyait pas comment l'exploiter. Tout comme elle n'avait aucune idée de ce qu'elle pouvait déduire de ce *yero* auquel la Première ministre semblait tant tenir.

Sarah s'assit sur son lit, dévorée par la culpabilité. Jusqu'ici elle avait refoulé l'information dans un coin de sa mémoire, mais maintenant que son enquête était au point mort, les dernières paroles de Katrina Hagebak lui revenaient : « … jamais vous ne connaîtrez les noms des deux autres… » Si la Première ministre avait dit cela, c'était que ces deux autres personnes étaient forcément les deux prochaines cibles. Et Sarah était incapable d'arrêter leur assassin, comme elle était impuissante à prévenir les futures victimes, ignorant tout de leur identité. Cette déficience lui était insupportable. Comme si tout l'équilibre de sa vie ne dépendait que de sa seule capacité à arrêter les criminels et à éviter de nouvelles victimes. C'était, certes, le cœur de son métier. Mais, après des années de service, elle savait qu'à peine une affaire conclue le sentiment de culpabilité revenait. Comme s'il était en elle, quel que soit le nombre de vies qu'elle pouvait sauver. Et cette pesanteur qu'elle traînait depuis des années sans en connaître l'origine n'avait jamais été aussi douloureuse qu'en cet instant.

Forgée dans la volonté et l'abnégation, Sarah repoussa une nouvelle fois les assauts de cette étrange angoisse.

Elle rappela Christopher, qui se soucia immédiatement de sa santé, avant de lui dire qu'il était justement en train de faire des recherches sur la question qu'elle lui avait posée et qu'il espérait la rappeler bientôt. Elle s'efforça de ne pas laisser transparaître son abattement et fonda tous ses espoirs sur les résultats de ses recherches.

Vers 22 heures, Sarah voulut avaler un plat végétarien préparé par la tenancière de l'hôtel, mais il s'avéra immangeable : mal cuit et bien trop salé. La coupable s'en excusa, expliquant qu'elle n'avait pas la tête à cuisiner compte tenu de ce qui s'était passé.

Sarah la rassura et regagna sa chambre. Minuit était passé. Le lendemain matin, à 7 heures, elle regagnerait

Oslo par avion. Peter Gen lui avait froidement expliqué qu'elle serait de trop sur cette enquête et qu'il reprenait l'intégralité du dossier en main. Sarah n'avait pas fait d'histoire et lui avait transmis la totalité des informations et des déductions auxquelles elle était parvenue. L'inspecteur avait eu du mal à dissimuler son respect face à l'intelligence et à la rapidité de raisonnement de sa consœur. Mais il n'avait pas pour autant assoupli sa position et lui avait seulement demandé de rester à sa disposition jusqu'à son départ en cas de question urgente.

Sarah s'allongea sur son lit, ressassant longuement tous les éléments de l'enquête, griffonnant dans son carnet, imaginant le déroulement exact des événements lors de l'assassinat. Elle savait qu'elle aurait dû faire le deuil de cette affaire, abandonner son poste comme on le lui avait ordonné. Mais c'était tout simplement impossible. Son cerveau réfléchissait malgré elle.

D'ailleurs, l'exercice l'épuisa un peu plus et, vers 2 heures du matin, elle finit par s'endormir d'un sommeil agité.

Dehors, le vent cinglait les façades, la mer noire s'élevait en crêtes blanches et les bateaux de pêche forçaient sur leurs amarres comme des chiens affamés.

Et soudain, Sarah s'éveilla en sursaut. Ses yeux visèrent en premier les chiffres digitaux rouges du radio-réveil indiquant 2 h 53. Puis elle distingua clairement la sonnerie de son téléphone personnel.

— Allô ?

— Sarah, c'est moi, désolé, je te réveille, mais…

Christopher parlait très vite.

— Je n'aime pas le son de ta voix, ça va ?

— Oui, enfin, écoute, vous en êtes où de l'enquête ?

— Nulle part, rien n'a de sens. Pour le moment, c'est une impasse et j'ai bien peur que ça le reste longtemps. Et puis, je ne suis plus dessus, de toute façon.

— Oui, j'ai cru comprendre ça en regardant les infos. Écoute, il ne faut pas t'en faire pour…

— Pourquoi ? T'as trouvé quelque chose par rapport à ce que je t'ai envoyé ?

Elle entendit Christopher inspirer profondément derrière le combiné.

— Oui, mais je crains que ça ne pose plus de questions que ça n'apporte de réponses. Et puis, si ça se trouve, c'est une coïncidence. Encore que des éléments aussi précis que ceux que tu m'as envoyés, ça ne peut pas être le hasard.

— Christopher…

— Je sais, mais ça me semble tellement fou. Bon, pour faire court, j'avais déjà lu quelque chose sur un crâne brisé à l'arrière par plusieurs coups d'épée, une craie serrée dans la main et une tête de taureau tranchée. C'était trop bizarre pour que je ne m'en souvienne pas, mais il m'a fallu du temps pour retrouver le dossier dans lequel j'avais traité ce sujet.

— Attends, tu veux dire que tu as déjà entendu parler d'un mode opératoire similaire à celui de l'assassinat de Katrina Hagebak ?

— Oui, mais…

— C'est impossible ! Nos services de renseignement ont effectué une recherche au niveau national et international, en remontant même jusqu'aux archives scannées à partir de 1900 ! Rien, rien n'est sorti ! Et je leur fais confiance pour ne pas avoir bossé en dilettante compte tenu de l'identité de la victime !

— Sarah, écoute-moi. Il y a une explication à ça. Une explication qui va te paraître dingue.

— Je t'écoute.

— Les services de renseignement n'avaient aucun moyen de retrouver cette mise en scène.

— Pourquoi ?

— Parce que le meurtre en question a été commis… il y a plus de deux mille sept cents ans.

18

— Sarah ? s'inquiéta Christopher de ne plus l'entendre.

Un voile s'était abattu devant le regard de Sarah et l'espace de quelques secondes elle fut contrainte de poser une main sur le lit pour se stabiliser.

— Oui, je suis là, c'est juste que j'ai du mal à réaliser. Deux mille sept cents ans, c'est…

— … C'est l'époque d'Homère, ou en tout cas la très probable date de l'écriture de l'*Iliade* et de l'*Odyssée*. C'est trois cents ans avant la naissance d'Alexandre le Grand et de Socrate. C'est un autre monde.

— Comment, comment… as-tu pu trouver une chose pareille ?

— Il y a quelques années, j'ai écrit un article sur l'origine de la violence chez l'espèce humaine. Et forcément, j'ai eu accès aux cas de mort violente les plus troublants des découvertes archéologiques. Et, dans ce domaine bien particulier, le squelette de Thanet, daté d'environ 700 avant notre ère, est presque un cas d'école.

— Et tu es sûr que c'est le même mode opératoire ?

— Écoute, je comprends que ça puisse paraître fou, mais le mieux, c'est que tu le voies par toi-même. Je t'envoie à l'instant les photos du squelette, ou plutôt des squelettes, ainsi que le compte rendu des chercheurs. Tu vas voir, le site a été découvert en 2004, en Angleterre, à Cliffs End Farm exactement, dans le Kent. On y a mis au jour des restes d'un village et surtout plusieurs fosses mortuaires, dont la fameuse 3666.

Sarah ouvrit les photos que Christopher venait de lui faire parvenir et n'en crut pas ses yeux. Le premier cliché, en vue du dessus, montrait un large trou creusé dans un sol beige, au fond duquel reposait un squelette humain recroquevillé sur le flanc aux côtés d'un massif crâne cornu. La légende indiquait que l'individu était une femme de plus de cinquante ans, dont la datation au carbone 14 donnait une date d'existence autour du VIIIe siècle av. J.-C. Quant au crâne animal reposant à ses côtés, il provenait d'un taureau ayant vécu à la même époque.

Sarah accéda à la seconde image en faisant glisser son index sur l'écran de son smartphone et, de stupéfaction, elle posa lentement un doigt devant sa bouche : dans sa main gauche, la femme tenait un morceau de craie tout près de son visage, comme si elle le reniflait ou s'apprêtait à le manger. Et, enfin, la dernière image présentait l'arrière du crâne de la victime cisaillé par quatre plaies profondes.

— Alors, tu as vu ? relança Christopher à l'autre bout du combiné.

— C'est à peine croyable.

— Regarde le rapport des chercheurs.

Sarah commença à lire le texte envoyé par Christopher et se demanda si le manque de sommeil ne lui jouait pas des tours. Pour être certaine d'être bien éveillée, elle lut à voix haute.

— *La mort de l'individu de sexe féminin, d'un âge probable d'une cinquantaine d'années, dans la fosse 3666, résulte de quatre coups tranchants portés sur l'arrière du crâne ayant engendré une hémorragie. L'étude au microscope des entailles montre que l'arme a coupé plus qu'elle n'a perforé ou tranché. L'utilisation d'une épée plutôt qu'une hache, arme pourtant plus fréquente à cette époque, est donc l'hypothèse privilégiée. Compte tenu de l'inclinaison des fractures, les coups ont été portés par derrière et au-dessus d'une victime immobilisée. Le cas échéant, elle se serait probablement débattue et aurait par conséquent subi d'autres blessures. Tout laisse penser à une exécution. Or, à cette époque, les condamnés étaient décapités. Il s'agit donc plus probablement d'une mort ritualisée, qui s'apparente à un sacrifice. L'ensemble de ces déductions appellent plusieurs questions : pourquoi cette vieille femme a-t-elle été victime d'une telle violence ? Elle ne représentait certainement pas un danger physique, c'est donc qu'il était politique ou symbolique. Autre élément de questionnement : la craie tenue près de son visage, un objet qui devait lui être cher et qu'elle a conservé près d'elle jusqu'à son dernier souffle. Enfin, on remarquera le bras droit plié au-dessus de son crâne avec l'index clairement pointé dans une direction. En l'occurrence le sud-ouest. Que pointe-t-elle du doigt ? Que cherchait-elle à désigner ?*

La dernière phrase que Sarah venait de lire mourut dans un murmure.

— Alors, tu en penses quoi ? demanda Christopher.

— Que tu as raison sur les deux points : un, il n'y a plus de doute possible, c'est bien le même mode opératoire. Et deux, il y a désormais plus de questions que de réponses. Qu'est-ce qu'on sait d'autre sur ce site archéologique ?

— Pas grand-chose, et encore moins sur cette vieille femme. C'est pour ça qu'elle est connue dans le milieu des archéologues : elle est une énigme.

— … pas pour le tueur de Katrina Hagebak, a priori. Autrement dit si on résout l'énigme de Cliffs End Farm, on comprendra peut-être les motivations du meurtrier et on aura une chance de plus de le retrouver.

— Sarah, ne t'emballe pas, ça fait des années que des universitaires et des chercheurs bossent là-dessus, ni toi ni moi n'allons tout comprendre d'un coup.

— Rends-moi un service, récolte tout ce que tu peux sur les travaux effectués sur le site, notamment sur cette femme. Vois si tu trouves des failles de raisonnement dans les conclusions, des hypothèses abandonnées qui pourraient nous intéresser. Il me faut quelque chose de plus concret si je veux convaincre Jens Berg et son protégé, Peter Gen, qu'ils font fausse route avec la piste des Russes nationalistes.

— OK, ça nous laisse donc moins de quatre heures pour résoudre un meurtre qui a été commis il y a plus de deux mille sept cents ans. Ambitieux.

— Fais de ton mieux. On verra ce qu'on a demain matin. Téléphone-moi quand…

Et soudain, Sarah s'arrêta.

— … je suis désolée, je ne pense qu'à moi, j'ai complètement oublié de te demander comment s'était passée ta première journée de travail.

— T'inquiète, mon embauche a été repoussée compte tenu des événements. On en reparlera plus tard.

— Et Simon ?

— Chez tes parents. Ça va aller. Mais toi, comment tu vas ? Ton SMS était… chaotique.

Sarah hésita à lui dire la vérité. Elle ne voulait pas qu'il s'inquiète.

— Ça va aller. J'ai eu un moment un peu compliqué tout à l'heure, mais c'est passé.

— Hé, Sarah, si on ne trouve rien, ça ne sera pas la catastrophe, d'accord ? Tu trouveras vite une autre enquête sur laquelle tu leur prouveras à quel point ils se sont trompés de se passer de tes services.

— Ouais. On va tâcher de voir ça comme ça.

— Prends soin de toi, je n'ai pas envie que tu retournes en stage à Hemsedal, OK ?

— Une fois, ça m'a suffi, tu peux en être sûr.

Sarah s'attendait à ce que Christopher la relance sur le ton de la plaisanterie, mais il demeura silencieux.

— Christopher, t'es là ?

— Oui, oui, je réfléchissais déjà aux personnes que j'allais contacter pour éclaircir ce mystère de la tombe 3666. Je me mets au boulot, à tout.

Sarah connaissait Christopher et se demanda ce qui avait bien pu le déranger. D'autant qu'il terminait généralement ses conversations en lui disant qu'il l'aimait. Savait-il qu'elle lui mentait sur son passage à Hemsedal. C'était impossible. Et puis ce n'était pas son genre de lui cacher ses doutes. Il lui en aurait parlé directement. Il devait seulement être un peu déboussolé par toute cette histoire.

Elle marcha vers la baie vitrée de sa chambre pour regarder les lumières des réverbères se reflétant dans les eaux agitées du port.

L'affaire venait de basculer dans une dimension si improbable qu'elle avait du mal à l'accepter. Elle repensait aux paroles de Christopher évoquant Homère, Ulysse, les conquêtes d'Alexandre le Grand, les dialogues de Socrate. Elle vit des temples grecs au sommet de leur gloire, des hommes et des femmes en toge déambulant entre de majestueuses colonnes sous un soleil de plomb, des écoliers écrivant sur des tablettes de cire dans la torpeur de l'été.

L'écriture, songea Sarah en se figeant. Elle s'empara de son téléphone, et appela Christopher.

— Quelle langue était la plus parlée il y a deux mille sept cents ans ?

— Euh… eh bien… du côté européen, je pense que c'était le celte et le grec. Oui, le grec ancien et les dialectes celtiques.

— Je te rappelle.

La main en proie à un léger tremblement, Sarah connecta son téléphone à Internet et, à défaut de trouver un site de traduction en langue celtique, elle mit la main sur un dictionnaire online de grec ancien.

Fébrilement, elle rentra les lettres *yero* et lança le traducteur. Aucune correspondance. Elle tenta avec *iero* sans plus de résultats. Mais quand elle tapa *hiero*, le programme lui afficha une définition : « Sanctuaire, généralement enterré, se dit aussi d'une caverne. »

Sarah enfila ses bottes, attrapa sa parka et quitta sa chambre en trombe, direction le port. Il lui restait trois heures et demie avant son départ de l'île pour trouver le « sanctuaire » enterré de Katrina Hagebak. Une pièce qui ne pouvait donc se trouver qu'à un seul endroit : non pas à côté de la salle de bains, comme elle l'avait supposé dans la précipitation ce matin, mais *sous* la salle de bains.

— Plus vite ! ordonna Sarah au garde-côte qui, en pleine nuit, manœuvrait avec méfiance sur une mer houleuse.

La vedette accéléra d'un coup. Claquée sur le flanc par une vague rebelle, la coque pencha dangereusement et une giclée salée fouetta le pont.

Les yeux piqués par le sel, Sarah passa une main sur son visage ruisselant, concentrant toute son attention sur le spot qui perçait le brouillard, éclairant les pics écumeux des flots grisâtres. L'île ne devait plus être loin, et son ombre escarpée finit par surgir du brouillard.

Le patrouilleur ralentit pour approcher l'étroite zone de débarquement, risquant à tout moment de cogner contre le ponton en béton.

— Je ne peux pas approcher plus ! lança le capitaine. Trop de roulis ! On va taper !

Pour seule réponse, Sarah gagna la proue du bateau qui tanguait telle une attraction de fête foraine. Elle n'aurait pas le temps de revenir plus tard ! Pour appeler le garde-côte, elle avait dû contacter le capitaine par talkie-walkie sur la fréquence que tous les membres de la police pouvaient entendre. Et même s'il était près de 3 h 30 du matin, Peter Gen veillait peut-être encore. Si c'était le cas, elle était certaine qu'il lui interdirait l'accès à l'île.

Elle enjamba le bastingage, accrochée d'une seule main au parapet de sécurité, le regard vissé sur la mince échelle du ponton.

— Ne faites pas ça, inspectrice ! cria le capitaine.

Profitant de l'élévation d'une vague plus impétueuse que les autres, Sarah sauta. Sous elle, les lames écumeuses tendirent leurs doigts osseux. Ses semelles dérapèrent sur les barreaux de l'échelle, ses genoux cognèrent et Sarah dévala d'un mètre, avant de se retenir de justesse à un échelon.

Suspendue dans le vide, une nausée de douleur au bord des lèvres, elle se hissa tant bien que mal sur le ponton et releva la tête au moment où le capitaine du patrouilleur s'apprêtait à lui jeter une bouée de sauvetage. Sarah fit signe au garde-côte de s'éloigner. Ce dernier lui répondit d'un mouvement de main, qui pouvait tout aussi bien dire bravo que « vous êtes dingue », et la vedette amorça un virage pour disparaître dans la brume.

Sarah se redressa en massant ses rotules. Elle considéra un instant la masse noirâtre et ondulante des flots glacés. L'espace d'une seconde, elle se vit rater sa réception, perdre connaissance et être engloutie par la mer.

Chassant cette nouvelle crainte de la mort, qui d'ordinaire ne la préoccupait pas, elle repoussa les cheveux collés à son visage mouillé et s'élança le long du chemin menant au plateau de l'île.

Un seul policier en faction contrôla les papiers de Sarah au bout du sentier. Il consulta sa montre, observa Sarah avec insistance, puis la laissa poursuivre en se poussant à peine lorsqu'elle passa à côté de lui.

Au sommet de l'île, la brume était bien plus éparse qu'au niveau de la mer et Sarah remarqua que sur les quatre tentes qui abritaient les services de police la veille, une seule était encore éclairée. Au loin, le long des falaises, il lui sembla distinguer une ou deux silhouettes de soldats en patrouille. Mais le site n'avait plus rien à voir avec l'agitation de la journée précédente.

Même la maison de la ministre, qu'elle rejoignit rapidement, avait l'air déserte. Pas un bruit, pas une lumière. Sarah prit une des lampes torche à disposition sur un chariot de la police scientifique, referma la porte d'entrée derrière elle et se dirigea en hâte vers la salle de bains.

Les semelles de ses bottes crissèrent sur les gravats qui jonchaient le sol carrelé. Elle enclencha l'interrupteur du plafonnier et posa sa lampe torche sur le coin du lavabo. Les quatre murs étaient dans l'état où elle les avait laissés la veille après sa première recherche : percés et pour certains défoncés.

Elle empoigna l'une des barres de métal qui avaient servi à sonder les parois et, fébrile à l'idée qu'elle jouait sa dernière carte, elle commença à frapper contre le sol à la recherche d'une résonance creuse.

La pièce devait faire une dizaine de mètres carrés, avec en entrant à gauche un meuble de salle de bains muni d'une vasque, qui avait été démonté par les équipes de recherche, et une baignoire collée à la cloison faisant face à l'entrée.

Sarah eut rapidement quadrillé la totalité du carrelage et sa fébrilité se mua en stress. Aucun écho ne laissait présager de l'existence d'une cavité cachée dans le sol. Pourtant, Katrina Hagebak avait bien eu l'intention de se réfugier ici pour gagner son *hiero*, sa caverne. Il y avait forcément un passage quelque part !

Elle leva la tête vers le plafond, le sonda à son tour avec le fol espoir d'avoir raté l'évidence d'une trappe dissimulée au-dessus d'elle, mais ne trouva rien. Elle laissa tomber la barre de fer au sol et balaya la petite pièce du regard. Par où te serais-tu échappée ?, songea Sarah. Elle se rendit compte qu'il restait un seul coin de la salle bains qu'elle n'avait pas fouillé. Et pour cause, il était occupé par la baignoire.

Elle ramassa sa barre de fer et frappa le fond de la cuve, qui sonna creux. À cela rien d'étonnant, puisque les baignoires sont toutes surélevées par rapport au sol, se dit-elle. Par acquit de conscience, elle brisa le coffre en carrelage et soupira de déception en révélant un bac incurvé banal reposant sur un sol bétonné. Aucune trace de trappe ou d'escalier dissimulé.

Le ministre de l'Intérieur avait peut-être raison, pensa Sarah avec amertume. Elle traquait une chimère et les coupables de la mort de Katrina Hagebak étaient tout simplement les membres d'un groupe ultranationaliste russe.

Par professionnalisme, de la pointe de sa botte, elle repoussa les éclats de carrelage amassés aux abords de la cuve et s'agenouilla pour passer la main sous la baignoire. Ses doigts ne rencontrèrent qu'une surface plane et sale. Mais alors qu'elle s'apprêtait à se relever, un détail attira son attention. Il lui sembla distinguer une fine fissure longiligne sur le béton, à la verticale des bords de la baignoire. Elle nettoya la zone poussiéreuse d'un revers de manche et constata que la fente parfaitement rectiligne courait au sol sur toute la longueur de la baignoire pour tourner à angle droit à chaque bout : le bac reposait sur une dalle découpée.

Et s'il existait un mécanisme pour la soulever, il devait être à portée de main et facile d'utilisation pour être actionné dans une situation d'urgence, comme Katrina Hagebak envisageait de le faire.

Sarah ouvrit les robinets et, comme elle l'espérait, aucun liquide ne coula. La baignoire n'était là que pour dissimuler une cache. Elle manipula le mitigeur de la douche, la bonde, tourna les robinets dans tous les sens et essaya maintes combinaisons.

Et soudain, un déclic.

Sarah recula de quelques pas. La baignoire s'était surélevée d'un demi-centimètre à l'extrémité opposée des robinets. Elle saisit les bords du bac et tenta de le soulever. À sa grande surprise, l'arrière de la baignoire et la dalle en béton se levèrent aisément jusqu'à former un angle de 45° et révéler un large trou dans le sol.

Le cœur battant à rapide allure, Sarah se précipita pour empoigner sa lampe torche posée sur le lavabo et braqua le pinceau vers l'ouverture.

Alors qu'elle se penchait au-dessus de la cavité, une vague de fraîcheur enveloppa son visage, et dans le trait de lumière de sa lampe se dessinèrent les premiers barreaux d'une échelle s'enfonçant sous terre.

– 20 –

Sarah s'assura que la baignoire et la dalle de béton ne bougeaient plus et se courba pour poser un pied sur l'échelle métallique. Elle descendit trois ou quatre mètres, la fraîcheur humide gagnant doucement sa peau sous sa parka. Jetant un coup d'œil en contrebas, elle aperçut le sol à quelques pas sous elle. Un sol rocheux irrégulier dont la pente se perdait dans l'obscurité.

Elle mit pied à terre. Le souffle du vent que l'on percevait encore à l'étage avait été comme aspiré, et le moindre crissement de graviers sous les semelles de Sarah résonnait contre les parois de ce qui ressemblait de plus en plus à une grotte. L'haleine tiède qui émanait de sa bouche se muait en fumerolles vaporeuses dans le faisceau de la lampe tandis qu'elle regardait incrédule la pente qui menait vers une nouvelle obscurité. Qu'est-ce que Katrina Hagebak pouvait bien venir faire ici, dans cette sombre caverne, alors qu'elle aurait dû se réfugier dans un abri moderne et sécurisé ? Pourquoi la Première ministre avait-elle voulu rejoindre cet endroit alors que sa vie était menacée ?

Sarah se pencha et avança d'un pas prudent dans le boyau rocheux. Derrière le bruit de ses pas, elle n'entendait que le rare écho de gouttes d'eau s'écrasant sur la pierre.

Après quelques mètres de progression lente, le cône de lumière de sa lampe dévoila un élargissement du conduit. L'humidité se fit moins sournoise, comme si l'air s'asséchait. Elle dut baisser la tête pour éviter une saillie rocheuse et, lorsqu'elle se redressa, elle s'immobilisa, décontenancée par le spectacle qui s'offrait à elle. Un éclairage automatique venait de se déclencher révélant les contours d'une immense caverne.

Elle eut à peine le temps d'en mesurer l'ampleur qu'elle fut hypnotisée par l'œuvre qui ornait l'intégralité de la paroi sur sa gauche. Son regard suivit avec fascination les tracés noirs et ocres dessinant ici une encolure menant vers une tête splendide ornée de fières cornes, là un mufle au dessin si précis que l'on aurait pu sentir le souffle de l'animal jaillir de ses naseaux. Combien y en avait-il ? Impossible de les compter au premier coup d'œil. Les formes des cerfs rouges se mêlant à une frise de chevaux noirs galopant jusqu'au ventre moucheté d'un puissant auroch, faisant lui-même face à un taureau gigantesque qui approchait les quatre mètres d'envergure.

La tête levée au pied de la monumentale fresque pariétale, la bouche entrouverte, Sarah tentait de trier les questions qui se précipitaient dans son esprit.

Qu'est-ce qu'une telle œuvre faisait ici ? Était-elle originale ? Était-ce une reproduction, ou une création contemporaine ? Au-delà de l'inestimable dimension artistique, Katrina Hagebak y accordait-elle une autre valeur ?

À cette pensée, Sarah secoua la tête en souriant ironiquement de sa lenteur. Elle était tellement ébahie qu'elle ne fit que soudainement le lien entre les formes animales de cette peinture rupestre et la tête de taureau tranchée retrouvée auprès de la Première ministre. Que pouvait-elle en déduire ?

Katrina Hagebak accordait-elle au taureau la même importance, ou à tout le moins la même symbolique que les artistes du Paléolithique attribuaient à l'animal ? Mais, dans ce cas, quelle était la signification de ce symbole ?

Elle songeait à Christopher, qui pourrait l'aider, quand elle eut la nette sensation qu'on la regardait. Seule à plusieurs mètres sous terre, dans le silence absolu de cette caverne, elle prit conscience que personne ne savait où elle se trouvait.

Elle fit volte-face en dégainant. Rien. Pas une silhouette, pas un mouvement, seulement une large zone d'ombre qui recouvrait l'intégralité de la paroi à droite de l'entrée. L'éclairage de la salle ayant été soigneusement disposé pour laisser cette partie de la pièce dans la pénombre.

— Qui est là ? lança-t-elle, son arme braquée devant elle.

Sa voix lui revint en écho. Alors que les dernières vibrations de sa question s'éteignaient, l'impression d'être observée se mua en sensation d'être épiée. Malgré la fraîcheur de la caverne, une goutte de sueur perla le long de son dos.

Croisant un pied devant l'autre avec une délicatesse féline, le doigt sur la gâchette de son HK P30, Sarah progressa vers la paroi dissimulée dans les ténèbres. Elle était encore trop loin pour que sa lampe torche perce l'obscurité, mais elle était certaine d'avoir aperçu quelque chose ou quelqu'un bouger.

— Police d'Oslo, sortez à découvert !

Toujours pas de réponse, mais d'autres mouvements. Furtifs.

Cette fois, Sarah fonça droit devant à pas cadencés. La clarté brutale de sa lampe éventra le rideau d'encre.

Elle ouvrit la bouche dans un cri muet, son cœur se rétracta, une poussée d'adrénaline pulsa dans ses veines et, sans même qu'elle l'ait décidé, elle se figea.

Dans un gigantesque aquarium qui courait tout le long de la paroi, des dizaines, peut-être même des centaines de serpents glissaient les uns sur les autres, dardant leurs pupilles fixes et fendues vers l'unique source de mouvement de la salle : elle.

Calme-toi, se conseilla Sarah intérieurement alors que la sueur coulait maintenant le long de ses deux flancs.

Sans en être phobique, elle n'aimait pas particulièrement les reptiles et encore moins lorsqu'ils étaient agglutinés en telle quantité, leur regard statique dirigé vers elle, leur langue fourchue sondant l'air à la recherche des molécules odorantes qui leur permettraient d'identifier l'intrus : proie ou prédateur.

Immobile, déplaçant seulement son regard et sa lampe torche, elle suivit les contours de l'aquarium à la recherche d'une ouverture et fut rassurée de constater que la cage de verre semblait hermétique. Elle nota que les peaux écaillées des serpents miroitaient pour certaines d'un vert amazonien, d'autres alternaient des rayures jaunes et noires, alors que la plupart, dans les teintes beiges, offrait des motifs triangulaires qui ondulaient sournoisement sur leur corps.

Pourquoi Katrina Hagebak élevait-elle ces serpents ici ? Vouait-elle une passion à ces animaux ? Revêtaient-ils, à l'instar des taureaux, une valeur symbolique ?

Sarah se décida à approcher à pas comptés de l'aquarium, ses iris dilatés guettant chaque circonvolution qui glissait entre l'ombre et la lumière, masse informe de plusieurs corps et d'une multitude d'yeux qui semblait se mouvoir comme une seule et même enveloppe fantomatique.

Chassant l'insupportable illusion que l'amas reptilien se coulait sur sa poitrine et son ventre, elle distingua quelque chose qui pouvait répondre à son questionnement. Nichée dans la paroi à quelques mètres au-dessus du sol, dans une alcôve aménagée à même la roche, une statuette féminine au port impérial, à la poitrine fière, se tenait debout, un serpent enroulé autour de chaque bras. Des deux côtés, une bougie éteinte encadrait la figurine, dont les multiples détails soulignaient la noblesse. À ses pieds, trois œufs de serpents gisaient, lovés au creux d'une écharpe.

Ces animaux n'étaient pas simplement là par intérêt zoologique. Leur dimension symbolique, et même peut-être liturgique, apparaissait de plus en plus évidente.

L'esprit électrisé par de multiples questionnements, guettant malgré elle chaque mouvement dans l'aquarium, Sarah s'attarda alors sur la dernière partie de la cave qu'elle n'avait pas encore inspectée.

Tout au fond de la caverne, à peine éclairé, il lui sembla que se trouvait un bureau encadré par deux troncs d'arbres plantés dans le sol. Sur lequel reposait un ordinateur portable. Et, juste à côté, une table ronde supportait un objet dont Sarah ne put distinguer clairement les contours.

Un coup sourd résonna soudain. Sarah sursauta. Un des reptiles venait de projeter sa tête triangulaire contre la vitre de l'aquarium, son regard braqué vers le corps chaud si proche et pourtant inaccessible.

De plus en plus mal à l'aise, Sarah se retourna, inspectant l'ouverture par où elle était arrivée, guettant le moindre bruit suspect. Un autre choc vitreux la fit frémir. Elle n'avait aucune envie de rester là plus longtemps. Elle se dirigea vers le fond de la grotte.

Elle repensa au tatouage en forme de plan sur le dos de Katrina Hagebak et se demanda un instant s'il ne s'agissait pas de l'immense salle dans laquelle elle se trouvait. Mais, à l'évidence, maintenant que les contours se dévoilaient plus nettement, la forme rectangulaire du plan tatoué n'avait rien à voir avec la concavité de cet espace souterrain.

La réponse à toutes les questions de cette étrange affaire se trouvait peut-être dans cet ordinateur, songea Sarah, qui venait de s'arrêter devant le bureau. Un bureau intégralement vide, à l'exception d'un clavier et d'une unité centrale supportant un écran.

Sarah hésita à démarrer la machine en premier. Sur la table d'à côté, elle voyait désormais très clairement l'objet qu'elle distinguait mal de loin : un coffret en bois ouvragé orné d'une serrure en forme de serpent.

Sarah déposa son pistolet sur le bureau, enfila ses gants en latex et approcha la main du verrou. Du coin de l'œil, elle eut le sentiment que les reptiles l'observaient. Elle se retourna et une coulée acide lui brûla l'estomac. Le coin de l'aquarium touchait presque le bureau et un large groupe de reptiles s'étaient amassés dans cet angle.

Elle inspira profondément pour chasser son malaise et essaya de soulever le couvercle du coffre. À sa grande surprise, le clapet s'ouvrit sans aucune résistance, en émettant seulement un discret grincement dont l'écho se perdit sous l'immense voûte de pierre.

L'intérieur du coffre était capitonné d'un velours violet aux reflets chatoyants. Sur le coussinet central reposait une étrange sculpture en pierre blanche. Sarah la prit entre ses mains pour la regarder de plus près : trois disques de pierre étaient soudés l'un à l'autre en position verticale, leur partie inférieure fixée sur un pied plat de forme rectangulaire. Les contours des cercles étaient parfaitement polis et une impression de grande finesse se dégageait de l'ouvrage. Mais ce qui capta toute l'attention de Sarah avait été gravé au centre de chaque disque.

Trois mots ou plutôt trois noms y étaient élégamment ciselés et, plus étrange encore, chacun d'entre eux était suivi d'une précision temporelle. Sur le premier disque, on pouvait lire : *Etta*, *10 décembre 2018*. Sur le second : *Ada, 11 décembre 2018*. Et enfin le troisième arborait le mot *Ludmila* et la mention *12 décembre 2018*.

Etta… C'est le mot qui était tatoué entre les orteils de Katrina Hagebak, se rappela Sarah. Était-ce un pseudo qu'elle s'attribuait ? Et les deux autres prénoms, faisaient-ils référence aux deux noms que Katrina avait refusé de donner au tueur juste avant de mourir ? Mais qui était-ce ? À quoi faisaient référence ces dates ? Allait-il se passer quelque chose de particulier lors de ces trois prochains jours ?

Sarah souleva la structure de pierre pour l'inspecter sous toutes les coutures et découvrit vite le petit parallélépipède violet encastré sous le piédestal. Elle le décrocha de son doigt et constata qu'elle tenait une clé USB sur laquelle le mot *Etta* était aussi inscrit.

Plus elle progressait dans ses recherches, plus Sarah tombait des nues sur ce que la Première ministre de son pays avait dissimulé aux yeux du monde. D'abord cette grotte improbable sous la maison. Et maintenant, ces trois noms associés à trois dates… Jusqu'où cette femme était-elle allée sans que personne s'en rende compte ? Quel projet menait-elle dans le plus grand secret ?

Pressée de savoir ce que le contenu de l'ordinateur allait révéler, Sarah glissa la clé USB dans sa poche intérieure et s'apprêtait à allumer l'unité centrale lorsque, derrière elle, le nouveau bruit sourd d'un coup porté contre la vitre de l'aquarium aiguisa ses sens. Elle n'avait aucune envie de recroiser ces regards reptiliens qui allaient une fois de plus l'épier de leurs yeux sans paupières. Aucune envie de les voir agiter leur langue dans sa direction en faisant ramper leurs anneaux. Elle enclencha le bouton de démarrage de la machine au moment où un nouveau choc retentit.

Cette fois, la crainte irrationnelle que l'un des reptiles s'échappe fut plus forte et elle se retourna brutalement. À moins de quatre mètres, une forme humanoïde, cachée sous une cagoule noire, se dressait devant elle, le bras tendu, un pistolet au poing.

21

Sarah saisit la première chose qui lui tomba sous la main et la projeta en direction de son assaillant. La balle du silencieux percuta la sculpture des trois disques en pierre.

Épargnée de peu, Sarah ramassa son arme sur le bureau et fit feu à son tour. L'homme roula à terre, se releva aussitôt et riposta en rafale. Les projectiles firent voler en éclats la vitre de l'aquarium tandis que Sarah plongeait à terre et répliquait. Son agresseur s'écroula, touché d'une balle à la poitrine.

Haletante, Sarah se releva alors qu'un serpent cherchait déjà à s'enrouler autour de sa cheville piquetée de bris de glace. Chassant l'animal d'un geste brusque, elle se précipita vers son assaillant.

Tout en visant la tête, Sarah le contourna, et de la pointe du pied, elle éloigna le pistolet qu'il tenait encore dans sa main. Allongé sur le dos, l'homme avait les yeux fermés, mais aucune trace de sang n'était visible sur son buste. Le temps que Sarah ne devine la présence d'un gilet pare-balles, elle basculait en arrière, fauchée d'un ciseau de jambes.

Dans sa chute, son arme lui échappa des mains et elle ne dut qu'à des années d'entraînement que l'arrière de son crâne ne percute pas le sol. Roulant en arrière pour se remettre debout, elle se redressa juste à temps pour voir son assaillant fondre sur elle armé d'un couteau de combat.

D'un coup de pied dans le ventre, suivi d'un crochet à la mâchoire, elle le désorienta, saisit sa main armée et lui tordit le poignet pour lui faire lâcher le couteau. Elle allait l'entraîner vers le sol pour l'immobiliser mais, d'un mouvement imprévu, le tueur se laissa tomber, enroula ses jambes autour de celles de Sarah, la fit chuter et rampa à toute allure sur elle pour lui écraser la gorge de l'avant-bras.

Sous le choc à la fois mental et physique, Sarah chercha à le frapper dans les côtes de toutes ses forces, mais le gilet pare-balles amortit ses coups. La pression sur sa carotide s'accentua. Elle suffoquait et l'emprise du tueur était si ferme que toute tentative de se débattre était impossible. Elle le frappa au visage d'un geste désespéré. Il répliqua d'un coup de tête. L'arcade sourcilière de Sarah creva et le sang gicla. Sa vue se brouilla sous la chaude coulée sanguine et l'absence d'oxygène.

Ses mains cherchaient désespérément un objet sur le sol pour l'aider à frapper, mais ses ongles ne grattaient que la roche. Elle allait mourir.

Jusqu'à ce que ses doigts rencontrent une surface lisse et arrondie qui glissa sur sa peau. L'instinct de survie l'emporta sur la révulsion. Sarah happa le reptile qui émit un sifflement et le rabattit de ses dernières forces vers le visage du tueur. L'homme se redressa pour se débattre à grand renfort de gestes et Sarah en profita pour rouler sur le côté.

Lorsqu'elle se retourna, elle vit pour la première fois l'apparence rayée jaune et noire du reptile. Sa formation dans les Forces spéciales lui avait appris à reconnaître les serpents les plus dangereux et le bongare rayé était au sommet de la liste.

Paniqué, l'animal s'était enroulé autour du cou du tueur, qui n'arrivait pas à le déloger, et soudain la gueule se dilata, les crochets injectés de venin se dévoilèrent et il mordit au visage, à travers la cagoule.

L'homme éructa de douleur et parvint enfin à attraper le serpent pour le jeter à ses pieds. Il allait l'écraser du talon mais, en découvrant l'apparence rayée du reptile, il retint son geste et recula prestement.

Le serpent fila se réfugier dans un coin sombre de la grotte et, à cet instant seulement, Sarah et son ennemi découvrirent que le sol bougeait tout seul. Tout autour d'eux, la grotte était envahie par les serpents échappés de l'aquarium.

Encore allongée par terre, reprenant tout juste sa respiration, Sarah sentit plusieurs corps onduler sur ses mains et ses jambes. Elle se tint aussi immobile que sa fébrilité le lui permettait.

En face d'elle, le tueur la toisait. Il respirait bruyamment et du sang s'épanchait désormais sur le tissu de sa cagoule.

— Dans dix à trente minutes, vous serez mort d'asphyxie, lança Sarah d'une voix rendue râpeuse par l'étranglement. C'est le temps qu'il vous reste pour espérer trouver un antivenin…

Le tueur sembla hésiter, mais il s'approcha d'elle en évitant les formes rampantes qui grouillaient.

Sarah savait que si elle bougeait, ne serait-ce que d'un centimètre, elle prenait à son tour le risque de se faire mordre, les serpents ondulant désormais sur ses cuisses et son ventre. Mais elle songea aussi que si son ennemi essayait de l'agresser à mains nues, il s'exposait à une nouvelle morsure. Ces serpents étaient donc sa prison, mais peut-être aussi son ultime protection.

L'homme enjamba ce qui ressemblait à un python et rejoignit Sarah en quelques pas.

Elle remarqua qu'il perdait l'équilibre à deux reprises avant de s'agenouiller devant elle. Le venin avait commencé son funeste effet. Elle vit enfin ses yeux, déterminés, haineux. Elle entendit distinctement son souffle douloureux.

Lentement il détendit son bras vers elle, surveillant le mouvement des serpents qui glissaient entre eux. Il approcha sa main gantée de la gorge de Sarah et voulut resserrer son étreinte. Son regard glacé planté dans celui de son bourreau, elle le vit bouillir de frustration. Ses muscles ne répondaient plus aux ordres du cerveau.

La main se crispa sans force, trembla et il la retira alors qu'un reptile venait d'entourer la gorge de Sarah. Elle fit un effort surhumain pour ne pas réagir. Le serpent fouilla son oreille de sa langue, s'enroula sur sa tête et rampa sur ses cheveux pour glisser sur son épaule et poursuivre son chemin. Un voile de larmes embruma les yeux de Sarah.

Le tueur dirigea alors sa main chancelante vers la poitrine de son ennemie. Sarah sentit le contact malhabile sur son sein. Mais ce n'était pas son intimité qu'il cherchait à atteindre. Ses doigts fouillaient la doublure de sa parka. Il avait dû l'observer depuis l'entrée de la grotte lorsqu'elle avait rangé la clé USB dans sa poche intérieure.

— Pourquoi faites-vous ça ? parvint-elle à articuler.

Le bras étranger trembla un peu plus, l'homme poussa un râle et parvint enfin à refermer sa main sur le support USB et le ramener à lui.

Il se redressa en fournissant un effort que Sarah devinait immense et douloureux. L'engourdissement de son corps avait débuté, l'asphyxie ne tarderait pas. Il marcha à reculons, regardant par terre pour éviter les reptiles. Pour la première fois, Sarah le voyait de la tête aux pieds. De stature musclée, il devait bien faire un mètre quatre-vingt-cinq.

— Vous vous battez comme un soldat… vous avez certainement servi votre pays. Pourquoi le trahissez-vous ? cria-t-elle pour l'interpeller.

L'homme demeura muet jusqu'à ce que son imposante silhouette disparaisse dans l'ombre. Sarah bouillait d'impuissance. Dans l'état où il se trouvait, elle aurait eu le dessus en un rien de temps. En restant ici sans bouger, elle prenait le risque qu'il parvienne à s'enfuir. Le venin pouvant produire son effet fatal en quelques minutes ou en une heure.

Mais un sifflement crachotant la rappela à l'ordre lorsqu'elle commença à bouger une jambe pour tenter de se relever. Il ne lui restait plus qu'à espérer que les serpents s'éloignent ou que quelqu'un commence à se poser des questions sur sa disparition. D'autant qu'il n'y avait aucune chance que son portable capte aussi loin sous terre.

Alors qu'elle s'évertuait à contrôler ses nerfs électrisés par l'incessant contact reptilien, deux questions se mirent à serpenter à leur tour sous son crâne : que contenait la clé USB ? Et, surtout, comment le tueur de Katrina Hagebak – car Sarah en était certaine, c'était lui – avait-il pu faire irruption dans cette grotte juste au moment où elle venait de la découvrir et d'y pénétrer ?

Recouverte par une mer mouvante armée de crocs, Sarah luttait pour se concentrer sur les réponses à ses questions. Mais à chaque seconde qui passait, elle doutait de pouvoir résister encore longtemps au geste de panique qui signerait sa mort.

22

L'un d'entre eux au corps noir et à la tête rouge s'était lové sur son abdomen. Il remuait parfois sa queue écarlate et il arrivait que sa langue fourchue frétille hors de sa gueule. Mais la plupart se contentaient de ramper le long de son corps de leur nonchalance reptilienne. La tête immobile, Sarah les suivait du regard, respirant par d'infimes soulèvements de poitrine, guettant les moindres variations de leurs yeux sans paupières.

Le supplice devait durer depuis au moins une heure quand elle sentit un glissement remonter contre son mollet puis son genou. Elle inclina lentement la tête et vit le serpent gris aux écailles hérissées au moment où il déroulait ses anneaux sur son entrejambe. Sarah se glaça. Son corps trembla de répulsion, la peau de ses phalanges blanchit sous la tension de ses muscles et si ses mâchoires avaient pu s'enfoncer l'une dans l'autre, Sarah l'aurait accueilli comme un soulagement. Le reptile coula son corps sans membres sur la toile du pantalon, glissa sur son homologue endormi à tête rouge, se hissa sur les sommets de la poitrine de Sarah, contourna son menton pour remonter le long de son front et poursuivre son chemin vers l'aquarium brisé.

Quand Sarah rouvrit les yeux, un voile de larmes embrumait son regard et elle fut incapable d'identifier l'individu qui se tenait à l'entrée de la grotte. La silhouette approchait et, à la position de son corps, Sarah devina qu'elle tenait une arme.

— Inspectrice Geringën ? souffla une voix étranglée.

— Bougez lentement, murmura Sarah en clignant des yeux à plusieurs reprises.

Elle finit par distinguer la longiligne Ingrid Vik et la grimace de terreur sur son visage.

— Ingrid... l'interpella Sarah.

La jeune femme était comme hypnotisée par la mer mouvante de reptiles. Elle redressa difficilement la tête pour regarder Sarah, sidérée.

— Comment vous faites pour ne pas... bouger...

— Ne vous servez pas de votre arme, répondit doucement Sarah qui sentait qu'Ingrid avait dû mal à contenir sa peur.

— Du feu... il faut du feu pour...

— Non, la coupa Sarah. Avec ce froid, la chaleur peut les attirer. Trouvez de l'ammoniac et des gants en caoutchouc. Cherchez dans les produits de nettoyage de la maison.

L'agente rengaina son arme, recula vers l'échelle qui permettait d'accéder à la grotte et réapparut quelques minutes plus tard avec un seau rempli de bouteilles et de flacons en plastique.

— Je n'ai pas trouvé d'ammoniac, mais tous ces produits en contiennent.

— Versez-les tous dans le seau ! lança Sarah qui n'y tenait plus.

Ingrid Vik s'exécuta et détourna la tête brutalement lorsque les effluves âcres lui agressèrent l'odorat.

— Maintenant, mettez les gants et venez vers moi en jetant des poignées du mélange devant vous. N'ayez pas peur. Ils ne vous attaqueront pas si vous marchez lentement.

L'agente suivit la consigne. Les serpents qui se trouvaient le plus près d'Ingrid dardèrent tous leur langue dans l'air et la plupart s'éloignèrent à toute vitesse. Quelques-uns plus gros ne bougèrent pas, mais ils semblaient endormis.

Ingrid Vik les contourna et se tint bientôt au-dessus de Sarah qui l'encouragea à agir d'un battement de cils. Elle lui jeta alors de généreuses poignées de la mixture sur le corps.

Le serpent endormi sur le ventre de Sarah se réveilla et s'enfuit. Ceux qui étaient encore près d'elle s'écartèrent dans un mouvement d'ondulation précipitée. Ils fuyaient comme autant de chaînes qui glissent pour libérer un prisonnier. Lorsque le dernier fut parti, Sarah n'osa pas se redresser. Elle avait l'impression qu'ils étaient encore sur elle.

— Il n'y en a plus, dit Ingrid timidement.

Sarah saisit la main qu'elle lui tendait et se releva, à l'affût du moindre mouvement suspect autour d'elle.

— C'est bon dit Ingrid… maintenant il vaut mieux sortir tout de suite.

Sarah lui tourna le dos et marcha vers le bureau qui se trouvait derrière elle. Elle y ramassa l'ordinateur portable de Katrina Hagebak et fit signe à Ingrid qu'elles pouvaient regagner l'échelle.

— Vous avez croisé quelqu'un en arrivant ? Un homme, un mètre quatre-vingt-cinq environ, blessé ? demanda Sarah en traversant la grotte qui grouillait encore de reptiles.

Ingrid ne répondit pas. Elle marchait en scrutant les amas de serpents qui s'étaient regroupés loin des odeurs d'ammoniac.

— Ingrid ? insista Sarah.

— Euh… pardon…

— Ingrid : avez-vous vu un homme blessé quitter l'île ou même dans les rues de Vardø avant de venir ici ?

— Non, je n'ai vu que les gardes en faction, répondit l'agente qui avait fait un effort surhumain pour délivrer Sarah et qui maintenant se laissait gagner par l'herpétophobie. Pour… pourquoi ?

Sarah lui prit la main et la conduisit fermement jusqu'à l'échelle qui permettait de regagner la salle de bains.

Une fois à l'étage, elle emprunta le talkie-walkie d'Ingrid et lança un avis de recherche sur un homme blessé par venin qui était probablement l'assassin de Katrina Hagebak. Elle ordonna que la pharmacie de Vardø et l'hôpital soient efficacement, mais discrètement, surveillés et de procéder à toute interpellation d'individu suspect en attendant son arrivée.

Elle consulta ensuite sa montre : 6 h 13 du matin. Son téléphone en main, elle hésitait à téléphoner directement à Peter Gen pour l'informer de sa découverte.

Finalement, elle prit une photo de la baignoire sou-levée révélant le passage secret et envoya le cliché à Christopher accompagné d'un message dont elle n'était pas très fière. Son téléphone sonna immédiatement.

— Oui, je vais bien, dit Sarah avant que Christopher n'ait pu ouvrir la bouche.

— OK, je ne te crois pas. Et pour la photo… t'es sûre ?

— Oui. C'est la seule façon et puis… ce n'est pas si grave. Faut que je te laisse. Je t'appelle plus tard.

Sarah raccrocha et rangea le téléphone dans la poche intérieure de sa parka.

— Qu'est-ce qui s'est passé ? osa frileusement Ingrid, qui reprenait tout juste ses esprits.

— Comment m'avez-vous retrouvée ? répliqua Sarah. Vous n'étiez pas censée venir sur l'île.

La jeune femme parut blessée par le ton soupçon-neux de sa supérieure.

— J'avais quelque chose d'important à vous dire. Je vous ai appelée mais comme vous ne répondiez pas j'ai lancé un appel sur le central et le capitaine de la navette entre l'île et le continent a répondu qu'il venait de vous conduire ici… mais qui vous a attaquée ?

— Quelqu'un qui m'a probablement suivie depuis mon hôtel. Et très certainement, le même homme qui a tué Katrina Hagebak. Mais il a absolument besoin d'un sérum après la morsure dont il a été victime dans la grotte.

Sarah referma le passage et sortit de la salle de bains.

— Qu'est-ce que vous aviez à me dire d'important, Ingrid ? demanda-t-elle en franchissant le seuil de la maison.

L'agente releva le col de sa parka alors qu'une rafale faisait claquer un volet mal fermé.

— Le directeur de l'hôpital où est soigné le père de Katrina Hagebak m'a appelée cette nuit vers cinq heures, répondit Ingrid en élevant la voix pour couvrir le sifflement du vent. Il venait d'obtenir les résultats d'analyse sanguine pratiquée pour essayer de déterminer la cause du coma de M. Hagebak.

— Et ?

— Ils sont formels : l'origine du coma n'est pas naturelle. M. Hagebak a été victime d'une overdose de morphine par intraveineuse.

Sarah ralentit sa marche comme pour laisser à son esprit le temps de réfléchir sans précipitation. Les herbes hautes fouettèrent ses bottes dans un crépitement plus net jusqu'à ce qu'elle reprenne son allure normale.

— Vous sous-entendez qu'on lui en a injecté de force, mais le père de la Première ministre était malade, d'après ce que l'on sait : peut-être qu'il a réussi à se procurer de la morphine et a voulu soit se soulager, soit directement mettre fin à ses jours… ce ne serait pas de la plus douloureuse des manières.

— J'ai effectivement suggéré cette hypothèse au médecin qui m'a annoncé la nouvelle, répliqua Ingrid en repoussant avec agacement les cheveux qui s'étaient plaqués contre son visage. Mais il a répondu qu'il en doutait fort : Marius Hagebak a la phobie des piqûres et des aiguilles. Jamais il ne se serait piqué lui-même ou n'aurait demandé qu'on le fasse.

Sarah et Ingrid contournèrent le garde en faction au sommet du chemin qui descendait vers le rivage sans

210

même le saluer et accélérèrent le pas. En contrebas, la mer grise cisaillée de crêtes blanches malmenait le bateau à moteur qui les attendait près du ponton.

— Des vidéos de surveillance de l'hôpital ?

— Nous sommes attendus sur place quand nous le souhaitons pour les visionner.

Les deux femmes sautèrent à bord de la navette et le navire fendit les flots en direction du continent.

Sarah s'assit à l'avant et ferma les yeux un instant. Elle rêvait de prendre une douche et de brûler ses vêtements qui semblaient encore grouiller de choses rampantes. Mais, par-dessus tout, elle tâchait de prendre la mesure de ce qu'elle avait trouvé au fond de cette grotte et de réfléchir à ce qu'elle pouvait déduire de l'empoisonnement du père de la Première ministre.

— Comment vous avez fait pour rester allongée là… avec tous ces serpents sur vous, pendant plusieurs heures ? demanda Ingrid, qui était venue s'asseoir à côté d'elle.

— Exactement comme vous faites pour supporter le traitement misogyne que vous inflige votre chef, Nikolaï Haug : en ravalant mon envie de régler le problème par la violence et en espérant que quelqu'un viendrait m'aider.

Ingrid baissa ses grands yeux bleus, touchée par la façon détournée dont Sarah venait tout à la fois de la remercier et lui assurer son soutien.

— Vous êtes douée, Ingrid, ajouta Sarah. Ce qui, dans mon langage, veut dire que l'envie de faire bien votre métier brûle avec plus d'intensité chez vous que chez n'importe quel autre policier, ici, à Vardø.

Ingrid Vik ouvrit la bouche pour répondre, mais se contenta de tourner le regard vers la côte. Le bateau était à mi-chemin et, sur les pentes aux roches noires striées de neige du rivage, les maisons colorées laissaient filtrer quelques lumières par leurs fenêtres. Maigres lueurs qui ne parvenaient pas à réchauffer cette aube glaciale au ciel de cendres.

— Pourquoi vouloir tuer aussi le père de la Première ministre ? se demanda Ingrid à voix haute.

C'était exactement à cette question que Sarah était en train de réfléchir. Détenait-il des informations qui auraient permis d'identifier le tueur ? Était-il associé à sa fille dans un projet qui dérangeait l'assassin ?

Sarah ne pourrait répondre à ces questions qu'à condition de résoudre le mystère au cœur de son enquête : pourquoi Katrina Hagebak avait-elle été assassinée ? Et de surcroît dans des conditions aussi étranges ? L'examen de l'ordinateur portable l'aiderait peut-être à mieux comprendre. Quant aux prénoms d'Ada et Ludmila, Sarah en était certaine, il s'agissait des prénoms des deux futures victimes de l'assassin de la Première ministre. Elle devait absolument arrêter le tueur avant qu'il ne trouve ces personnes. D'autant qu'avec la clé USB, il allait peut-être détenir des informations sur leur véritable identité. Le temps était désormais compté, le drame pouvant se produire d'un jour à l'autre.

Il était 6 h 32 lorsqu'elles mirent pied à terre. Au même moment, le talkie-walkie d'Ingrid grésilla et la voix d'un officier se fit entendre.

— Inspectrice Geringën, officier Marko. Je viens d'arriver devant la pharmacie… la porte d'entrée a été forcée. J'ai inspecté les lieux, ils sont vides, mais toutes les armoires ont été dérangées.

— Ne touchez à rien. Faites venir la police scientifique. Je vous rejoins dès que je peux.

— Excusez-moi de vous demander ça, hésita l'officier. Mais je préviens l'inspecteur Peter Gen ?

Sarah hésita à son tour avant de répondre :

— Oui.

Les rues de Vardø étaient encore désertes et il ne leur fallut que dix petites minutes pour rejoindre l'hôpital dans la jeep de service d'Ingrid.

Les deux femmes firent rapidement la rencontre du directeur de l'hôpital. Un homme d'une soixantaine d'années dont l'embonpoint se repérait aisément à son double menton et à sa respiration difficile. Il rappela à Sarah le médecin de son école quand elle était petite.

— Docteur Evard.

Il ausculta d'un œil rapide les deux femmes derrière ses lunettes en demi-lune et, sans leur laisser le temps de se présenter, il les précéda en direction de la salle d'enregistrement des caméras de sécurité.

— Nous avons eu le temps de regarder les bandes, dit-il en marchant sans bouger les épaules. Nous avons isolé les images d'un individu qui ne fait pas partie de notre service et que l'on voit entrer dans la chambre de M. Hagebak. Malheureusement, son visage est caché. Et, comme nous n'avons pas les moyens de financer la présence d'un gardien, personne n'est intervenu sur le moment. Quant à la qualité de la vidéo, épargnez-moi les remarques sur la fin du VHS, nous n'avons pas changé le système depuis plus vingt ans.

Dans l'étouffante petite salle à peine ventilée, le directeur leur montra un enregistrement de très mauvaise qualité. On y voyait la silhouette d'un homme le visage couvert par une chapka à large visière qui empêchait toute reconnaissance faciale. Mais, à son allure, Sarah trouva qu'il pouvait sans doute s'agir du même homme qui l'avait agressée dans la grotte.

— Ingrid, transfère ces images à mon service d'Oslo pour une tentative d'identification. Monsieur Evard, ajouta Sarah en se tournant vers le directeur, Marius Hagebak a-t-il une chance de sortir du coma ?

Le gros homme plissa le nez.

— Je le pense, oui.

Sarah fut surprise par la réponse. D'ordinaire, les médecins étaient très prudents sur les chances d'un patient de sortir du coma.

— Vous semblez bien confiant…

Le directeur remonta l'arc de ses lunettes sur l'arête de son nez.

— Marius Hagebak n'a pas reçu une dose mortelle de morphine.

Sarah sentit ses poils se hérisser sur son bras. Elle remarqua du coin de l'œil qu'Ingrid Vik avait réagi avec la même circonspection.

— C'est-à-dire ? demanda Sarah, son regard bleu de glace planté dans les yeux mous du directeur.

— Eh bien, celui qui lui a injecté la drogue a soit raté son coup s'il voulait tuer M. Hagebak, soit l'a très bien réussi s'il voulait seulement déclencher un coma. Et je pencherais plus pour la seconde solution. Sinon, il y serait allé plus franchement sur les doses.

— Le but était donc seulement de…

— ... oui, inspectrice, c'est ce que je viens de vous dire, le but de l'homme que l'on voit sur la vidéo était à mon avis de provoquer un déséquilibre physiologique entraînant le coma du patient, pas sa mort.

Sarah s'assit et posa les phalanges de son poing fermé sur sa bouche. Cela changeait tout, songea-t-elle.

— Il y a... un problème ? demanda le directeur en réajustant une branche de ses lunettes sur sa tempe.

Sarah répondit sans regarder son interlocuteur, concentrée sur l'improbable supposition qui était en train de naître dans sa tête.

— Comment Katrina Hagebak a-t-elle réagi quand vous l'avez prévenue du coma de son père ?

— Comme on pouvait s'y attendre : elle a dit qu'elle venait immédiatement. Elle est arrivée à l'hôpital hier à l'aube. Comme l'état de son père s'était stabilisé, elle a décidé d'aller se reposer chez elle sur l'île et de revenir plus tard. La suite, vous la connaissez mieux que moi.

— Monsieur Evard, quelle était la fréquence des visites de Katrina Hagebak auprès de son père ?

— Il n'y a pas un week-end où elle n'est pas venue elle-même à l'hôpital pour venir le chercher et passer deux jours avec lui sur l'île. C'est pour ça qu'elle avait installé une chambre médicalisée.

— Quand vous dites qu'elle n'a jamais manqué un seul week-end, c'est une expression ou une réalité d'agenda ?

— Je suis médecin, madame, je ne parle pas à la légère. Maintenant, si vous n'avez plus besoin de moi...

— Et nous sommes bien d'accord que le coma de Marius Hagebak a été déclenché dans la nuit du mercredi 5 décembre, ajouta Sarah.

— Comme c'est écrit sur la bande vidéo. Je suis désolé, je dois vous quitter, on m'attend.

Sarah n'écouta pas la dernière phrase. Son esprit tournait à toute allure. L'assassin n'avait pas cherché à tuer le père de Katrina. Il s'était servi de lui comme appât. Pour faire venir la Première ministre sur l'île.

Mais pourquoi n'avait-il pas attendu trois jours de plus pour agir, lui qui savait forcément que la Première ministre venait rendre visite à son père tous les week-ends ? Pourquoi avait-il pris le risque de se faire démasquer en venant à l'hôpital pour empoisonner Marius Hagebak le mercredi soir ?

Sarah se rappela soudain les dates qu'elle avait vues sur la sculpture en pierre blanche posée sur le bureau secret de la Première ministre. La date la plus proche était le lundi 10 décembre. L'assassin voulait peut-être éviter que Katrina Hagebak ne soit encore en vie ce jour-là. Mais il aurait eu tout le temps d'agir le samedi ou le dimanche, sans le risque de s'exposer à l'hôpital.

Il ne pouvait y avoir qu'une explication : pour le tueur, dont chaque acte était symbolique, Katrina Hagebak devait mourir le 6 décembre et pas un autre jour. Pourquoi ?

— Ingrid, faites une recherche sur le 6 décembre 2018. Ou même le 6 décembre tout court. Recoupez cette date avec la biographie de la Première ministre, mais n'excluez pas d'autres résultats intéressants sous prétexte qu'ils seraient déconnectés de Katrina Hagebak. Cette femme nous cache bien trop de choses pour qu'on puisse se fier à sa biographie officielle. De mon côté, je vais me procurer son agenda de ces quatre dernières années et voir si le 6 décembre présente une singularité. On se tient au courant.

— Puis-je me permettre de demander pourquoi cette date ? Outre le fait qu'il s'agit du jour où elle a été assassinée ?

Sarah lui expliqua son raisonnement avant de conclure :

— Appelez-moi vite. Je me rends à la pharmacie.

— Vous ne vous rendez nulle part, inspectrice Geringën, siffla une voix dans leur dos. C'est terminé pour vous.

23

Peter Gen se tenait dans l'embrasure de la porte. Son visage ovale semblait s'être creusé sous l'effet de la fatigue et une colère mal contenue luisait au fond de ses yeux enfoncés dans leurs orbites. Sa barbe mal rasée, qui pouvait lui donner hier une allure de baroudeur, l'affligeait à cet instant d'un air sombre.

— Qu'est-ce que vous faites ici ?

— Mon travail, répondit Sarah sans cesser de réfléchir, tête baissée, à la façon dont elle allait organiser la suite de son enquête.

Ingrid Vik la scrutait, interdite.

— Vous n'êtes plus rattachée à cette enquête, s'agaça l'inspecteur Gen. Je pourrais vous coller un blâme, mais je vais seulement vous laisser le temps de rejoindre l'aéroport où un avion vous attend pour décoller vers Oslo. Est-ce clair ?

Sarah demeura assise et consulta l'heure sur son téléphone.

— Quant à vous, officier Ingrid Vik, reprit Peter Gen, je vous conseille de suivre désormais mes ordres à la lettre, en commençant par me transmettre l'intégralité des recherches que l'inspectrice Geringën vous a demandé d'effectuer.

Sarah se tourna vers Ingrid, ignorant Peter Gen.

— Dites à l'expert informatique qui a remplacé Émilie de m'appeler au plus vite.

— Bien, vous ne me laissez pas le choix, inspectrice, s'emporta Peter Gen.

Il se retourna et fit signe à deux officiers qui attendaient derrière lui dans le couloir.

— Emmenez-la à l'aéroport… menottée.

Ingrid Vik s'interposa. Elle connaissait les deux hommes chargés d'arrêter Sarah.

— Matts, Filip, vous ne pouvez pas faire ça. Je la suis depuis hier, c'est elle qui a découvert les éléments les plus importants de l'enquête. C'est elle qui a eu le cran de faire face à l'attaque armée. Si vous l'emmenez, vous privez Katrina Hagebak et tous les Norvégiens de notre meilleur atout pour coincer le salaud qui a fait ça.

Les deux officiers parurent profondément ennuyés. Sarah s'adressa à eux sous le regard sidéré de Peter Gen.

— Matts et Filip, afin que l'on ne perde pas de temps, je ne vais bientôt plus pouvoir entrer tranquillement dans ma chambre d'hôtel. Je vous charge de me trouver un endroit discret et d'y faire installer un ordinateur d'ici une heure.

— Mais vous vous pren…

À cet instant le téléphone de l'inspecteur sonna et il s'arrêta de parler. Il jeta un coup d'œil sur l'origine de l'appel et décrocha. Après quelques secondes, son visage se ferma et il tendit le combiné à Sarah.

— Jens Berg à l'appareil, entendit-elle. Un jour, ça vous retombera dessus, inspectrice Geringën. Mais, pour le moment, je n'ai d'autre choix que de vous confier de nouveau les rênes de l'enquête. Peter Gen peut travailler sous vos ordres, si vous le souhaitez.

— Ce ne sera pas nécessaire.

Jens Berg soupira.

— Maintenant, dites-moi ce que vous avez trouvé là-dessous.

— Je vous envoie un rapport complet dès que mon poste de travail est installé. J'ai encore plusieurs vérifications à faire avant de vous fournir des informations fiables. Mais une chose est sûre, monsieur : l'assassin s'apprête à tuer deux autres personnes liées d'une façon ou d'une autre à la Première ministre.

— Pardon ?

Sarah lui expliqua le recoupement qu'elle avait fait entre les dernières paroles de Katrina et les trois noms trouvés dans la grotte.

— On ne peut pas se permettre une telle chose… Faites vite. Et trouvez les coupa… ou plutôt *le* coupable selon votre théorie.

Sarah raccrocha et redonna son téléphone à Peter Gen.

Ce dernier se tourna vers les deux officiers.

— L'inspectrice Geringën est officiellement en charge de l'enquête. C'est à elle que vous devrez désormais rendre des comptes, leur lança-t-il. Je ne vous aurais pas cru capable de ça, Sarah, continua-t-il avant de tourner les talons.

Moi non plus, pensa-t-elle avant de répondre :

— Je vous laisse annoncer la nouvelle direction de l'enquête à l'ensemble de l'équipe. Le plus vite sera le mieux.

Peter Gen inspira si brutalement que ses narines s'arquèrent à la façon d'une grimace. D'un geste qui ressemblait à un tic, il gratta une tache rouge et blanche sur la peau de son avant-bras. De fines pellicules de peau morte tombèrent en volute sur le plancher tandis que Sarah reconnaissait les symptômes du psoriasis.

Constatant que Sarah le surveillait, Peter Gen empoigna son talkie-walkie et diffusa son annonce sur le canal commun. Puis il s'en alla en claquant la porte de la salle de vidéo.

Plantés au milieu de la salle, les deux officiers, Matts et Filip, n'avaient pas l'air de savoir ce qu'ils devaient faire.

— On a reçu deux nouveaux ordinateurs au commissariat, les interpella Ingrid. Prenez-en un et installez-le dans la dépendance.

Quand les deux officiers eurent quitté la pièce, Sarah tendit son téléphone à Ingrid en guise d'explication.

L'écran affichait la page Internet de l'hebdomadaire *Morgenbladet* dans lequel Christopher aurait dû commencer à travailler le matin même. En une était placardée une photo du passage secret dissimulé sous la baignoire de Katrina Hagebak. Incrusté sur le coin de l'image, le visage de Sarah fixait froidement le lecteur. Le journal avait titré « *L'inspectrice Geringën découvre un passage secret sous la maison de la Première ministre assassinée* ». La suite de l'article n'était que de la broderie autour de cette seule information, mais il mettait en avant l'efficacité du travail de Sarah.

— La photo que vous avez prise en sortant du passage… murmura Ingrid. Vous aviez prévu que…

— Je ne peux pas laisser cette enquête entre les mains de quelqu'un d'autre.

Le téléphone de Sarah sonna quand Ingrid le lui rendit. C'était Christopher.

— Alors ? Ça te va ? demanda-t-il.

— Merci.

— Ce sont eux qui devraient te dire merci. T'aurais vu leur tête quand je leur ai dit que tu avais accepté de laisser fuiter une photo. J'ai cru que le rédac chef allait m'embrasser. Bref, ça a marché ?

— Jens Berg vient de m'appeler pour me rendre l'enquête.

— Bien. Mais je suis étonné que tu aies osé faire ça.

— Moi aussi…

— … tu deviens ambitieuse, c'est ça ?

— Arrête.

— Ou tu veux m'épater en résolvant une enquête impossible ?

— Je l'ai fait parce que… ce n'est pas le moment. Tu as avancé sur la tombe 3666 ?

— Un peu. J'attends qu'un universitaire me rappelle. Ça ne devrait plus tarder. Et toi, tu as trouvé quoi sous ce passage ?

— Tu sais, je pense que…

— Quoi ?

— Non rien. Je t'appelle plus tard. Chaque minute compte.

— OK. Je te laisse travailler. Je t'aime.

— Et moi donc…

Sarah raccrocha, fit signe à Ingrid qu'elle pouvait y aller et composa le numéro de son bureau à Oslo. Elle demanda qu'on la mette en relation avec le secrétariat

223

de Katrina Hagebak. Elle tomba sur Kim Norvik, son assistante personnelle. La jeune femme était boùleversée et dit qu'elle avait déjà tout raconté à la police. Mais Sarah lui expliqua qu'elle avait seulement besoin de l'emploi du temps de Katrina Hagebak depuis qu'elle était au pouvoir. L'assistante sembla paniquée. Elle répondit qu'elle ne savait plus, qu'elle avait peur. Mais, à sa façon de parler, Sarah sentit que c'était une femme ordonnée qui était juste sous le choc. Elle prit plus de temps que prévu pour lui parler et parvint à la rassurer. Un peu apaisée, Kim Norvik reprit ses réflexes de secrétaire organisée et retrouva les fichiers informatiques des quatre années précédentes qu'elle envoya sur-le-champ.

Sarah veilla à quitter l'hôpital par une porte arrière pour ne pas croiser les journalistes. Elle emprunta de petites rues et passa loin de son hôtel. Comme elle l'avait prévu, des dizaines de journalistes se pressaient devant le bâtiment.

Sans leur prêter attention, Sarah demanda à un passant où se situait la pharmacie de Vardø. Cinq minutes plus tard, elle soulevait le ruban de police, s'équipait de surchaussons bleus à disposition et pénétrait dans l'officine. Des dizaines de boîtes de médicaments jonchaient le sol et tous les placards et tiroirs du magasin avaient été vidés. Sarah reconnut Gérald Madkin, accroupi derrière le comptoir et entouré de trois autres techniciens vêtus de combinaisons blanches qui photographiaient et examinaient les lieux à l'aide de leur équipement. À ses côtés se tenait une femme d'une cinquantaine d'années que Sarah n'avait jamais vue.

— Qui est-ce ? demanda Sarah.

La femme se retourna en sursautant.

— Je… suis la propriétaire de cette pharmacie, répondit la femme d'une voix timorée.

— Je lui ai demandé de nous aider à déterminer quels médicaments ont pu être subtilisés, précisa Gérald Madkin.

— Et ?

— Eh bien, pour le moment, on ne sait pas. C'est comme si le voleur n'avait pas trouvé ce qu'il cherchait.

— Vous avez de l'antivenin ?

— Oui, on a une formule d'antivenin polyvalent. On se doit d'en avoir par principe, mais il n'y a guère de serpents par ici. Pourquoi ?

— Vous le rangez où ?

La pharmacienne se leva, prit un tabouret et se hissa dessus pour atteindre un placard haut perché lui aussi ouvert.

— Ah ! bah, ça alors, ma seule dose n'est plus là. Comment avez-vous deviné ?

Gérald Madkin tourna un regard interrogatif vers Sarah.

Elle fit sortir la pharmacienne et résuma au technicien scientifique ce qui s'était passé dans la grotte. Puis elle lui ordonna de se rendre sur place le plus vite possible afin d'y procéder à un quadrillage et à des relevés minutieux. D'ici là, elle attendait les résultats de leurs analyses de la pharmacie.

— Dernière question, termina Sarah. Pas de caméra de surveillance dans cette pharmacie ?

— Si, c'est la première chose qu'on a vérifiée. Elles fonctionnaient au moment de l'intrusion, mais…

quelqu'un a effacé les trois dernières heures sur l'ordinateur qui enregistre les données.

— Des empreintes ?

— C'est en cours de relevés, madame.

— À quelle heure les fichiers ont-ils été effacés ?

Muni de gants en latex, Gérald Madkin procéda à une rapide manipulation sur l'ordinateur.

— À 5 h 56 précisément.

Quand elle quitta la pharmacie, Sarah frissonna. Il lui semblait que sa parka ne lui tenait plus assez chaud. La fatigue commençait à affaiblir son corps. Elle rejoignit le commissariat, impatiente de pouvoir se reposer quelques minutes au chaud. Elle trouva rapidement l'annexe dont avait parlé Ingrid et posa la main sur la poignée pour entrer.

— Je ne sais pas comment vous allez résoudre ce merdier.

C'était Nikolaï Haug, le vieux chef de la police, qui la regardait en grattant sa barbe blanche.

— Personne n'a rien vu, n'a rien entendu et tous les proches de la ministre ont des alibis irréfutables et déjà tous vérifiés. Quant aux motivations du tueur, avec toute cette mise en scène, je vous souhaite bonne chance pour y comprendre quelque chose.

— Avez-vous besoin de renforts ?

— Pour quoi faire ? Si c'est pour poursuivre les interrogatoires à gauche et à droite dans le pays sur tous ceux qui côtoyaient la ministre de près ou de loin, ce ne sera pas la peine, on a tout le personnel d'Oslo qui est sur le coup et qui me fait remonter l'information.

Nikolaï Haug tira une cigarette de sa poche et l'alluma. Sarah se gelait dehors et n'allait pas attendre longtemps qu'il ait fini de parler.

— Vous savez quoi, inspectrice, reprit le chef de la police en plissant les yeux lorsque la fumée de cigarette lui vola sur le visage. Ces interrogatoires, ça ne donnera pas un flocon. J'en suis sûr. Le type qui a fait ça est trop malin et préparé pour se faire choper comme ça. C'est comme l'ADN et les empreintes sur la scène de crime ou dans la pharmacie, je suis à peu près sûr qu'il va falloir faire sans. Sauf si vous avez trouvé un truc incroyable dans le sous-sol de la maison.

Sarah ouvrit la porte et franchit le seuil.

— Vous en jugerez par vous-même dans mon rapport, d'ici une heure.

— Une dernière question, inspectrice. Comment vous vous êtes fait cette cicatrice à l'œil ? On dirait les traces d'une brûlure.

Sarah le scruta sans un mot, agacée par cette question typique de l'homme qui s'autorise à explorer le corps d'une femme par la parole à défaut de pouvoir le faire avec ses mains. D'autant que, comme tout le pays, il devait connaître la réponse.

— L'affaire 488, l'incendie de l'hôpital de Gaustad, ça vous dit quelque chose ?

— Je ne savais pas que vous étiez dedans quand ça avait flambé.

— Permettez-moi justement de vous répondre : mon œil. Maintenant si vous voulez reprendre l'enquête sur l'affaire 488… Sauf si vous avez mieux à faire en ce moment, lui asséna Sarah.

Nikolaï Haug laissa échapper un faux rire en haussant les épaules.

— Vous avez du cran, inspectrice, mais en ce moment, je n'aimerais pas être à votre place. Vraiment pas.

24

Sarah referma la porte derrière elle et s'y adossa. L'annexe devait faire une vingtaine de mètres carrés avec un lit, une toute petite salle de bains attenante et un bureau, sur lequel trônaient un ordinateur et une imprimante qui sentaient encore le plastique fraîchement déballé. Les deux officiers avaient fait vite. Ils avaient même pensé à installer une bouilloire accompagnée de sachets de thé et à mettre en marche le chauffage dont Sarah apprécia plus que jamais la chaleur.

Elle alluma l'ordinateur et se prépara un thé vert au jasmin en attendant qu'il démarre.

— Allez ! Dépêche-toi ! lança-t-elle alors que les logos de son écran s'affichaient lentement, un par un.

Le doigt sur la souris, elle cliqua sur Google à la seconde où l'ordinateur fut prêt. Elle pianota avec agilité les noms d'Etta, Ludmila et Ada dans le moteur de recherche, espérant trouver une convergence évidente qui lui permettrait d'identifier et de sauver ces deux personnes.

Elle eut beau chercher, elle ne trouva que des conseils de maquillage d'une animatrice télé espagnole appelée

Ludmila, un autre site sur les prénoms féminins se terminant par a, une agence de rencontres intitulée Ada et une publicité pour l'entreprise Etta, qui signifiait Entreprise de transport terrestre américaine. Et dans tous les cas, aucun site n'effectuait de rapprochement entre les trois prénoms.

— Merde ! vociféra Sarah entre ses dents.

Les mains écrasées sur son visage crispé de fatigue, elle chercha à se calmer. Un son de clochette lui signala qu'elle avait reçu un nouveau mail, un message de l'assistante de Katrina Hagebak. Il contenait comme prévu les agendas de la ministre des quatre dernières années.

Sarah lançait leur ouverture quand un homme et une femme vêtus de la parka officielle de la police norvégienne se présentèrent devant sa porte. Il s'agissait des deux nouveaux experts en informatique dépêchés par Oslo pour analyser le disque dur de l'ordinateur, portable que Sarah avait trouvé dans la grotte. Les deux agents indiquèrent qu'ils travailleraient dans un bureau du commissariat juste à côté. Après leur départ, Sarah se fit la réflexion qu'elle leur avait parlé avec empressement et presque de la confusion. Ce qui était loin d'être dans ses habitudes. Elle devait absolument se calmer.

Elle s'assit derrière son bureau, but une gorgée de thé et ferma la fenêtre de son ordinateur, où les emplois du temps de la ministre venaient de s'afficher. Puis elle disposa plusieurs feuilles sur son bureau : avant de chercher de nouvelles informations, elle avait besoin de faire une synthèse des éléments dont elle disposait. Cette affaire, plus qu'une autre, était en train de la dépasser et de la perdre par son ampleur. D'autant que le manque de sommeil risquait de lui jouer de mauvais tours.

Elle commença donc par lister les données en suspens, comme les interrogatoires des proches de la ministre, l'éventuelle sortie de coma de son père, les résultats des analyses ADN de la pharmacie et de la grotte, le contenu du disque dur de l'ordinateur caché au fond de la caverne et enfin le lien avec le squelette de l'antique tombe 3666.

Sur une autre feuille, elle classa les questions essentielles auxquelles elle devait répondre. Au sommet, elle griffonna : pourquoi Katrina Hagebak a-t-elle été tuée ? Pourquoi la ministre a-t-elle essayé de dissimuler l'identité de son assassin ? Que faisait-elle dans la caverne cachée sous la maison ? À quoi correspondent les trois noms et les trois dates trouvées sur la sculpture de la grotte : *Etta 10 décembre 2018, Ada 11 décembre 2018, Ludmila 12 décembre 2018*. Etta était probablement un pseudo que s'attribuait Katrina, si l'on se fiait à son tatouage entre les orteils. Mais les deux autres ? De qui s'agissait-il ? Quel était leur lien avec la Première ministre ? Que préparaient-elles pour les jours à venir ? Et surtout, comment les retrouver ?

Pour répondre à ces dernières questions, Sarah ne savait ni où ni comment chercher. Demeurait la seule interrogation pour laquelle elle avait un petit espoir de résolution : pourquoi l'assassin avait-il précisément choisi la date du 6 décembre pour tuer Katrina Hagebak ?

Elle ouvrit le fichier que lui avait transmis Kim Norvik, l'assistante de la Première ministre, et commença par regarder ce qu'il était prévu en date du 6 décembre 2018. La journée n'avait pas l'air trop chargée : on y trouvait une réunion avec le ministre de l'Éducation à 8 h 15, un rendez-vous avec un représentant des syndicats de l'industrie automobile à 10 heures. À 15 heures, elle devait assister à un cours de respect des femmes pour les migrants dans un centre d'hébergement et, à 17 heures, elle était attendue pour la remise de l'ordre de Saint-Olaf à un évêque de l'Église de Norvège.

Sarah ne remarqua rien de saillant ou de particulièrement original, et entreprit de vérifier ce qui était prévu en date du 6 décembre les années précédentes.

Le 6 décembre 2015 tombait un dimanche, Katrina Hagebak débutait néanmoins la journée par une réunion de crise sur la baisse du prix du pétrole, elle enchaînait avec le ministre de la Justice pour faire un point sur le procès d'Anders Breivik et terminait sa journée par une visite du mémorial de Vardø. Ce qui semblait logique si l'on partait du principe qu'elle venait ici tous les week-ends.

Le 6 décembre 2016 était organisé autour d'une réunion d'urgence avec le ministre de l'Intérieur sur les inondations dans le sud du pays, d'une rencontre avec une association de défense des loups, et se terminait par une réunion sur la condition des femmes dans l'armée.

Enfin, le 6 décembre 2017, Katrina Hagebak inaugurait la rénovation de la statue de Madam Felle à Bergen. Suivait une rencontre avec l'Association des pêcheurs norvégiens et ensuite un départ pour une visite de deux jours à Berlin.

Sarah se frotta les tempes en laissant échapper un soupir. Il n'y avait aucun point commun entre les programmes de toutes ces journées. Ou, en tout cas, elle n'en voyait pas et c'était plutôt cela qui l'inquiétait. Elle sentait que son cerveau ne fonctionnait pas aussi vite et aussi clairement qu'il aurait dû. Et que quelqu'un de plus en forme et de plus perspicace qu'elle verrait peut-être des coïncidences évidentes.

Elle tendit la main vers sa tasse pour siroter une gorgée de thé, mais l'anse lui échappa des mains. Le liquide brûlant éclaboussa le parquet alors que la tasse éclatait en morceaux. Sarah se baissa pour ramasser et un vertige lui fit tourner la tête. Elle s'immobilisa le temps que le malaise se dissipe et reprit place derrière son bureau en frissonnant. Elle était épuisée. Il lui fallait du sommeil. Et pourtant, elle voulait savoir, comprendre, trouver.

Face à elle, l'écran d'ordinateur lui faisait mal aux yeux et les lignes se brouillaient. Elle s'efforça de faire encore preuve de rigueur et nota sans conviction deux rendez-vous de Katrina Hagebak dont elle n'avait pas pleinement compris la teneur : le mémorial de Vardø le 6 décembre 2015 et la statue de Madam Felle en 2017.

Elle les entoura d'un grand point d'interrogation et ferait plus tard une recherche sur Internet pour savoir à quoi correspondaient ce mémorial et cette statue.

Pour le moment, elle tenait absolument à voir ce que la Première ministre avait prévu pour la prochaine journée du 10 décembre. Elle cliqua sur la page.

L'agenda indiquait qu'elle était intégralement consacrée à un déplacement dans la célèbre université d'Oslo où elle devait prononcer un discours. Le propos de l'intervention n'était pas stipulé. Sans attendre, Sarah contacta l'université et, après une dizaine de minutes, elle réussit à obtenir la personne en charge de l'organisation de l'événement, qui lui expliqua que la Première ministre avait tenu à garder secrète la teneur de son discours.

Sarah était certaine qu'elle venait de mettre le doigt sur un point crucial de son enquête. Elle contacta Kim Norvik, qui lui répondit que la ministre avait entouré ce discours de confidentialité et que même elle, son assistante personnelle, ne savait pas de quoi Katrina allait parler. Elle ajouta que la ministre avait expressément exigé que ce rendez-vous ne soit annulé ou décalé sous aucun prétexte.

Sarah était convaincue que le discours prévu était enregistré sur l'ordinateur portable trouvé dans la grotte. Qu'est-ce que Katrina s'apprêtait à dire de si important ? Pourvu que les techniciens informatiques lui annoncent une bonne nouvelle ! Kim Norvik allait ajouter quelque chose, mais Sarah lui coupa la parole.

— Je regarde en même temps les journées du 11 et 12 décembre. Je vois un déplacement au Danemark pour le lundi et un autre en Grande-Bretagne pour le mardi. Existait-il le même genre de recommandations pour ces deux dates ?

— Non. Katrina n'avait d'ailleurs pas très envie d'effectuer ces deux voyages. Elle qualifiait la réunion de lundi au Conseil nordique des ministres à Copenhague d'ennuyeuse et son entretien avec le Premier ministre anglais sur le Brexit d'inutile.

Déçue, Sarah remercia Kim Norvik.

— Juste une chose, inspectrice… Je ne savais pas de quoi Mme Hagebak allait parler. En revanche, je me souviens qu'il y a trois semaines environ, elle m'a dit qu'il allait se passer quelque chose d'important à partir du 10 décembre. Qu'elle et deux autres personnes qu'elle connaissait bien allaient révéler des découvertes qui allaient changer le monde et qu'il fallait se préparer à un bouleversement de civilisation.

— Pourquoi ne pas me l'avoir dit avant ?

— Parce que Mme Hagebak était dans un état bizarre le soir où elle m'a dit ça et que, le lendemain, elle m'a fait jurer de n'en parler à personne, même s'il devait lui arriver quelque chose. Mais...

— Et ce sont exactement les mots qu'elle a prononcés ?

— Oui. Et pour tout vous dire, c'est la première fois que son regard m'a fait peur, comme si elle n'était plus tout à fait la même personne.

Que préparait Katrina Hagebak de si grave ? Et avec qui ? se demanda une nouvelle fois Sarah.

— Autre chose que vous auriez dû me dire avant, Kim ?

— Non, madame... si ce n'est que j'ai peur.

Vous pouvez, pensa Sarah, avant de répondre :

— Courage.

Et elle raccrocha.

Quelque chose d'important était bien en cours au moment de la mort de Katrina Hagebak. Quelque chose d'envergure et qui impliquait d'autres acteurs très proches d'elle. Ada et Ludmila ?

Était-ce l'un ou l'une d'elles qui avait commis l'assassinat ? Cela expliquerait peut-être pourquoi Katrina avait tout fait pour effacer les preuves qui auraient permis de rapidement trouver son meurtrier. Malgré sa souffrance, la Première ministre aurait tenu à ce que la cause défendue par son alliance demeure secrète aux yeux de la police.

L'hypothèse semblait tordue, mais pas absurde, songea Sarah. Surtout, compte tenu de l'étrangeté de cette affaire et du mystère entourant les protagonistes qui y étaient mêlés.

25

À 22 h 38, vêtue de sa blouse de travail blanche, elle se leva et entrouvrit la porte de son bureau. Le couloir A de l'Institut de l'Histoire des sciences était désert. À cette heure, tous les employés avaient regagné leur foyer. Un petit pincement au cœur, elle imagina les retrouvailles entre maris, femmes et enfants dans ces maisons chaleureuses déjà décorées pour fêter Noël.

Elle ne regretterait jamais le choix de la solitude qu'elle avait fait une vingtaine d'années auparavant ni le pacte qui allait guider chaque minute de sa vie. Mais, jusqu'à sa mort, elle vivrait avec cette pointe d'amertume de n'avoir pas connu la vie dont elle rêvait petite fille. Ce qui ne serait qu'un maigre sacrifice au regard de l'Histoire.

Elle battit rapidement des paupières, comme chaque fois qu'elle se sentait nerveuse, puis referma la porte sur laquelle était inscrit « Direction du département de paléobiologie » avant de la verrouiller. Les lames de ses stores vénitiens inclinés pour être à l'abri des regards, elle reprit place derrière sa vaste table de travail.

Son ordinateur s'était mis en veille et elle aperçut son reflet sur l'écran. La tension déformait un peu plus les traits de son visage, déjà déséquilibrés par une paupière tombante sur l'œil droit. Cet attribut lui donnait un air d'ancienne boxeuse qui l'avait plusieurs fois aidée à imposer son autorité face à ceux qui ne voyaient en elle qu'une brillante femme au charme troublant.

Elle bougea la souris de son ordinateur pour le remettre en marche et lança la session d'une messagerie privée. Le temps que sa machine prépare la connexion cryptée, elle balaya du regard les dix grandes photographies d'hommes et de femmes accrochées au mur et qui semblaient la surveiller.

Un son aigu lui indiqua que la liaison était établie. Sur l'écran noir un curseur blanc clignotait à côté d'un simple prénom : Ada.

Elle remonta le long de son bras le fin bracelet en forme de serpent pour s'apprêter à taper sur son clavier et retint son geste.

Elle battit rapidement des cils et essuya ses mains moites sur ses cuisses. Elles ne s'étaient pas parlé depuis le meurtre de Katrina. Le moment était grave. Si grave.

Ada : « Comment vas-tu ? »

Quelques secondes s'écoulèrent avant qu'un autre nom apparaisse sur la messagerie.

Ludmila : « De la peine et de la fierté. Elle n'a rien dit, ni sur les Trois Révélations ni sur le Cénacle. Sinon, nous serions déjà mortes. »

Ada : « Qui a fait ça ? »

Ludmila : « Je l'ignore, mais quelques fuites dans la presse évoquent une mort cérémonielle. Il en sait autant que nous sur les racines ancestrales du combat interdit. »

Ada se retourna sur son siège. Elle venait d'entendre un bruit dans le couloir et la poignée de sa porte s'abaissa.

— Madame ? Vous êtes encore là ?

Ada poussa un soupir. Elle avait reconnu la voix d'un des officiers de sécurité.

— Oui.

— Bien, je vérifiais. Bonne soirée, madame.

Elle se remit devant son écran et entra sa réponse avec agilité.

Ada : « Il n'aurait pas pu agir sans la complicité des services de protection de Katrina. Ce qui veut dire qu'ils les ont infiltrés. Méfie-toi de ton côté. Tu vas bientôt avoir beaucoup de monde autour de toi... »

Ludmila : « Ils n'ont aucun moyen de savoir qui je suis et ce que je prépare. Aujourd'hui, je ne suis personne. Il en va de même pour toi. Contrairement à Katrina, nous ne sommes pas des personnages publics... pour le moment. »

Ada regarda le journal en langue allemande posé sur son bureau et sur lequel on apercevait le visage de Sarah.

Ada : « Connais-tu cette inspectrice en charge de l'enquête ? »

Ludmila : « Déjà entendu parler. Il m'a semblé que c'était une femme juste et efficace, mais j'espère qu'elle ne sera pas aussi compétente qu'on le dit. »

Ada : « Je compte sur Katrina pour avoir tenté d'effacer les traces de son assassin afin de retarder la police dans son travail. En retrouvant le meurtrier, cette inspectrice nous identifierait en effet avec beaucoup plus de facilité.

Ludmila : « Et à ce moment-là, personne ne sait ce qu'elle déciderait de faire si elle apprenait ce que nous préparons… Et tout notre plan pourrait s'effondrer seulement parce que la police aurait mis son nez dans nos affaires. Et ça, ce n'est pas envisageable ! »

Ada : « Et si elle trouvait, finalement ? »

Ludmila : « Alors, il nous faudrait malheureusement éliminer le problème au nom de notre cause. »

Ada écrasa sa main dans ses cheveux et posa l'autre sur sa jambe qui s'était mise à tressauter.

Ada : « J'espère que nous n'en aurons pas à arriver là. »

Ludmila : « Pour le moment, nous ne changeons rien à l'agenda des Révélations. Tu es prête pour lundi ? »

Ada : « Oui. Plus que jamais. »

Ludmila : « Courage Ada. Il est temps que l'humanité sache la vérité. »

Ada : « Ludmila, je sais que nous nous sommes toujours préparées à ce moment. Mais… je souffre de savoir que nous aurons du sang sur les mains. »

Cette fois, la réponse se fit attendre quelques secondes.

Ludmila : « Le sang est l'huile de l'Histoire, Ada, même si je le pleure chaque jour. »

Ada hocha la tête, contemplant une nouvelle fois les dix photos qui semblaient cette fois la soutenir.

Ada : « Les réactions vont être brutales… »

Ludmila : « Elles le seront encore plus quand viendra mon tour. Ne tremble pas. L'humanité a besoin de savoir. On se retrouve dans l'autre monde. »

Ada : « ... Sois attentive, sois prudente. Nos ennemis ont l'influence de leur haine. »

26

Après avoir raccroché avec l'assistante de Katrina Hagebak, Sarah se mordilla un ongle, geste qu'elle n'avait pas dû faire depuis au moins deux ans.

Dehors, des flocons de neige tranchaient l'obscurité comme des lames de rasoir dans l'éclat jaune des lampadaires. Il était près de 9 heures du matin, et elle était épuisée.

Mais, en attendant les conclusions des experts informatiques, elle voulut à tout prix effectuer ses recherches sur les deux événements du 6 décembre dont elle n'avait pas immédiatement saisi la teneur.

Elle tapa les premières lettres de Mémorial de Vardø dans Google, lorsque son regard s'assombrit derrière un voile noir. Sarah sentit qu'elle était à bout de force. Cette fois, elle n'avait plus le choix. Elle eut tout juste le temps de marcher jusqu'à son lit, de déposer son arme de service sur sa table de chevet et de s'envelopper tout habillée dans la couette.

La dernière pensée qu'elle eut avant de sombrer dans le sommeil fut pour Christopher : pouvait-elle lui promettre qu'elle serait capable d'élever un enfant à ses côtés, avec une vie pareille ?

Quand elle le retrouva enfin dans leur chaleureuse chambre à coucher, elle sut à son regard que, malgré les épreuves, c'était avec elle et personne d'autre qu'il ferait sa vie. Ils s'embrassèrent, se déshabillèrent sans respect pour leurs vêtements, seulement guidés par l'ivresse du désir. Leurs mains auraient voulu étreindre toutes les parties de leurs corps à la fois, tantôt saisissantes, tantôt caressantes. Ils s'oubliaient, se regardaient et vivaient cette jouissance unique d'être avec celle ou celui que l'on a toujours désiré.

Moite de sueur, haletante, Sarah se coula auprès du flanc brûlant de Christopher. Elle sentait sa poitrine se soulever au rythme de l'homme essoufflé de plaisir. Elle souleva la tête pour lui dire qu'il s'en sortait beaucoup mieux qu'au jogging et poussa un cri de terreur : le visage de Christopher n'était plus qu'une tête de taureau dont les orbites vidées vomissaient des colonnes de serpents. Elle recula en hurlant et sentit qu'elle mettait la main sur quelque chose de dur : un petit squelette recroquevillé au crâne fracassé et qui tenait une pierre blanche dans la main. Autour d'elle la chambre se mit à tanguer. Elle était sur un bateau qui roulait sur les flots. De plus en plus fort. Et de plus en plus fort encore.

— Inspectrice Geringën !

Sarah ouvrit les yeux. Ingrid Vik était penchée au-dessus d'elle et la secouait.

— Dieu merci, vous êtes réveillée, souffla l'agente en s'asseyant au bord du lit.

Sarah reprit contact avec la réalité, sentant le contact glacé de la sueur qui avait perlé le long de son dos. Son cœur frappait contre sa poitrine alors qu'une coulée d'acide ankylosait ses muscles.

— Qu'est-ce que vous faites ici, Ingrid ? finit-elle par demander en reprenant son souffle.

— J'étais venue vous apporter le résultat de mes recherches sur les événements du 6 décembre, et en passant de quoi manger un peu. J'ai frappé à votre porte, j'ai attendu un peu et tout d'un coup je vous ai entendue crier. Alors je suis entrée et je vous ai vue vous débattre dans votre lit. Je ne pouvais pas vous laisser comme ça.

Gênée, Sarah hocha la tête.

— Merci Ingrid, dit Sarah en regardant son téléphone pour constater qu'elle avait dormi deux heures.

— Je vous en prie. Je vous laisse les documents sur votre bureau ? demanda-t-elle en désignant une pochette rouge posée par terre.

— Ça a donné quoi, votre recherche ?

— Tellement de choses... que...

— ... Si on ne sait pas ce qu'on cherche, on ne trouve rien.

— Je le crains.

— Je vais tâcher de recouper votre documentation avec ce que j'essaye d'isoler de l'emploi du temps de Katrina.

— Si vous avez besoin de moi, je suis...

— Allez-vous reposer, Ingrid. Ne serait-ce que deux heures. Et merci pour le déjeuner.

Sarah sortit du lit et se dirigea vers la salle de bains, où elle prit une rapide douche.

Quand elle eut terminé de se rhabiller, Sarah entendit la porte de sa chambre se refermer. Ingrid n'était partie que maintenant ? Qu'avait-elle fait jusqu'ici ? À moins que…

Elle se faufila hors de la salle de bains et courut vers la porte d'entrée qu'elle ouvrit à la volée. Son visage et ses cheveux encore humides se glacèrent sous le coup de vent qui déferla dans l'habitacle et elle aperçut la nuque blonde d'Ingrid disparaître au coin d'une maison. Elle l'appela, mais sa voix fut couverte par le sifflement du vent.

Elle regagna son studio et remarqua vite qu'un des documents posés sur son bureau était affublé d'un post-it.

À côté se trouvait une assiette recouverte d'un film alimentaire. Par transparence, Sarah devina un plat de poisson, de purée et de brocolis.

Sarah fut rassurée de s'être inquiétée pour rien et consulta les notes écrites d'Ingrid. À côté de Madam Felle, Ingrid avait écrit : « Statue située à Sandviken, à côté de Bergen, en l'honneur de cette mère de famille qui, au XIXe siècle, se battit contre le conseil municipal de sa ville pour avoir le droit de gérer un débit de boisson alors qu'elle était une femme. »

En lisant ces mots, Sarah commença à sentir une intuition grandir en elle. Une correspondance se dessinait entre tous les rendez-vous de Katrina Hagebak datés du 6 décembre. Mais ce qu'elle allait apprendre du mémorial de Vardø devait le confirmer. Ingrid avait écrit sur le côté de la feuille et Sarah dut pencher le document pour lire : « À l'extérieur de Vardø, sur la côte près de la mer, un grand monument a été construit et inauguré en 2011 en mémoire des quatre-vingt-onze personnes, des femmes dans la majorité, qui, au XVIIe siècle, ont été accusées de sorcellerie et brûlées ici même. Le mémorial se termine par une chaise d'où s'échappent des flammes à l'endroit où, selon toute vraisemblance, se dressait le bûcher. »

Alors que Sarah se rappelait cette petite flamme qu'elle avait vue brûler au milieu de nulle part lorsqu'elle avait survolé Vardø en arrivant la nuit précédente, son cerveau s'électrisa d'une décharge de dopamine : elle avait trouvé le point commun entre tous les 6 décembre de l'agenda de la Première ministre. À chacune de ces dates, Katrina Hagebak avait ou allait consacrer une partie de sa journée à la cause de femmes persécutées ! Saisissant un feutre rouge, elle entoura : 6 décembre 2018, assister à un cours de respect des femmes, 6 décembre 2016, réunion sur la condition des femmes dans l'armée. Sur ce point, Sarah était bien placée pour savoir quels traitements humiliants les hommes avaient tendance à leur réserver. Le 6 décembre 2015, mémorial de Vardø en mémoire des bûchers de sorcières, et enfin 6 décembre 2017, hommage au combat d'une femme, Madam Felle, pour l'égalité avec les hommes.

Sarah reposa son stylo. La récurrence était évidente. Mais cela n'expliquait pas pourquoi Katrina avait choisi le 6 décembre pour honorer ces femmes. Ni pourquoi le tueur s'en était pris à elle ce jour-là.

Sarah s'empara avec tant d'empressement de la pochette qu'Ingrid lui avait laissée qu'elle manqua de renverser la théière à moitié pleine. Éloignant le récipient, elle ouvrit la chemise et découvrit une liste d'une centaine d'événements importants ayant eu lieu un 6 décembre depuis près de mille ans. Sarah s'arma de confiance : désormais, elle savait quoi chercher, elle détenait la clé pour trouver le bon événement qui pouvait tout expliquer.

Elle planta ses coudes sur le bureau et lut ligne après ligne.

Ingrid avait recensé les événements de façon chronologique : des élections de papes remontant à l'année 1058, des mariages de reines et de rois, des faits marquants de la Première Guerre mondiale, l'indépendance de l'Irlande.

Sarah dévorait les épisodes de l'Histoire, le ventre noué par l'impatience. Rien ne lui sautait aux yeux et il arrivait qu'elle doive faire une recherche sur Internet pour vérifier si un fait un peu plus vague que les autres pouvait se rapporter à sa clé d'analyse : un combat de femmes, une persécution sexiste, une découverte majeure en rapport avec la féminité.

Il devait être près de 14 heures lorsqu'elle parvint péniblement aux années 1980. Une demi-heure plus tard, ses yeux se posèrent sur l'année 1989 et sa pupille s'écarquilla. Son cœur s'emporta et sa bouche devint sèche. Une nausée de dégoût lui monta aux lèvres. Elle avait trouvé l'évidence, dans toute son horreur.

27

6 décembre 1989 : tuerie de l'École polytechnique de Montréal. Un jeune homme de vingt-cinq ans, appelé Marc Lépine, armé d'un couteau et d'une carabine, abat treize étudiantes ainsi qu'une employée de l'université et blesse dix autres femmes. Il se suicide sur place, laissant une lettre dans laquelle il explique son acte par des motifs antiféministes. Cette date est devenue au Québec la Journée de commémoration et d'action contre la violence faite aux femmes.

Sarah se laissa retomber sur le dossier de sa chaise : voilà pourquoi Katrina Hagebak marquait chacun de ses 6 décembre d'un soutien aux femmes. Et voilà pourquoi le tueur avait cyniquement choisi un 6 décembre pour assassiner la Première ministre. L'une en mémoire des victimes, l'autre en hommage à l'auteur de l'odieux massacre.

Un massacre dont le mobile misogyne était incontestable, constata Sarah en lisant le déroulé précis de l'attaque : ce jour-là, vers 17 heures, Marc Lépine entre dans une classe d'ingénierie mécanique de l'École polytechnique. Armé de son fusil, il ordonne à la cinquantaine d'hommes présents de quitter la classe et aux neuf femmes de rester. Il leur lance : « Je combats le féminisme. » L'une des étudiantes lui répond : « Écoutez, nous sommes juste des femmes étudiant l'ingénierie, pas forcément des féministes prêtes à marcher dans les rues criant que nous sommes contre les hommes, juste des étudiantes cherchant à mener une vie normale. » Ce à quoi Marc Lépine réplique : « Vous êtes des femmes, vous allez devenir des ingénieures. Vous n'êtes toutes qu'un tas de féministes, je hais les féministes. » Il ouvre le feu. Six femmes sont tuées, trois autres sont blessées. Il poursuit son carnage dans les couloirs et d'autres salles en abattant des étudiantes en fuite ou réfugiées dans ce qu'elles espéraient être une cachette. Il ira jusqu'à achever l'une de ses victimes au couteau avant de se tirer une balle dans la tête.

Sarah ferma un instant les yeux. Malgré les années de métier, elle ne pouvait s'empêcher de se mettre à la place des victimes et de ressentir une partie de leur terreur et de leur souffrance. Une empathie mêlée cette fois d'une forme de culpabilité. Comme beaucoup de monde, elle n'avait pas pris à l'époque la mesure de la misogynie de ces assassinats. De nombreux médias et politiques ayant cherché à faire passer Marc Lépine pour un fou qui avait tué un peu au hasard. La même erreur d'interprétation avait d'ailleurs été commise récemment, songea Sarah. Dans son propre pays, autour de l'épisode le plus violent et le plus sanglant de l'histoire norvégienne récente. Un événement qui avait été uniquement associé à un crime raciste, mais dont l'auteur avait aussi revendiqué la dimension misogyne sans que personne s'en fasse l'écho. Dans le cadre de son travail au renseignement, Sarah avait patiemment lu le manifeste qu'Anders Breivik avait rédigé pour expliquer les soixante-dix-sept morts et cent cinquante et un blessés qu'il s'apprêtait à faire. Le tueur y exposait sa haine contre l'islam ou le multiculturalisme, mais aussi celle du féminisme et plus généralement des femmes, qu'il accusait d'être responsables de l'invasion migratoire. Son raisonnement y était le suivant : le féminisme avait déconsidéré les « valeurs masculines » entraînant une « féminisation de l'Europe » et une « émasculation » de l'homme blanc hétérosexuel, privant ainsi la société du réflexe guerrier qu'elle aurait dû avoir à l'égard des immigrés de confession islamique. Il ajoutait que le féminisme se rendait aussi coupable d'avoir détourné les femmes de leur fonction naturelle de reproductrices en les encourageant à plus d'égalité avec les hommes, laissant aux hordes étrangères tout le loisir de nous envahir par leur démographie galopante.

La même folie misogyne avait été clairement revendiquée par Elliot Rodger, qui avait tué six personnes à Santa Barbara en 2014, après avoir posté sur Internet une vidéo expliquant qu'il voulait punir les femmes de l'avoir rejeté.

Elliot Rodger, Marc Lépine et Anders Breivik n'étaient pas des fous animés par le seul besoin de tuer. Ils étaient avant tout des assassins de femmes mus par une misogynie idéologique. Et le tueur de Katrina Hagebak marchait dans leurs traces. Encore que Sarah demeurât prudente. La mise en scène symbolique du meurtre de la Première ministre, le vol de la clé USB étaient autant d'éléments qui tendaient à laisser penser que le tueur était probablement en quête d'une finalité de plus grande ampleur que le « simple » meurtre sexiste.

Mais le profil idéologique était très proche. Sarah décida d'approfondir ses recherches sur ces trois hommes, en espérant y trouver des indices pour mieux cerner l'assassin de Katrina.

Elle déballa distraitement le plastique qui couvrait l'assiette de poisson apportée par Ingrid et commença à manger sans quitter les yeux de son écran. Elle avalait une bouchée et pianotait ensuite à toute allure sur son clavier. Passant de sites d'informations en sites amateurs, elle ne trouva au final que quelques lignes sur la biographie de Marc Lépine, qu'elle résuma dans sa tête par : un garçon mal dans sa peau et qui avait fait de sa haine des femmes une cause de substitution à la vacuité de son existence. Elliot Rodger, de son côté, était un adolescent sexuellement frustré qui considérait que les femmes ne devaient être là que pour combler ses besoins et mettre de côté leurs envies pour satisfaire ses désirs. Anders Breivik avait lui un profil plus politique et sociétal. C'était, en tout cas, la façade qu'il affichait alors qu'au fond, une fois encore, la frustration sexuelle semblait nourrir sa haine. Dans son manifeste, Breivik reprochait notamment à sa sœur d'avoir couché avec quarante hommes, dont quinze chippendales, et d'être devenue presque stérile. « Ma mère et ma sœur ne m'ont pas seulement fait honte, mais elles ont fait honte à elles-mêmes et à notre famille. Une famille qui a été d'abord détruite par les effets secondaires de la révolution sexuelle et féministe. »

Sarah se rappela que le cadavre de Katrina Hagebak était nu et mutilé. Vengeance sexuelle là aussi ?

Le tueur aurait été un amant éconduit ? Mais le rituel d'exécution à coup d'épée associé à la tête de taureau et la craie blanche lui semblait faire référence à une dimension plus mystique que charnelle. Elle mit donc de côté cette idée et poursuivit ses recherches.

Elle ne trouva pas d'autres affaires de crime misogyne de la même envergure. En revanche, un aspect inattendu du sujet l'interpella. Au départ, elle refusa d'y croire et pensa qu'il s'agissait de canulars ou de plaisanteries vulgaires.

Incrédule, elle repoussa son assiette à moitié terminée et prit le temps de recouper les sources, jusqu'à rassembler toute une série de faits qui dessinaient le tableau glaçant d'un phénomène bien plus répandu qu'elle ne l'imaginait.

Son premier choc fut de constater ce qui s'était passé après le massacre de Marc Lépine. Beaucoup d'hommes, loin de condamner Marc Lépine comme un monstre sanguinaire, l'avaient au contraire érigé en héros. Sarah n'en revenait pas de lire qu'au lendemain de la tuerie des hommes exprimaient leur sympathie pour le tueur à la radio ou sur des blogs. Pourquoi ? Parce que Marc Lépine avait vaillamment défendu les droits des hommes menacés par l'émancipation démesurée des femmes. En quelque sorte, les féministes avaient créé Marc Lépine. Les propos avaient gagné en horreur lorsqu'un antiféministe militant avait déclaré, en 2002, que « la solution de Marc Lépine pourrait devenir la voie du futur », que d'autres lui avaient emboîté le pas pour faire du 6 décembre la « Saint-Marc » et qu'en 2005, un autre militant avait menacé de finir le travail de Lépine. Jusqu'à ce que l'on apprenne que des soldats du régiment aéroporté de l'armée canadienne basé à Petawawa organisaient annuellement une commémoration en l'honneur de Marc Lépine.

Quand elle eut dompté sa colère, Sarah remarqua que toutes ces voix émanaient d'hommes appartenant à une mouvance dont elle avait déjà entendu parler, mais sans en soupçonner l'ampleur internationale : le masculinisme.

Elle passa l'heure suivante à effectuer des recherches sur ce mouvement très actif au Québec, mais désormais présent dans des pays comme la France, la Suisse, la Belgique, l'Angleterre, les États-Unis, ou l'Inde. Certaines de ces organisations revendiquaient jusqu'à cent mille membres.

Habituée à creuser sous le vernis des apparences, Sarah ne s'arrêta pas à la définition officielle et polie du masculinisme censé défendre la condition masculine. Mais contre quoi ou qui ? Car tous ces regroupements d'hommes, y compris ceux qui s'affichaient comme les plus pacifistes, étaient en réalité animés par un même ressentiment : celui de s'être fait voler le pouvoir par les femmes. Les plus malins ne parlaient que de rééquilibrer les choses entre masculin et féminin. Les plus nombreux voulaient réimposer la domination masculine de la société contre des femmes qui avaient, selon eux, depuis longtemps transformé le patriarcat en matriarcat. La preuve : c'était presque toujours les femmes qui avaient la garde des enfants en cas de divorce, c'était pratiquement toujours l'homme qui devait verser une pension alimentaire, elles pouvaient battre leur mari sans être inquiétées, elles pouvaient aussi facilement faire croire aux juges qu'elles avaient été battues par leur homme, elles avaient une espérance de vie plus longue parce qu'elles n'avaient pas à faire la guerre, etc.

Et le plus étonnant pour Sarah fut de constater que de plus en plus de femmes rejoignaient ces associations, comme cette mère de famille américaine pro-mâle et suivie par des milliers d'internautes qui donnait douze arguments pour mettre en doute la parole d'une femme qui disait avoir été violée : elle a été infidèle et veut faire croire que la relation n'était pas consentie, elle a voulu se venger d'un homme qui l'a quittée, elle a été surprise en train de regarder du porno et a dit que c'était depuis qu'elle avait été violée… jusqu'à : elle est folle.

Sarah se leva d'un bond, ouvrit la fenêtre de son studio et inspira de grandes goulées d'air froid pour se calmer. Elle s'efforça de chasser les dizaines de preuves qui affluaient dans sa tête pour démonter chacune des affirmations des masculinistes. Son objectif était de trouver le tueur de Katrina Hagebak, rien d'autre. Et, désormais, elle savait où chercher : à plus de quatre-vingt-dix pour cent de certitude, le coupable faisait partie d'un réseau masculiniste norvégien. C'était dans cette fourmilière qu'elle allait devoir donner un grand coup de pied. Et, compte tenu du profil entraîné et probablement militaire du tueur, elle allait commencer à fouiner du côté des anciens de l'armée canadienne de Petawawa qui avaient rendu hommage à Marc Lépine pendant plusieurs années.

Quand le rythme de son cœur redescendit à un niveau plus pondéré, Sarah retourna s'asseoir derrière son bureau. Elle devait faire vite car, après Etta, c'était désormais au tour d'Ada et de Ludmila d'être dans la ligne de mire du tueur. Et même s'il n'avait pas l'air de connaître leur identité, il devait tout mettre en œuvre pour les retrouver.

Sarah s'apprêtait à décrocher son téléphone pour rassembler ses équipes et leur expliquer vers où s'orientait l'enquête quand on frappa à sa porte.

— Qui est-ce ? demanda Sarah en suspendant sa main au-dessus du clavier de son téléphone.

— Gérald Madkin…

Il sembla à Sarah que la voix du policier scientifique était un peu étouffée. Elle prit son arme de service sur sa table de nuit.

— Entrez.

La porte s'ouvrit et le jeune homme aux cheveux bouclés et à l'allure calme entra. Sarah remarqua tout de suite qu'il n'était pas à l'aise. D'un regard, elle lui désigna la porte grande ouverte derrière lui qui laissait entrer le froid.

— Oui, excusez-moi.

Il referma la porte et s'approcha de son inspectrice qui, comme à son habitude, regardait son interlocuteur en attendant d'écouter ce qu'il avait à dire.

— Je venais seulement vous informer que j'ai terminé l'analyse des empreintes relevées dans la pharmacie, dit-il en désignant du doigt une feuille et un stylo posés sur le bureau.

Étonnée, Sarah lui tendit ce dont il avait besoin.

— Et ? demanda-t-elle, méfiante, alors que Gérald venait de poser un doigt sur ses lèvres pour signifier qu'il ne fallait pas commenter son comportement.

— Eh bien, comme je le craignais, répondit-il en écrivant quelque chose sur le morceau de papier, je n'ai retrouvé aucune empreinte sur le placard où l'antivenin a été volé. En tout cas, autres que celles de la pharmacienne elle-même.

Intriguée, Sarah pencha la tête sur le côté pour essayer de lire ce que Gérald était en train d'écrire.

— Pas d'autres traces ADN ? enchaîna-t-elle comme si tout était normal.

— Non rien de concluant.

— Pas d'empreintes non plus sur le clavier de l'ordinateur où la vidéo de surveillance a été effacée ?

— Désolé. Rien non plus.

Sarah hocha la tête et le policier lui présenta la feuille sur laquelle il avait rédigé quelques mots.

— Si vous avez besoin de moi, n'hésitez pas, lança Gérald.

Et il quitta le studio.

Sarah l'observa partir. Et quand elle lut enfin le message qui lui était adressé, les poils de ses bras se hérissèrent.

28

Sarah reposa la feuille griffonnée par Gérald Madkin et pétrit la peau de son front, les coudes posés sur son bureau. Elle ne parvenait pas à décoller son regard de la note manuscrite : « Des squames de psoriasis ont été retrouvées sur le clavier de l'ordinateur où ont été effacées les vidéos de surveillance. L'analyse ADN a montré qu'il s'agit de la peau de Peter Gen. »

L'inspecteur en chef nommé à sa place aurait donc détruit des preuves permettant de démasquer le tueur de Katrina Hagebak ? Elle avait peine à le croire. Peut-être avait-il seulement essayé de lire les vidéos avant de constater qu'elles avaient déjà été effacées par le tueur.

Sauf que le timing n'était pas bon, pensa Sarah.

Elle avait demandé que l'on surveille la pharmacie en sortant de la grotte, vers 6 h 10 du matin. Avant cet horaire, personne, à part elle et le tueur, ne pouvait savoir que la pharmacie allait être ou avait été cambriolée. Or, les vidéos de surveillance avaient été effacées à 5 h 56 par Peter. Cela ne pouvait donc dire qu'une chose : Peter Gen avait été informé de l'effraction dans la pharmacie avant. Et une seule personne pouvait le lui dire : le tueur lui-même.

Sarah se refusa cependant à convoquer Peter Gen pour le confondre. Elle avait besoin d'être certaine de ne pas commettre une erreur.

Elle décrocha le talkie-walkie accroché à sa ceinture et demanda à l'officier Marko de venir la rejoindre au studio derrière le commissariat. Quand le jeune officier aux allures de novice se présenta à sa porte, elle enfila sa parka et lui indiqua d'un geste qu'elle préférait parler dehors. Gérald Madkin n'avait peut-être pas tort : elle pouvait fort bien être sur écoute.

— Officier Marko, vous êtes bien le premier officier à être arrivé à la pharmacie quand j'ai demandé qu'elle soit surveillée ?

— Oui, madame. À 6 h 32.

— Quand vous avez inspecté l'officine, quelqu'un était-il avec vous ?

— Pas au début. Ensuite, la police scientifique m'a rejoint, une dizaine de minutes plus tard. Mais avant ça, j'étais seul.

— Je vais vous poser une question, mais j'aimerais que cette dernière reste entre nous.

Sarah vit passer une lueur de crainte et de fierté dans le regard du jeune homme. Elle sentait de l'admiration à son égard et même une pointe de désir que l'officier dissimulait avec plus de maladresse que les habituels collègues masculins de Sarah.

— Très bien, madame. Vous pouvez me faire confiance.

Avec une feinte distraction, Sarah rabattit une mèche de sa chevelure rousse derrière son oreille, dévoilant un peu mieux les lignes de son harmonieux visage et la limpidité bleutée de son regard.

— L'inspecteur Peter Gen a-t-il à un moment ou un autre été présent à la pharmacie ?

Le jeune homme secoua la tête négativement.

— Je suis resté sur place jusqu'à votre arrivée et, à moins qu'il ne soit passé par une autre entrée, je ne l'ai jamais vu.

Sarah hocha la tête comme si elle venait de recevoir une information banale alors qu'en elle, le mécanisme de la déduction redoutée s'accélérait.

— Merci, conclut-elle en posant une main sur le bras du jeune officier.

Technique de manipulation qu'elle ne pratiquait jamais dans le cadre de son travail, sauf lorsqu'elle tenait à renforcer la loyauté de quelqu'un à son égard.

Malgré le froid, l'officier Madkin rougit en saluant sa supérieure.

— Madame, puis-je vous poser une question ?

Sarah, qui s'apprêtait à tourner les talons, approuva la requête d'un signe de tête.

— Qu'est-ce qui, selon vous, fait un bon enquêteur ? Je veux dire par là, quelqu'un de votre… niveau, si on peut dire ?

Après l'affaire du Patient 488, les journalistes avaient souvent posé cette question à Sarah, qui avait toujours répondu : l'envie intarissable de rendre justice aux victimes. Mais, cette fois, elle sut qu'elle devait flatter son interlocuteur.

— L'audace, la curiosité, et par-dessus tout la loyauté, officier Marko. Et vous êtes sur la bonne voie.

Elle se retourna juste après avoir vérifié d'un coup d'œil la vague de satisfaction qui éclairait le visage du jeune homme.

De retour dans son studio, Sarah se posta devant la fenêtre, l'air sombre. La culpabilité de Peter Gen semblait évidente. À moins que l'assassin soit parvenu à les tromper en récupérant les empreintes de l'inspecteur. Mais pourquoi aurait-il fait ça ? Pour les diviser et leur faire perdre du temps ? Du temps… songea Sarah. L'assassin en avait-il vraiment dans l'état d'empoisonnement où il se trouvait ? N'avait-il pas justement besoin d'un complice pour effacer ses traces alors qu'il était mourant ?

Quand même, accuser un inspecteur de police nommé directement par le ministre de l'Intérieur, ce n'était pas rien. D'ailleurs, si Peter Gen était bien complice, à quand remontait sa complicité ? L'assassinat de Katrina Hagebak était déjà en soi un drame international, mais si elle parlait maintenant, ce crime deviendrait une affaire d'État d'une ampleur inédite.

Avant d'accuser, elle devait encore être certaine de la culpabilité de Peter Gen. D'ailleurs, s'il était vraiment de mèche avec l'assassin, alors il devait soutenir les mêmes théories masculinistes et peut-être même fréquenter les mêmes réseaux.

Elle reprit place derrière son ordinateur et lança plusieurs recherches croisées sur Peter Gen et le masculinisme. Mais, très vite, elle dut se rendre à l'évidence que, sur Internet en tout cas, le nom de l'inspecteur n'apparaissait jamais en relation avec ces groupes ou d'autres membres qui y étaient liés. On ne trouvait sur lui que des articles sur les affaires pour lesquelles il avait travaillé, dont aucune n'était en rapport avec un crime misogyne.

Indécise, Sarah quitta son petit appartement et entra dans le premier bar qu'elle trouva. Elle demanda un thé au barman en faisant mine d'être au téléphone.

— Et merde ! ragea-t-elle en écrasant son téléphone sur le comptoir.

— Un problème ? demanda l'homme aux larges bras derrière son comptoir.

— J'étais en pleine discussion et mon téléphone m'a lâché !

— Prenez le mien, si vous voulez.

— C'est vrai ?

— Si je peux aider d'une manière ou d'une autre à coincer le salaud qui a fait ça…

Sarah s'empara du téléphone et composa le numéro de Christopher. Elle s'éloigna un peu du comptoir.

— C'est moi, dit-elle en entendant Christopher décrocher.

— C'est quoi, ce numéro ?

— Je suis peut-être sur écoute, alors, je préfère être prudente en attendant d'en savoir plus.

— Sur écoute ? Mais qu'est-ce qui se passe ?

— J'ai de gros doutes sur Peter Gen… et j'aurais besoin que tu vérifies quelque chose pour moi ? T'es toujours au journal ?

— Ouais. Finalement, ils m'ont demandé d'avoir des réactions de femmes politiques françaises sur ce qui était arrivé à la Première ministre.

Christopher baissa la voix et ajouta :

— On ne peut pas dire que ça m'enchante, mais ça me permet d'utiliser mon nouveau statut de reporter à *Morgenbladet* pour accélérer mes recherches sur l'inconnue de Cliffs End Farm. Les gens me prennent plus facilement au téléphone. Mais bon, dis-moi de quoi tu as besoin.

— Il faudrait que t'accèdes aux archives des journaux d'Oslo et que tu me dises si tu trouves quoi que ce soit sur Peter Gen et les mouvements masculinistes.

— OK… je ne vais pas te demander pourquoi parce que je sens que ce n'est pas le moment, mais j'espère que tu m'expliqueras.

— Tu connais ce type de mouvance masculiniste ?

— Un peu, j'en ai fait partie à un moment…

— Quoi ?

— Franchement ?

Sarah leva les yeux au ciel.

— Mais oui, je vois ce que c'est, j'ai aperçu un reportage là-dessus une fois, reprit Christopher plus sérieusement.

— Bon, parfait. Et surtout, pas un mot.

— Sarah, est-ce que j'ai déjà trahi ta confiance ?

— Ça fait seulement un an qu'on est ensemble.

La réplique aurait pu être prise pour une plaisanterie, mais Sarah se rendit compte d'elle-même qu'elle avait parlé sérieusement.

Elle s'inquiéta de ne pas entendre Christopher répondre, ne serait-ce que par une plaisanterie comme il avait l'habitude de le faire dans ce genre de situation.

— OK, finit par dire Christopher. Et à partir de combien de temps tu considères que j'ai passé le test avec succès ?

—· Excuse-moi, je ne voulais pas dire une bêtise pareille. C'est mon expérience passée qui m'a un peu traumatisée. Je te confierais ma vie.

Christopher demeura muet.

— Et tu es la seule personne à qui j'ai dit ça, ajouta Sarah.

— OK…

— Et toi, tu me confierais la tienne ?

Sarah sentit son cœur se serrer lorsque son expérience d'inspectrice mesura le centième de seconde de flottement qui précéda la réponse de Christopher.

— Évidemment, et je crois que ça a déjà été fait.

Sarah hésita à demander à Christopher s'il avait quelque chose à lui dire. C'était la deuxième fois qu'elle avait l'impression qu'il ne réagissait pas comme d'habitude. Elle n'aimait pas ça. La longue relation qui avait précédé sa rencontre avec Christopher s'était détériorée parce qu'elle avait fait semblant de ne pas voir les non-dits dans son couple. Elle ne voulait pas réitérer la même erreur et se rendre compte un soir, au détour d'un parfum, que l'homme avec qui elle essayait de toutes ses forces d'avoir un enfant la trompait depuis deux ans.

— Christopher, est-ce que tu as envie de me dire ou de me demander quelque chose ?

Même délai de réponse. Un peu plus long cette fois.

— Oui. Je suis là pour toi et je le serai toujours.

Sarah demeura muette, plus émue qu'elle ne l'aurait voulu.

— Ne dis rien ! lança Christopher. Je sens que tu es sur le point de me déclamer un poème de reconnaissance éternelle et on n'a pas le temps pour ça. Je t'aime ma chérie. À tout à l'heure.

— Je t'aime aussi, escroc.

Sarah raccrocha et le léger sourire qui s'était un instant dessiné à la commissure de ses lèvres s'effaça. Le moment était compliqué à gérer.

L'urgence voulait qu'elle lance immédiatement la piste des réseaux masculinistes. Mais si Peter Gen était vraiment complice du meurtre de Katrina Hagebak, il aurait alors le temps de prévenir le tueur et ses éventuels alliés. Elle devait donc régler son cas avant de communiquer avec ses équipes.

Alors qu'elle commençait à recenser sur Internet les noms des réseaux norvégiens de défense des droits des hommes, elle reçut un rapport de l'équipe de la police scientifique chargée d'inspecter la grotte de Katrina Hagebak. Ils venaient tout juste de terminer la capture des serpents et entamaient les investigations. Mais Sarah nourrissait peu d'espoir sur la présence d'éventuelles empreintes ou traces ADN du tueur. Et, quand bien même on en trouverait, qu'en ferait-elle si l'assassin n'était pas fiché ? Ce qui était probablement le cas.

Les heures s'écoulèrent lentement, et Christopher ne donnait aucun signe de vie… Elle lui téléphona vers 19 heures, mais elle tomba directement sur sa messagerie. Elle se força à aller se chercher quelque chose à manger, se fit prêter un nouveau téléphone portable par le commissariat en prétextant que le sien était fichu, envoya son nouveau numéro à Christopher et, à 21 h 30, il la rappela enfin.

Au ton de sa voix, elle sut tout de suite qu'il avait trouvé quelque chose d'important. Elle lui demanda de patienter, enfila sa parka et sortit de son petit appartement pour être certaine de ne pas être écoutée. La nuit était tombée sur Vardø et un vent glacial faisait tomber la neige en oblique. Sarah releva le col de son manteau et s'abrita derrière un mur.

— Je t'écoute, finit-elle par dire.

— OK, je ne sais toujours pas pourquoi tu m'as demandé de faire cette recherche, mais ce que j'ai déterré ne va pas te plaire.

Sarah attendit qu'il poursuive, une main posée sur le front.

— Bon, j'ai retrouvé un article de janvier 1997 sur un homme divorcé qui était monté sur une grue et y avait entamé une grève de la faim pour réclamer la garde de ses enfants. L'association Seul contre toutes était venue le soutenir et parler en son nom. Les types s'étaient fait prendre en photo devant la grue. Tous les visages m'étaient inconnus sauf un : celui d'un homme maigre, le point levé.

— Peter Gen…

— Lui-même, avec vingt ans de moins.

— Tu es sûr que c'était lui ?

— J'en étais sûr, mais j'ai quand même voulu vérifier. Je suis allé faire d'autres recherches sur ce groupe qui s'est mis en tête de défendre le genre masculin contre les privilèges féminins. J'ai retrouvé les statuts de 1995 et les noms des membres fondateurs. Peter Gen y figure comme trésorier de l'association.

Sarah ne fit aucune réflexion, mais tout en elle bouillonnait.

— Euh Sarah, tu es là ?

— Oui, je t'écoute, répondit-elle entre deux respirations.

— Le problème, c'est qu'en lisant les statuts, j'ai aussi trouvé le nom de quelqu'un que tu connais. Enfin, que l'on connaît tous.

L'espace d'une seconde, Sarah se demanda presque si elle voulait entendre ce que Christopher avait à lui dire.

— Qui ? finit-elle par dire.

— À cette époque, le secrétaire général de Seul contre toutes était Jens Berg, le ministre de l'Intérieur. Bref, celui qui a voulu te remplacer par Peter Gen.

Sarah voulut parler, mais aucun son ne sortit de sa bouche.

29

De retour dans son studio, bouleversée par ce que Christopher venait de lui révéler, Sarah marchait de long en large. Jamais elle n'aurait imaginé que le sommet de la chaîne de commandement dont elle était un des maillons manipulait tout depuis le début.

Seconde après seconde, les déductions tombaient : voilà pourquoi l'assassin avait débarqué dans la caverne pile au moment où elle s'y trouvait. Ce n'était en aucun cas un hasard. Peter Gen avait dû entendre l'appel qu'elle avait passé pour faire venir le garde-côte. Il s'était dit que si elle rejoignait l'île en pleine nuit, c'était qu'elle avait dû comprendre quelque chose d'important. Il avait prévenu le tueur, qui avait rejoint Hornøya à son tour pour s'emparer de sa découverte et l'éliminer à l'abri des regards.

La lumière se faisait aussi sur l'attaque des soi-disant nationalistes russes et l'empressement de Jens Berg à croire à cette hypothèse. Il avait très probablement organisé cet assaut brouillon en constatant que Sarah suivait une piste qui pourrait finir par remonter jusqu'à lui. Sinon, comment expliquer que les gardes en faction sur l'île n'aient pas vu arriver le bateau des mercenaires alors que tout le monde était logiquement en alerte maximum ?

D'ailleurs, cet épisode dénotait une incohérence dans le plan de ses adversaires. Si Jens Berg et Peter Gen ne voulaient pas que l'on remonte jusqu'à eux, il aurait suffi de faire passer dès le début l'assassinat de Katrina pour un meurtre des nationalistes russes. Pourquoi toute cette mise en scène symbolique ?

Sarah ne voyait qu'une explication : l'assassin de Katrina n'avait pas agi comme cela était prévu. Jens Berg en avait perdu le contrôle et tout ce qui se passait depuis que Sarah avait mis les pieds sur la scène de crime n'était qu'une course contre la montre pour reprendre la situation en main. Du simulacre d'attaque des terroristes russes à la nomination autoritaire de Peter Gen.

Restait à pénétrer le mobile premier du meurtre de la Première ministre. Jens Berg espérait-il prendre sa place ? Voulait-il l'empêcher de prendre des mesures qui iraient contre la suprématie masculine ? Cherchait-il simplement à découvrir ce qu'elle préparait en secret avec l'aide des mystérieuses Ada et Ludmila ?

Elle se demandait désormais jusqu'où le complot s'étendait. Seule certitude, Gérald Madkin et Ingrid Vik n'étaient pas mouillés. Mais le chef de la police de Vardø, Nikolaï Haug ? Le légiste, Joachim Trimmer ? Le chef de la sécurité ?

Sarah se sentit soudain saisie d'une étouffante angoisse. Elle dut s'asseoir et se poser la main sur le ventre pour tenter de se calmer. La crise ne passa pas. D'une main tremblante, elle chercha le petit tube blanc dans sa poche pour en faire jaillir le cachet qu'elle se calerait sous la langue, là où la veine cave enverrait le principe actif directement vers le cœur. Mais le tube n'y était plus depuis qu'elle avait jugé qu'elle se sentait mieux et que ses crises avaient disparu.

Alors qu'il lui semblait que tout son corps attendait la molécule anxiolytique comme un drogué en crise de manque, Christopher la rappela.

Sarah décrocha en refermant la porte de son studio derrière elle.

— Sarah… tu vas faire quoi ?

— C'est foutu, murmura-t-elle en plissant les yeux pour ne pas être aveuglée par les flocons de neige.

— Quoi ?

— Tu crois quoi ? Que je vais publiquement dénoncer le ministre de l'Intérieur et son inspecteur comme les complices, voire les commanditaires du meurtre de la Première ministre ?

Christopher sentit qu'elle avait besoin de s'emporter pour évacuer la pression. Par amour, il accepta de jouer le punching-ball.

— Et pourquoi pas ?

— Imaginons un instant que je ne sois pas tuée avant d'avoir ouvert la bouche, s'emporta Sarah tandis que ses pas martelaient la fine couche de neige recouvrant son palier. Imaginons que je parle devant les micros de radio et de télévision. Je donne quelles preuves ? L'appartenance de Jens Berg et de Peter Gen à un groupe masculiniste ? Ça en fait des assassins ? Ouah, quel argument imparable, inspectrice Geringën ! Tu imagines en combien de secondes un avocat peut balayer ça d'un revers de main et le retourner contre moi ? Ce qui pour toi et moi sont des preuves accablantes ne seront aux yeux du public que des allégations vagues d'une inspectrice trop marquée par le complot derrière l'affaire 488.

— Tu n'es pas dérangée, Sarah, et personne ne croira à une telle intox. Tu ne peux pas abandonner.

— Christopher. Si le ministre de l'Intérieur est mêlé à ce meurtre, tu penses qu'il est tout seul ? Tu penses qu'aucun juge, qu'aucun journaliste, qu'aucun médecin ne fait partie du complot ? Tu penses qu'il ne s'agit pas d'un réseau organisé, discipliné et doté de pouvoirs qui pourraient me broyer en quelques jours ? Tu penses que ces types hésiteraient à s'en prendre à toi ou à Simon pour me faire plier si je m'attaquais frontalement à eux ?

Christopher ne répondit pas.

— Tu sais quoi, si ça se trouve le tueur est même sur la photo du journal où tu as vu Peter Gen. Mais qu'est-ce que je peux en faire ? Rien !

Sarah poussa un long soupir et appuya son dos contre le mur extérieur de son studio.

— OK, tu as raison sur tout. Sauf que si tu t'arrêtes là au moins deux personnes, probablement des femmes, vont être assassinées. Et ça, je doute que tu puisses vivre avec.

— Je ne sais pas qui elles sont ! Comment tu veux que je les retrouve ? Etta, Ada, Ludmila, ce sont des pseudos.

— Peut-être qu'en remontant la piste de la tombe 3666, on en saura plus sur elles.

— Écoute, tu n'en es nulle part sur cette histoire de vieille sépulture ! L'assassin, lui, m'a volé une clé USB qui était cachée sous la sculpture où étaient inscrits les trois noms d'Etta, Ada et Ludmila. Ce ne serait pas absurde de penser que l'identité de ces femmes soient planquées dans un fichier de la clé, non ?

Sarah entendit ses dernières paroles mourir dans le silence de la nuit. Elle comprit son erreur.

— Excuse-moi de m'être emportée... Je... pardon.

— Tu n'as aucune certitude, Sarah. Si ça se trouve, cette clé ne contient rien d'intéressant. Quant à la tombe 3666, je n'ai pas eu le temps de t'en parler, mais j'ai rendez-vous ce soir par Skype avec l'archéologue qui a rédigé le rapport sur les fouilles de Cliffs End Farm, en Angleterre.

— Et il va te dire quoi que tu n'aies pas déjà lu ? répliqua Sarah, avec plus de calme, mais tout aussi peu d'enthousiasme.

— Le compte rendu auquel j'ai eu accès date d'il y a sept ans. À l'époque, l'équipe de chercheurs n'avait ni les moyens ni les techniques suffisantes pour approfondir certaines données. Le type que j'ai eu au téléphone m'a dit que cela avait changé depuis, mais que tout cela était très compliqué à expliquer au téléphone.

Sarah s'en voulut d'avoir élevé la voix contre Christopher. Premièrement parce qu'elle l'avait blessé, deuxièmement parce qu'elle avait laissé son stress professionnel déborder sur sa vie privée.

— Je sais que tu n'es pas hyper convaincue par cette piste, reprit Christopher avec une délicatesse que Sarah apprécia. Mais, pour le moment, c'est la seule voie qui peut être explorée sans attaquer frontalement les coupables... donc, si après mon entretien je vois que je peux trouver quelque chose en me rendant sur place, je prends l'avion pour…

— Tu ne vas nulle part, le coupa Sarah. C'est désormais bien trop dangereux. Celui qui a tué Katrina connaît forcément cette tombe 3666, puisqu'il a procédé au même rituel. Je ne veux pas que tu mettes les pieds là-bas.

— Alors, viens avec moi.

Sarah était partagée. D'un côté, elle craignait que Christopher ne s'emballe par son simple goût pour l'archéologie et ne les mène sur une mauvaise piste. Et en même temps, elle sentait une résonance juste dans les déductions qu'elle venait d'entendre.

— Je ne sais pas. Il me faut un peu de temps pour réfléchir. Il y a peut-être une autre solution avant, répondit-elle.

— Laquelle ?

— Le décryptage de l'ordinateur de la Première ministre. Il va peut-être donner quelque chose d'intéressant.

— C'est toi, la cheffe… À tout à l'heure. Et ne sois pas prudente, sois méfiante.

— C'est mon métier.

Sarah ferma la porte de son studio à clé et gagna le bâtiment du commissariat situé à une vingtaine de mètres. Les rues de Vardø n'étaient presque plus fréquentées, à l'exception d'une voiture qui avançait prudemment sur la route gelée et d'une silhouette fantomatique s'éloignant du poste de police, courbée pour affronter la neige oblique.

Sarah entendait à peine ses pas crisser dans la neige, l'ouïe froissée par les rafales de vent et le ressac lointain de la mer contre les parapets du port. Elle vit de la lumière émaner des petites fenêtres du poste et entra.

Un policier blond au visage replet se trouvait à l'accueil, derrière un comptoir, et s'apprêtait à croquer dans une belle boule de coco au chocolat. Il reconnut Sarah et referma la bouche avec la célérité d'un crocodile.

— Inspectrice, dit-il. Que puis-je faire pour vous ?

Sarah ignora les flocons de noix de coco qui pendaient au coin des lèvres de l'officier comme autant de témoins d'un flagrant manque de volonté.

— Les deux experts en informatique ?

— Oui, madame, ils sont dans la pièce à gauche au fond du couloir.

Sarah entra sans frapper et fit sursauter les deux professionnels. Elle fut surprise de ne pas les trouver les yeux rivés sur leurs écrans, mais assis sur un coin de table en train de discuter.

— Vous avez terminé l'analyse du disque dur du portable de Katrina Hagebak ? demanda-t-elle étonnée.

— Euh, non, dit la femme aux cheveux attachés en chignon derrière de petites lunettes à monture carrée. C'était en cours, mais on croyait que…

— … que vous souhaitiez récupérer la machine, conclut son maigre collègue masculin soudain mal à l'aise.

— Pardon ? s'inquiéta Sarah. Comment ça récupérer la machine ?

— C'est ce que nous a dit l'inspecteur Peter Gen.

Le cœur de Sarah pulsa comme si on venait de le fouetter.

— Quand ?

275

— Il vient de quitter le commissariat avec l'ordinateur, répondit l'experte en posant une main inquiète sur sa joue. Vous ne l'avez pas croisé ?

La silhouette courbée face au vent aperçue dehors, se souvint Sarah. C'était Peter Gen.

— Vous avez fait une copie du disque dur ?

— Oui, répondit l'informaticienne.

— Poursuivez l'analyse immédiatement.

Sarah se précipita hors de la salle, déboula hors du commissariat et scruta les alentours. Des lampadaires coloraient d'une lueur dorée les lamelles de neige qui chutaient du ciel noir. Les rues semblaient désertes.

Sarah fonça droit dans la direction de la ruelle piétonne qu'avait prise la silhouette qu'elle avait aperçue plus tôt. Le visage piqueté par les cristaux glacés, elle s'engouffra dans le passage. Personne. Le choc de ses pas résonna contre les murs des chalets quand elle avala la petite rue à toute allure.

Elle dérapa en débouchant hors de la passe et repoussa d'un revers de main les flocons écrasés sur ses cils. À sa gauche, la route s'éloignait vers le port de Vardø et à droite vers l'extérieur de la ville. Où était parti Peter Gen ? L'angoisse cingla son cœur. Si elle perdait Peter Gen, il aurait en main toutes les informations pour retrouver les deux autres associées de Katrina Hagebak… D'un bond, Sarah se rua vers la droite en faisant le pari que Peter Gen chercherait à quitter la ville au plus vite. Elle aperçut furtivement une ombre se dessiner sur le trottoir d'en face, derrière le rideau de la neige tombante. Était-ce lui ?

Sarah allongea sa foulée et acquit la certitude que c'était bien Peter Gen qui marchait d'un pas pressé, une sacoche serrée contre son ventre. Elle devait le saisir avant qu'il ne se rende compte qu'elle le poursuivait. Donnant une accélération, elle traversa la route en fondant sur lui. Au même moment, on entendit le klaxon affolé d'une voiture qui arrivait vite et que Sarah n'avait pas pris le temps de voir. Les pneus crissèrent, le véhicule chassa et partit en glissade. Sarah se jeta en avant et culbuta sur les congères qui bordaient la route. L'arrière de la voiture la frôla dans une traînée de phares rouges et le véhicule termina sa glissade en percutant le mur d'une maison.

Quand Sarah se releva, sa bouche exhalait par saccades des nuages de vapeur blanche. Le chauffeur émergea de sa voiture, choqué mais indemne. Peter était sur le trottoir à quelques mètres et marchait en reculant pour surveiller ce qui venait de se passer. Il reconnut sa poursuivante, fit volte-face et détala droit devant.

Ignorant la neige fondante qui coulait de ses cheveux à son dos, Sarah s'élança à sa poursuite. Elle courait plus vite que lui, mais il obliqua brutalement vers une rue perpendiculaire et elle glissa en voulant le suivre. Elle chuta sur le côté de la cuisse et malgré la neige, la douleur lui souleva le cœur.

Sans quitter des yeux Peter Gen qui s'éloignait, elle se releva en grimaçant et le reprit en chasse.

Cette fois, elle accéléra avec tant de puissance qu'elle le rattrapa jusqu'à entendre sa respiration haletante. En pleine course, elle le saisit par l'épaule et allait le jeter à terre, juste avant de se raviser en craignant de casser l'ordinateur. Peter Gen en profita pour se dégager d'un coup de bras. Il plongea sa main dans une poche intérieure et fit volte-face en s'arrêtant net, son HK P30 menaçant Sarah d'une balle dans la tête.

Avec une réactivité qui déstabilisa son adversaire, Sarah saisit par le canon cette arme qu'elle connaissait par cœur et la fit pivoter d'un adroit mouvement de poignet pour la saisir par la crosse et inverser les rôles.

— OK ! OK ! lança l'inspecteur en soufflant avec une souffrance respiratoire qui se lisait sur son visage plissé.

— Donnez-moi l'ordinateur ! répliqua Sarah en soufflant elle aussi, mais sans le masque de la douleur.

Peter Gen considéra le pistolet braqué vers lui.

— Vous pouvez baisser ça, dit-il. Même si vous n'aviez pas d'arme, je ne m'attaquerais pas à vous. Je sais de quoi vous êtes capable.

Seuls au milieu d'une rue déserte striée d'une neige dense, les deux ennemis s'évaluèrent du regard. Finalement, Sarah garda son arme levée.

— Le contraire m'aurait étonné, souffla Peter Gen en grattant son avant-bras. Je ne sais pas de quoi vous êtes faite, mais définitivement pas de la même matière que les autres…

Il tendit à Sarah la pochette contenant l'ordinateur portable. Elle la prit d'une main.

— Vous comptiez en faire quoi ? l'interrogea-t-elle, comme si elle ne connaissait pas ses intentions.

Peter Gen détourna un instant son visage émacié sur lequel des mèches blanches et glacées venaient s'échouer.

— Le décoder avant vous. Reprendre la place qui devait être la mienne dans cette enquête et me venger de l'humiliation que vous m'avez fait subir.

278

— Vous comprenez que vous avez choisi de saboter une enquête d'État par simple frustration personnelle ?

— Oui. Mais, au final, j'aurais peut-être trouvé l'assassin de la Première ministre plus vite que vous.

Sarah s'amusa un bref moment de l'ironie de la situation : évidemment que tu l'aurais trouvé avant, puisque tu sais qui c'est et que tu collabores avec lui, pensa-t-elle.

— Avis aux unités de sécurité mobile, lança Sarah dans son talkie-walkie. Besoin de vos services au… – elle leva la tête pour chercher le nom de la rue où ils étaient – … rue Brodtkorbs Gate.

Un homme lui répondit qu'ils arrivaient immédiatement.

— Qu'est-ce qui vous fait avancer, inspectrice Geringën ?

Sarah détestait ces moments où les coupables qu'elle venait d'arrêter se mettaient à lui parler avec familiarité. Comme si leur destinée scellée les autorisait à poser des questions personnelles à celle qui était leur ennemie.

Elle ne répondit pas, se contentant de garder son arme braquée sur Peter Gen, qui la fixait par la mince fente de ses yeux.

— Ça ne peut pas être la simple envie de justice… reprit-il comme s'il procédait aux déductions d'une enquête. J'ai étudié votre dossier… et j'ai lu votre détermination, votre rigueur. À un moment, vous auriez craqué ou vous auriez compris que vous étiez en train de vous faire dévorer par votre métier, reprit l'inspecteur. Non, il y a quelque chose de plus fort que tout ça en vous. Un truc qui vous rend plus obstinée et plus dévouée que les autres…

Sarah distingua au loin la sirène des renforts. Elle essuya l'extrémité de son nez où perlait une goutte froide.

— Cela pourrait être la vengeance… l'une des rares motivations qui peuvent réveiller les morts. Mais vous n'en avez pas l'attitude. Donc, il n'en reste qu'une…

Sarah commençait à en avoir assez qu'il la dévisage avec insistance. Surtout pour s'entendre dire autant de stupidités.

— … la culpabilité ! lâcha Peter Gen alors que le véhicule 4 × 4 s'arrêtait derrière eux, son manège de gyrophares bleus électrisant la neige.

Sarah tressaillit et Peter Gen dut remarquer la réaction de son regard.

— Oui, c'est ça. Vous vous sentez coupable de quelque chose d'immense et vous voulez à tout prix vous racheter, inspectrice. Ça vous tuera.

Les portes du véhicule de police claquèrent en se refermant et deux policiers débarquèrent au pas de course.

— Madame, qu'est-ce qui se passe ? demanda l'un des officiers.

— L'inspecteur Peter Gen a volé une pièce à conviction capitale de l'enquête en cours, répondit-elle en désignant l'ordinateur portable qu'elle tenait. Arrêtez-le et emmenez-le au commissariat.

Il lui fut difficile de garder pour elle les découvertes qui tendaient à prouver que Peter Gen collaborait avec l'assassin. Mais mieux valait ne pas alerter l'ennemi tant qu'elle n'avait pas l'avantage sur lui.

Les deux hommes s'exécutèrent sans avoir à forcer Peter Gen. Ce dernier passa devant eux et s'arrêta un instant devant Sarah.

— J'aurais aimé savoir de quoi vous vous sentez coupable… beaucoup aimé.

— Au moins, pour vous, on n'a pas à se poser la question, répliqua Sarah le visage impassible.

Peter Gen se mordit la lèvre et détourna le regard.

— On vous ramène, madame ? demanda l'un des policiers.

Sarah fit non de la tête et regagna le commissariat à pied. Alors qu'elle se hâtait pour ne pas attraper froid, elle ne put s'empêcher de repenser aux paroles de Peter Gen.

Elle avait tenté de ne rien montrer, mais ce qu'il lui avait lancé à la figure avait fait écho en elle. Depuis toujours, elle avait ce sentiment rampant d'agir pour réparer une faute terrible. Mais laquelle ? Sans être une sainte, Sarah n'avait jamais eu l'impression d'avoir fait du mal à quelqu'un au point d'être rongée toute sa vie par un besoin de réparation. D'où lui venait cette culpabilité que ce détestable Peter Gen avait vue en elle ? D'où lui venait cette urgence qui, aux yeux de certains, la rendait forte, mais qui en réalité l'épuisait un peu plus chaque jour ? Elle sentait qu'il était temps de se confronter à cette question avant qu'il ne soit trop tard.

Mais à peine avait-elle poussé la porte du commissariat que l'urgence de l'enquête reprit pleinement possession d'elle.

Elle aperçut l'homme un peu gras qui était à l'accueil dans le couloir menant aux cellules. Il la salua d'un signe de tête tandis que Sarah empruntait le corridor d'en face. Elle prit quelques feuilles d'essuie-tout aux toilettes et entra dans la salle des deux experts en informatique.

— Qu'est-ce que vous avez trouvé là-dedans ?

Elle déposa l'ordinateur sur la table, retira sa parka et essora ses cheveux trempés de neige avec une des feuilles absorbantes.

Les deux informaticiens l'observèrent avec un mélange d'admiration et de crainte. Mais aucun des deux n'osa demander ce qui s'était passé.

Sarah prit alors seulement conscience du matériel installé dans la pièce. Il devait bien y avoir cinq grosses machines qui abritaient probablement ce qui se faisait de plus puissant et sophistiqué en matière d'ordinateur. La femme au chignon prit la parole en premier.

— L'ordinateur de la Première ministre est verrouillé par un mot de passe au décodage excessivement complexe. Mais, grâce à nos outils et nos déductions, nous avons pu accéder à la liste du contenu du disque dur. Celui-ci contient trois fichiers seulement.

— Leurs noms ?

L'informaticienne consulta l'écran de son ordinateur.

— Le premier est appelé : *discours 06/12/2018*, le second *Ada* et le troisième *Ludmila*.

— Et, si j'ai bien compris, poursuivit Sarah dont l'esprit s'était embrasé au nom des fichiers, on ne peut pas lire leur contenu ?

L'informaticienne hocha la tête l'air ennuyé. Sarah jeta lentement une feuille de papier trempée dans la corbeille.

— Pouvez-vous me dire si ces fichiers ont été récemment transférés sur un support USB ?

— Nous avons regardé l'historique des échanges de données et les trois dossiers ont effectivement été transférés sur clé le mercredi 5 décembre, la veille de la mort de la Première ministre.

L'assassin était donc probablement au même niveau d'information qu'elle. La pire des situations.

— Si vous travaillez pour Kripos, j'imagine que vous faites partie des meilleurs. Alors, pourquoi cet ordinateur vous résisterait ?

— En fait, Mme Hagebak bénéficiait des protections de plus haut niveau réservées aux chefs d'État, répondit l'homme, si maigre qu'il en paraissait malade. Ces technologies sont rares… et d'une puissance inégalée. Pour faire court, le décryptage du mot de passe de Mme Hagebak demande une clé d'analyse sans laquelle les combinaisons possibles se comptent en plusieurs milliards. Avec la meilleure puissance de calcul, il faudrait des années pour espérer trouver l'enchaînement intégral de caractères.

— Comment ça *intégral* ? releva Sarah. Vous en avez trouvé une partie ?

— C'est en cours… ça ne devrait plus tarder, répliqua l'informaticienne en avisant un écran où défilaient des milliers de chiffres à une vitesse fulgurante.

Sarah se plaça devant la machine en plein calcul.

— Oui, l'une des parties du mot de passe est une combinaison de chiffres, précisa son collègue. Or, il n'y en a que neuf au lieu des vingt-six lettres de l'alphabet, donc…

L'ordinateur émit un bip retentissant et le résultat du décryptage s'afficha dans un rectangle en surimpression.

— Alors ? s'enquirent les deux techniciens qui ne pouvaient voir l'écran caché par le corps de Sarah.

Le regard vrillé sur les chiffres, Sarah avait entrouvert la bouche sans même s'en rendre compte. Des gouttes de neige fondue perlèrent sur son front et le long de ses joues. Son cerveau fonctionna à toute allure et elle se retourna vers les deux informaticiens en prenant soin de dissimuler l'écran.

— Tournez-vous ! leur ordonna-t-elle. Maintenant !

Les deux experts s'exécutèrent avec lenteur, l'air méfiant.

— C'est pour votre sécurité, précisa Sarah. Personne ne doit voir ce mot de passe en dehors de moi. Personne. Je prends l'ordinateur de Katrina Hagebak avec moi. Quant aux données qui sont sur cette machine de décryptage…

Sarah débrancha l'écran en retirant sèchement le câble d'alimentation.

Les informaticiens sursautèrent, le regard effaré.

— Donnez-moi le disque dur de cet ordinateur, commanda Sarah. Ce n'est pas du sabotage, c'est une mesure de protection.

— Madame, vous êtes certaine que…

Sarah se contenta d'un coup d'œil appuyé et l'informaticienne s'exécuta. Elle dévissa la façade de la tour de l'ordinateur, retira le disque dur et le tendit à son inspectrice.

— Pour être certaine. Pour que le mot de passe soit complet, aux chiffres que je viens de lire, il faudra ajouter une combinaison de lettres, c'est bien ça ?

— Euh oui… répondit le maigre informaticien.

— Bravo pour votre travail, ajouta Sarah en quittant la salle.

En deux pas, elle traversa le couloir et sortit du commissariat. Un nombre tournait en boucle dans sa tête, celui qui s'était affiché sur l'écran : 3666. Le nombre de la tombe de la martyre de Cliffs End Farm.

D'un pas pressé, Sarah contourna le bâtiment de police en direction de son studio. Si Katrina avait choisi 3666 comme première partie de son mot de passe, la suite du code secret était très certainement connectée à ce nombre. Et la seule façon de découvrir ce mot était de le chercher aux alentours de la tombe 3666.

Le problème était que si le tueur parvenait à déchiffrer la moitié du mot de passe comme les deux experts en informatique, il aboutirait à la même conclusion qu'elle. Sauf que lui connaissait probablement tout ce qui se rattachait de près ou de loin à la tombe 3666. Il avait exécuté la Première ministre exactement dans les mêmes conditions que cette pauvre femme plus de deux mille cinq cents ans auparavant. Il trouverait donc le mot secret en quelques secondes. Il ouvrirait les fichiers, trouverait l'identité d'Etta et de Ludmila et n'aurait plus qu'à les assassiner avant que Sarah ait pu faire quoi que ce soit pour les sauver.

Chaque seconde comptait pour espérer arrêter le carnage et percer le mystère de ces meurtres.

Quand Sarah appela Christopher, ce dernier eut à peine le temps de lui demander ce qui se passait.

— Préviens mes parents qu'ils doivent garder Simon quelques jours de plus et pars pour Cliffs End Farm maintenant ! Je te rejoins là-bas demain, au plus vite.

— Quoi, mais pourquoi ?

— Parce que c'est là que se trouve la clé de l'enquête.

— Attends, Sarah ! J'ai eu l'archéologue en chef dont je te parlais. Tu avais raison, ça ne sert à rien de nous rendre en Angleterre. On n'y apprendra rien de plus.

— Ne me dis pas ça…

— Je n'ai pas fini. Si on veut en savoir plus, ce n'est pas à Cliffs End Farm qu'il faut aller. C'est à Beyrouth.

Sarah fronça les sourcils.

— Au Liban ? Quel rapport avec un site de fouilles en Angleterre ?

— Écoute, c'est un peu compliqué à expliquer, mais quand tu as toutes les informations c'est parfaitement logique.

— Admettons, et on fait quoi une fois sur place ?

— Mon contact m'a donné le nom de Nassim Chamoun, un chercheur à la faculté des sciences ecclésiales de Beyrouth. C'est lui qui pourrait nous aider à en savoir plus sur cette femme et sur la raison pour laquelle elle a été exécutée. Il paraît que ce professeur a établi une théorie sur le cérémonial qui entoure la mort de la femme de la tombe 3666.

— Et ton archéologue anglais ne pouvait pas te la donner lui-même, cette théorie ?

— Tu te doutes bien que j'ai insisté, mais il a dit qu'il ne savait rien de ce que son collègue avait précisément trouvé et que, dans tous les cas, il ne voulait pas être mêlé à ça. Comme si le sujet était tabou.

— Étrange… Et ce chercheur libanais, tu ne peux pas le joindre par téléphone ?

— Mon contact en Angleterre a toujours correspondu avec lui par courrier.

— Par courrier ? Tu veux dire en s'écrivant des lettres ?

— Oui. Il n'est présent sur aucun réseau social, n'a aucune boîte mail et s'il apparaît bien sur l'annuaire il n'y a que son adresse, pas de numéro de téléphone.

— Inattendu pour un chercheur qui se doit d'être en relation avec toutes les découvertes…

— D'après ce que j'ai compris, Nassim Chamoun craignait d'être surveillé et le courrier manuscrit restait finalement la voie la plus discrète de communication.

— Qu'est-ce qu'il a bien pu établir comme hypothèse pour avoir si peur… réfléchit Sarah à voix haute. Bref, on se retrouve à l'aéroport de Beyrouth d'ici vingt-quatre heures.

Alors qu'elle venait de raccrocher, Sarah ignora l'appel de Jens Berg, demanda à Ingrid Vik, Joachim Trimmer et Nikolaï Haug de poursuivre l'enquête sur place et embarqua dans un véhicule de police qui fila toutes sirènes hurlantes vers l'aéroport de Vardø.

30

— Où sont les vrais hommes ? lança l'orateur chauve d'une quarantaine d'années du haut de son estrade.

L'assemblée assise dans l'amphithéâtre, constituée d'une centaine d'hommes bruissa d'un murmure d'amusement.

— Eh bien, je vais vous répondre : on leur a demandé d'être des femmes !

Quelques ricanements émaillèrent les visages de l'assistance, mais la plupart des hommes approuvèrent d'un air désolé.

— Mais si vous êtes ici aujourd'hui, c'est que vous ne voulez plus faire partie de cette catégorie. Si vous êtes ici aujourd'hui, c'est parce que vous en avez assez de coller à cette image aseptisée de la virilité que l'on réclame de vous à longueur de journée ! Si vous êtes ici, c'est que vous en avez assez de ne plus savoir comment vous comporter en société, au travail, dans la rue, face à vos propres enfants, votre propre épouse, et même vos propres camarades !

Les participants opinèrent du chef, l'air grave pour la plupart.

Le responsable du séminaire quitta son pupitre sous de nouveaux chuchotements d'approbation. Il marcha le long de la scène, tête baissée, réfléchissant sous le regard attentif de l'assistance.

— Eh bien, tout cela est faux ! En réalité, vous savez parfaitement vous comporter dans chacune de ces situations. Le problème, c'est vous n'osez plus le faire ! Voilà la vérité ! Vous n'osez plus être ce que vous sentez que vous devriez être ! Vous n'osez plus être des hommes, des vrais ! Et cela ne peut plus durer !

Des applaudissements nerveux claquèrent dans l'amphithéâtre.

Plusieurs hommes affichèrent un air contrit. D'autres se rongèrent un ongle ou opinèrent du chef.

— Et le pire dans tout ça, reprit le conférencier en levant un doigt, c'est que vous souffrez de ne pouvoir être vous-mêmes non pas par lâcheté ou ignorance, mais par excès de gentillesse. Comme tout être humain qui se respecte, vous essayez de faire de votre mieux, de répondre aux attentes des unes, des uns et des autres. Sauf que ces attentes sont devenues folles, absurdes, incohérentes : sois doux mais viril quand je te le demande, sois tendre mais ferme quand c'est nécessaire, sois leader mais laisse-moi choisir, bats-toi pour moi mais ne sois pas violent, occupe ta place de père mais laisse-moi faire l'éducation des enfants. Stop ! On ne peut pas être un homme à moitié. On est un homme ou on ne l'est pas !

L'orateur éleva la voix pour attiser l'adhésion des participants, qui hochaient tous la tête d'un air entendu.

— Mes frères, mes amis, je vais vous poser la question franchement, froidement : devons-nous avoir honte parce que nous sommes des hommes ? Devons-nous avoir honte de laisser notre vraie nature s'exprimer ?

Des *non* timides s'élevèrent ici et là dans la salle.

— Non ! Plus jamais ! Plus jamais vous ne devriez avoir peur d'être des hommes comme vos tripes vous le crient ! L'homme a besoin de se dépasser, de se mettre à l'épreuve, de goûter au danger, et s'il le faut de se battre. De se battre pour sa dignité, pour ceux qu'il aime, à commencer par sa famille ! C'est ainsi que l'espèce humaine a survécu et elle disparaîtra si l'on ne cesse de castrer les hommes, de leur demander d'aller contre leur nature. Qu'on le veuille ou non, l'homme a en lui ce désir de bâtir, d'explorer, de guider ! Dans nombre de sociétés traditionnelles, l'homme est celui qui conduit le village, celui qui chasse, et sur qui la femme et les enfants comptent pour être protégés ! Lui retirer année après année ces responsabilités, lui voler ces plaisirs qui sont dans sa nature, c'est l'anéantir ! Que les choses soient bien claires : les hommes et les femmes sont égaux en droit, mais qu'on le veuille ou non, ils ne sont pas similaires ! Respectons ce que la nature a fait de nous, entrons en cohérence avec la place que Dieu a donnée à chacun et chacune et tout le monde en sera plus heureux. Un peu de bon sens par pitié : est-ce qu'on demande à un lion d'arrêter de manger de la viande ? Alors pourquoi demander à l'homme d'être homme à moitié !

Cette fois, des applaudissements fournis saluèrent la saillie de l'orateur.

— La nature ne nous a pas faits ainsi ! Dieu ne nous a pas faits ainsi ! Ne pas respecter sa création, c'est renier son être profond, mais aussi faire injure à l'Éternel ! Soyons attentifs un instant au texte de la Bible : contrairement à Ève, qui a été conçue à l'intérieur du jardin d'Eden, dans une nature domestiquée, disciplinée et sans danger, Dieu a créé Adam en dehors du jardin d'Eden. L'Éternel a choisi de nous faire naître dans un environnement sauvage, dans le danger, dans l'épreuve, là où le courage, la combativité sont les garants de la survie. C'est cette naissance originelle qui résonne en chaque homme ! Voilà pourquoi chaque garçon, dès son plus jeune âge, cherche à dominer la nature, à mesurer sa force, à briser les limites, à gravir la colline pour voir ce qu'il y au-delà. L'homme a été façonné pour être dans l'action et, si certains en doutent encore, dites-moi quel homme peut passer toute sa journée à conserver des ongles propres ?

Le conférencier leva une main alors que l'assemblée frémissait de ricanements et d'un irrésistible désir d'applaudir.

— Je vais vous raconter une histoire, reprit le conférencier en ralentissant son débit. Un jour, je jouais dans le jardin à une espèce de lutte avec le plus jeune de mes trois garçons. Il devait avoir sept ans. Nous contenions nos coups et nos prises, mais à un moment, dans le feu de l'action, mon fils me donna un coup de poing au visage et me fit saigner à la lèvre. Je lui dis : « Joli coup ! ». Si vous saviez comme il se sentit fier. Il rayonnait comme un jeune lion qui a tué sa première proie. L'exploit fit rapidement le tour de la maison et, bien vite, ses deux frères débarquèrent les

292

yeux écarquillés devant ce sang que le plus jeune était parvenu à faire couler. Ce jour-là, mon fils s'est senti pousser des ailes, il a senti en lui l'appel du héros que tout homme aspire à devenir. C'est cet appel que l'on nous refuse d'entendre dans notre monde d'égalité absolue ! Ça ne plaît pas, mais c'est ainsi : la virilité est désir de puissance, de force, d'énergie et de violence. *Violence*, le mot est lâché !

Des sourires gênés s'esquissèrent. Des yeux se baissèrent parmi les hommes présents. L'orateur considéra la foule attentive devant lui.

— Je sais que certains d'entre vous se sentent mal à l'aise et se demandent si on ne fait pas l'apologie de la violence. Mais soyez rassurés, ni vous ni moi ne songeons à faire le mal. Ni vous ni moi n'aspirons à déchaîner nos pulsions au mépris de toute morale. Mais que l'on y réfléchisse un instant : l'homme ne sera vraiment doux et stable comme les femmes le voudraient que s'il a pu exprimer sa combativité et sa prise de risque pour s'accomplir pleinement. L'homme que l'on contraint à être doux et soumis au mépris de toutes ses autres aspirations est un homme qui s'ennuie dans son couple, qui s'ennuie dans son métier, qui s'ennuie dans sa vie ! Dans le meilleur des cas, il mourra triste et inaccompli, dans le pire il explosera et commettra l'irréparable. Qu'on se le dise, mesdames : l'homme est un être passionné qui a des rêves de force, de courage et d'aventure. Laissez-le libre de vivre cette puissance et il vous le rendra mille fois !

Les visages des hommes de l'assemblée avaient pris désormais une teinte plus rouge, comme, si au fur et à mesure du discours, leurs sangs s'échauffaient.

La plupart se tournaient les uns vers les autres en opinant du chef, manifestement ravis d'entendre quelqu'un dire tout haut ce qu'ils subissaient en silence.

— Notre objectif posé, comment faire ? Dans les sociétés traditionnelles, l'adolescent devait passer une épreuve initiatique pour entrer dans la vie d'homme adulte et responsable. Aujourd'hui les rites ont disparu, mais un homme a toujours besoin d'être accompagné par d'autres hommes dans le voyage de la masculinité. Le sport collectif, les matchs au stade, les discussions au bar, les parties de pêche ou de chasse sont autant de moments pour s'encourager à devenir des hommes. C'est ce que vous allez vivre pendant ces trois jours, mais à la puissance mille. Ici, vous allez retrouver le feu de votre âme masculine, vous allez être autorisés à redevenir des hommes à fond et ça va sentir la sueur, la vraie !

Sous les rires et les ricanements désormais déculpabilisés, l'auditoire se leva d'un bond, applaudissant à tout rompre tandis que l'orateur pointait du doigt les participants pour les féliciter à son tour.

Quand l'euphorie s'atténua, le conférencier leva les mains pour demander le silence. La salle se rassit.

— Avant de commencer notre voyage, quelqu'un a tenu à vous adresser un message. Il ne peut malheureusement pas être physiquement parmi nous ce soir, mais vous pouvez le voir et l'entendre, là. Messieurs, Stieg Anker, le père fondateur de notre groupe !

Un grand écran blanc descendit du plafond et recouvrit le mur derrière l'estrade. L'assemblée découvrit le visage d'un homme aux cheveux noirs, coupés court. Il devait avoir une quarantaine d'années, un regard dur et, de chaque côté de la bouche, une profonde ride en arc de cercle qui révélait la raideur de sa mâchoire. Vêtu d'un costume bleu marine bien taillé et d'une cravate, il dégageait un étrange mélange de ministre calculateur et de prédateur impulsif.

Quand il ouvrit la bouche pour parler, tout le monde remarqua que la partie gauche de son visage ne bougeait pas. Comme si elle était paralysée. Même le conférencier fut surpris de ce handicap qu'il ne connaissait pas chez son supérieur. Avait-il été victime d'un AVC ? D'un accident nerveux ? En y regardant de plus près, il remarqua la double blessure, comme si la pommette gauche avait été transpercée par des crochets ou une morsure.

— Mes camarades, comme vous, je suis chrétien. J'ai aussi longtemps travaillé pour l'armée norvégienne, d'abord dans les Forces spéciales pendant douze ans et ensuite comme traducteur embarqué dans de très nombreux pays au cours de ces dernières années.

L'ancien commando leva lentement un doigt et le profil aquilin de son nez apparut avec plus de netteté. Ses yeux s'assombrirent à mesure que perçait une profonde intelligence dans son regard.

— Et vous savez quelle question je me suis le plus souvent posée au cours de mes voyages ?

Les membres du séminaire se consultèrent tous du regard, circonspects.

— Où sont les vrais mecs dans les églises ? Partout où j'allais, je n'entendais que chants liturgiques, Ave Maria, je ne voyais que des enfants de chœur prépubères, et ne subissais que des homélies répétées à l'envi sur l'amour du prochain et le doux Jésus. Une litanie soporifique encourageant partout et en tout lieu non pas la force, mais la faiblesse !

Stieg Anker secoua la tête avec dédain.

— La faiblesse… répéta-t-il. Quelle lamentable erreur. Quelle lâcheté ! Mes frères, si Jésus est mort sur la croix, ce n'est pas parce qu'il était faible, c'est bien au contraire parce qu'il était fort et courageux ! Parce qu'il a su affronter ses peurs, dépasser sa condition, parce qu'il a écouté son désir de grandeur ! C'est cela, le message de Jésus. Il s'est sacrifié pour nous montrer la puissance du courage ultime ! Et au lieu d'honorer son héroïsme, nous faisons quoi ? Des communions à la bougie et des retraites spirituelles ? Honte à nous ! L'Église a trahi Jésus. L'Église a choisi la facilité en devenant maternelle et en faisant de Marie un personnage plus important encore que son fils ! Il est temps qu'elle redevienne virile ! Qu'elle redevienne porteuse de force, de courage, comme Jésus nous l'a montré. Là est le vrai message, là est la vraie source de vie qui fera battre nos cœurs d'hommes !

La veine de la tempe droite de Stieg Anker avait gonflé et palpitait désormais avec évidence. L'homme reprit son calme et posa de nouveau sa voix devant une assemblée remuée, mais concentrée.

— Il est temps de le dire clairement et brutalement : la femme n'est pas faite pour les grandes œuvres des civilisations. Elle n'est pas faite pour assurer la survie d'un peuple et d'une nation. C'est une affaire d'homme. Mon propos n'a rien de méprisant ou de misogyne, comme on le pense trop souvent. Mon propos a seulement le courage de dire la vérité pour qu'enfin cesse l'autodestruction de notre civilisation !

Stieg Anker s'arrêta, scrutant les membres du séminaire.

— Je sais qu'au fond de vous, vous ne doutez pas de la supériorité masculine dans la conduite des affaires de la cité. Mais des siècles de féminisme vous empêchent d'y croire sans culpabiliser. Alors permettez-moi de citer le bon sens et la science du savant le plus important de notre histoire. Dans son ouvrage le plus célèbre, Darwin expose sans ambiguïté que les femmes, obligées depuis toujours de rester près de leurs enfants pour les nourrir, ont de fait été moins exposées à la compétition que les hommes. Elles ont par conséquent moins eu à affûter leurs qualités intellectuelles et physiques pour survivre. C'est un fait indéniable : depuis des centaines de milliers d'années, la femme est trop accaparée par son rôle dans l'espèce. Sa fonction de perpétuation de la race humaine lui interdit de développer son moi et son cerveau. Ce n'est pas sa faute, ce n'est pas la faute de l'homme non plus, c'est ainsi parce que la nature et l'Éternel l'ont voulu ainsi. Lui confier des responsabilités qui ne sont pas dans ses gènes est peut-être généreux, gentil, tout ce que vous voulez, mais c'est un mensonge que nous nous faisons à nous-mêmes et une autoroute vers notre propre destruction ! Croyez-vous que les femmes conduiraient une armée pour nous protéger ? Non, elles tenteraient de négocier pour éviter la violence… et nos ennemis en profiteraient pour nous anéantir !

Dans la salle, une poignée d'hommes sembla gênée. Deux d'entre eux se levèrent et quittèrent les lieux. D'un regard de mépris, Stieg Anker les regarda partir du haut de son écran.

— Libre à toi de partir, frère, mais tu ne viendras pas pleurer lorsque ta religion aura disparu, que ta civilisation se sera désagrégée et que tu devras dire à tes enfants : « Oui, j'aurais pu éviter votre fin et prendre mes responsabilités, mais à la place j'ai préféré que ta mère ait plus de pouvoir parce que j'avais peur qu'elle se fâche... »

Les autres membres de l'assemblée observèrent leurs deux collègues s'en aller. Certains semblèrent hésiter à quitter le séminaire à leur tour.

— Et si les femmes ne veulent pas abandonner leurs responsabilités, on doit faire quoi ? demanda à voix haute un homme roux au double menton. On ne va quand même pas les tuer ?

Stieg Anker tourna lentement la tête vers celui qui avait posé la question et caressa la moitié paralysée de son visage.

— Il fut un temps où une telle procédure n'aurait en rien alourdi la conscience d'un homme de devoir. Mais les temps ont changé et l'homme meilleur sait désormais prouver sa supériorité autrement. Si une femme a pris votre place, prouvez aux autres que vous êtes l'homme de la situation bien plus qu'elle ne peut l'être et la place se libérera d'elle-même.

L'homme roux sembla satisfait de la réponse, tout comme ses camarades. Stieg Anker esquissa un sourire de communion avec l'assemblée pour apaiser les esprits inquiets. Il était encore bien trop tôt pour leur dire la vérité.

— Vos questionnements sont louables et tellement à votre honneur, mes frères. Malheureusement, ce sont ces doutes qui font le lit de notre défaite. Et le pire,

c'est que ce sont nos concurrents qui nous alertent !
L'islam lui-même nous demande : pourquoi n'êtes-vous pas plus forts et sûrs de vous, les chrétiens ?
Pourquoi vos fidèles rejoignent notre religion les uns après les autres ? Pourquoi n'êtes-vous pas capables de vous battre pour votre foi ?

La voix de Stieg résonna quelques secondes comme dans le chœur d'une église.

— Si nous, les hommes, sommes coupables de quelque chose, c'est d'avoir abandonné la société et l'Église aux mains des femmes ! Oui, les dirigeants sont encore des hommes, mais la base, celle qui fait la communauté du quotidien n'est que femmes ! Elles enseignent un catéchisme niais, elles ramollissent le scoutisme, transforment les messes en cours de chant et les baptêmes en défilés de mode ! Nous en ririons si la trahison n'était pas aussi honteuse et le moment si grave.

L'assassin baissa les yeux et prit une profonde inspiration. Sa voix se fit plus intense.

— Mes frères, il est temps de réinstaurer la force voulue par Jésus : le courage, la détermination, la combativité, l'esprit de résistance. Et la violence, s'il le faut ! Dois-je vous rappeler le sort réservé aux marchands du temple chassés à coups de fouet ?
Dois-je vous rappeler les paroles de Jésus lui-même, en Matthieu, 10.34 : « Ne croyez pas que je sois venu apporter la paix sur la terre ; je ne suis pas venu apporter la paix, mais l'épée ! » Soyez cette épée qui illumine notre chemin et qui défend nos familles ! Vous êtes le guerrier de vos femmes et de vos enfants. Et bientôt les héros de notre civilisation ! Et je terminerai par

cette phrase de Pierre de Coubertin, le réinventeur des jeux Olympiques : « Le seul véritable héros olympique est le mâle individuel. Les olympiades femmes sont impensables. Aux jeux Olympiques, leur rôle devrait être surtout, comme aux anciens tournois, de couronner les vainqueurs. » Messieurs, vous êtes les chevaliers de notre civilisation. Assumez-le.

Stieg Anker termina son allocution le visage en sueur, des taches rouges lui piquant la peau. Des applaudissements, d'abord épars, puis nombreux jusqu'à devenir unanimes, emplirent la salle. Toute l'assemblée se tenait debout, de la révérence et de la fierté dans les yeux.

L'image du fondateur disparut et un silence d'église s'installa dans l'amphithéâtre. Le conférencier reprit place derrière son pupitre.

— Votre réaction prouve sans équivoque la fraternité naturelle qui nous unit et nous rend plus forts. Aussi, avant d'entamer le programme, remercions celui qui nous a donné cette puissance, prions.

Alors que la psalmodie des hommes en prière montait dans l'amphithéâtre, à plusieurs centaines de kilomètres de là Stieg Anker quittait le bureau de sa spacieuse chambre d'hôtel pour décrocher son téléphone.

Il était temps qu'il ait cette désagréable discussion qu'il repoussait depuis deux jours.

31

— Stieg à l'appareil.

À l'autre bout du combiné, un soupir agacé.

— Tu te rends compte de ce que j'ai dû faire pour te couvrir ? siffla Jens Berg.

— Ta part du travail, Jens.

— Tu devais la tuer de façon simple et efficace pour que cela puisse passer pour un assassinat politique ou crapuleux. C'était ce dont nous étions convenus.

— Tu n'as jamais partagé la dimension spirituelle de mon engagement, Jens. Mais notre projet n'a de sens que si nous tous, nous nous inscrivons dans le combat de nos ancêtres. Katrina devait mourir comme est morte la toute première. C'est le sort qu'elle méritait pour avoir défié la loi des origines.

— Qu'est-ce que ça change ? On voulait juste la supprimer afin qu'elle cesse son combat féministe et me laisse la place libre. Pas besoin de cette mise en scène spectaculaire. Tu avais les plans de sa résidence, les postes et les heures de ronde de ses gardes du corps, que j'avais pris soin de remplacer la veille par de jeunes recrues peu expérimentées !

— Tu as choisi la fin, j'ai choisi les moyens, Jens. Et tu peux être sûr que les deux autres membres du cénacle ont compris le message en découvrant la mort de leur condisciple. À l'heure qu'il est, elles tremblent, hésitent et souffrent. Et c'est dans notre intérêt. À ce titre, qu'a donné l'examen de la clé USB dont je t'ai envoyé une copie ?

— Trois fichiers cryptés. Je ne peux pas les faire analyser ici sans me faire démasquer. J'ai dû les faire passer par une voie clandestine. Mais ils n'ont pas les mêmes moyens que nous et ça m'étonnerait qu'ils arrivent à hacker rapidement une protection du niveau de sécurité de celui dont Hagebak disposait.

— Cette clé contient forcément l'identité des trois membres du cénacle. Il nous la faut, Jens. Avant qu'elles ne fassent leurs révélations ! Débrouille-toi pour accélérer le processus de décryptage.

— Ça va être compliqué sans me faire suspecter…

Stieg Anker écrasa le poing en silence.

— OK… je vais prendre le risque, mais n'attends pas de réponse avant au moins vingt-quatre heures, les experts en informatique capables de déchiffrer un truc comme ça sont rares. Et les deux meilleurs bossent pour Geringën.

— Et Peter ?

— Peter a essayé de rapatrier l'ordinateur de Hagebak pour voir ce qui se trouvait sur le disque dur, mais il s'est fait prendre avant… Il est hors course. Il ne reste donc qu'un moyen de connaître rapidement le mot de passe. Le voler à Geringën.

— Elle l'a déjà ?

— Je ne sais pas. Elle ne m'a pas tenu au courant des derniers développements et elle est injoignable. Mais on m'a informé, il y a quelques minutes, qu'elle venait de réserver un vol pour Beyrouth. On ne va pas de Vardø à Beyrouth en pleine enquête sans une bonne raison. Elle sait quelque chose.

— Byblos, lâcha Stieg. Elle va aux ruines du sanctuaire de Byblos.

— Et comment tu sais une chose pareille ?

— Pour la même raison que tu dénigres dans le rituel d'exécution de Katrina, Jens : tout est mythologie, répondit Stieg, déjà connecté au site de réservation de la British Airways. Tout. Le combat de l'homme contre ce serpent de femme, plus que n'importe quel autre. Et certains lieux se sont abreuvés du sang de cet affrontement au cours des siècles passés.

— Geringën devrait arriver d'ici vingt-quatre heures.

— Je suis déjà à Oslo. Le temps qu'elle revienne jusqu'ici, j'aurai de l'avance et je serai à Beyrouth avant elle.

— Tu crois que l'une des deux sœurs de Katrina se trouve là-bas ?

— Je ne sais pas. Qu'importe. Geringën me le dira.

— Stieg, cette femme est…

— … nul besoin de me rappeler qu'elle est intelligente et endurcie, Jens. Je l'ai vu. Mais jamais, jamais je n'ai pris mes adversaires à la légère. Surtout pas lorsqu'il s'agit d'une femme.

— Je te fais au moins confiance pour ça ! lança Jens.

— Je le prends comme un compliment et je te rappelle au passage que tu n'es pas arrivé à ton poste par le seul mérite de ton travail. Tâche de t'en souvenir la prochaine fois que tu penseras que me manquer de respect est autorisé.

— Stieg… c'était une plaisanterie.

— Le moment est trop important pour ça. Nous n'avons pas le droit de les laisser gagner cette bataille, et encore moins la guerre.

— Tu as besoin d'aide sur place ?

Stieg paya sa place d'avion avant de répondre. Puis il parla, son regard sombre et dur contemplant une image que lui seul voyait :

— Non. J'aimerais tout particulièrement jouir moi-même du dernier souffle de vie de cette Sarah Geringën.

32

Assis de travers sur un tabouret du bar *Cafématik* du hall des arrivées de l'aéroport de Beyrouth, Christopher croqua dans son sandwich en consultant le tableau d'affichage. L'atterrissage du vol de Sarah était prévu cinq minutes plus tard, à 12 h 10 heure locale. Il avait d'ores et déjà réservé un Prebook taxi pour se rendre immédiatement à Byblos, à l'adresse du chercheur Nassim Chamoun.

Mais dans moins d'une heure, les Libanais quitteraient tous leur travail et Christopher redoutait les embouteillages d'une ville réputée pour la densité de son trafic.

Stressé par l'urgence de leur mission et le mélange d'arabe, de français et d'anglais qui bourdonnait tout autour de lui dans un mouvement incessant de voyageurs, il avalait son sandwich plutôt qu'il ne le mâchait. Et lorsque son téléphone sonna et qu'il reconnut le numéro, son estomac se crispa de plus belle.

— Vous souhaitez un café, monsieur ? demanda le serveur de l'autre côté du comptoir, dans un français parfait.

Christopher fit non de la tête, conscient qu'il était impoli, mais trop préoccupé pour s'en excuser.

Le numéro inscrit sur son téléphone était celui de Tomas Holm, le journaliste de *Morgenbladet* qui s'était mis en tête d'enquêter sur Sarah.

Christopher détestait cet homme qui le faisait douter de Sarah. Et, en même temps, il ne pouvait se contenter de lui raccrocher au nez en occultant la réalité : Sarah lui avait bel et bien menti en lui disant qu'elle s'était rendue dans le centre de réadaptation de Hemsedal à son retour d'Afghanistan. Et, désormais, il était déchiré entre l'envie d'en savoir plus et celle de tout oublier.

— Bonjour, monsieur Clarence. Tomas Holm.

— Je sais, dit Christopher.

— Je me permets de vous rappeler pour savoir si votre compagne vous en a dit plus sur son passage à Hemsedal…

Christopher ne sut quelle réponse choisir parmi toutes celles qui se présentaient au bord de ses lèvres. Il craignait de trop en dire, voire de se confier sur ses doutes. Il préféra retourner la question.

— Et vous ?

— Eh bien, vous comprenez, j'ai poursuivi mon enquête et j'ai découvert d'autres éléments troublants, reprit Tomas Holm. Mais je tenais à recouper mes sources avant. Peut-être que vous en savez désormais plus sur l'endroit où se trouvait réellement Mme Geringën

— Qu'avez-vous trouvé ? lâcha Christopher en s'en voulant déjà d'avoir parlé trop vite.

— Je tiens effectivement à vous en parler mais, avant, j'aimerais savoir si, de votre côté, vous pourriez m'éclairer…

— OK, lança Christopher en jetant le reste de son sandwich dans son assiette. Elle m'a dit qu'elle avait effectué ce stage de trois mois à Hemsedal. Donc, si elle me ment à moi aussi, c'est qu'elle devait travailler sur quelque chose de sensible. Je ne vais pas lui en vouloir de me tenir à l'écart de dossiers que sa hiérarchie lui demande certainement de garder confidentiels.

— Hum… je comprends, à votre place je serais aussi mal à l'aise face à une telle situation. Mais vous connaissez comme moi notre métier : la vérité avant tout.

Le tableau d'affichage de l'aéroport fit dérouler les nouveaux horaires et l'atterrissage du vol de Sarah fut annoncé. Elle n'avait certainement pas de bagages en soute et serait donc là d'ici une quinzaine de minutes.

— Pourquoi, c'est quoi votre théorie, Tomas ?

— Eh bien, j'ai le sentiment que Mme Geringën a effectivement profité d'une couverture de la part de sa hiérarchie, mais je me demande si cela a été fait dans le cadre d'une mission professionnelle ou personnelle.

— Parce que ses supérieurs prendraient le risque de mentir pour lui arranger une affaire privée ? Vous êtes sûr que vous n'allez pas un peu trop loin ?

— Peut-être. Mais il se trouve qu'après avoir quitté les forces spéciales, Mme Geringën a rejoint la police, comme vous le savez. Or, celui qui l'a fait entrer n'était autre que Stefen Karlstrom, son commandant en Afghanistan, à qui elle a sauvé la vie lors d'une embuscade à Faryab. Bref, quelqu'un qui lui était hautement redevable et qui, d'après quelques témoignages de policiers que je connais, a également toujours été sensible aux charmes de votre compagne.

Christopher avait envie de dire à cet homme que ses méthodes d'enquête étaient sales, qu'il pouvait aller se faire voir et ne plus jamais le rappeler. Mais, au fond, il savait que Holm déroulait une argumentation solide à l'appui de sa théorie. Malheureusement, ce journaliste faisait bien son boulot.

— En supposant que Sarah ait effectivement bénéficié d'un appui de son commandement, c'était pour faire quoi, selon vous ? Qu'est-ce que vous avez trouvé ?

Christopher redoutait tellement la réponse qu'une nausée se répandit en lui comme une tache d'huile rance.

— Comme vous le savez, je fais ce métier depuis pas mal d'années maintenant et mes contacts dans les services de police sont nombreux. J'ai demandé à certains d'entre eux s'ils avaient quelque chose sur Sarah Geringën, pour la période de février à avril 2013. Et c'est mon indic des services de surveillance des autoroutes qui m'a trouvé quelque chose.

— Punaise, Tomas, balancez l'information ! s'agaça Christopher en voyant un nouveau groupe de voyageurs à l'air fatigué passer les portes du hall d'arrivée.

C'était certainement le vol de Sarah et elle pouvait désormais arriver d'une seconde à l'autre.

— OK, répondit Tomas. Mme Geringën, dont le visage est automatiquement identifié par les caméras en tant que membre de la police, a été photographiée sur l'autoroute E39 au péage de Stavanger à 10 h 06, le

21 février 2013. Donc à plus de quatre cents kilomètres du centre de réadaptation de Hemsedal.

Alors que Holm terminait sa phrase, Christopher aperçut la chevelure rousse de Sarah parmi le flot de voyageurs. Un sac à dos sur une épaule, elle était vêtue d'un pantalon cargo et d'un sweat.

Leurs regards se croisèrent et Sarah fendit la foule à toute vitesse.

— Je vous rappellerai, Tomas.

— Je vous envoie la photo. Regardez sur la banquette arrière du véhicule.

Christopher raccrocha. Sarah devait être à une vingtaine de mètres et tâchait d'avancer le plus vite possible entre les chariots, les enfants et les gens qui se croisaient dans tous les sens pour aller à la rencontre les uns des autres.

Au moment où Christopher se leva pour aller la rejoindre, le cliché de la caméra de surveillance apparut sur l'écran de son smartphone et son attitude se figea. On reconnaissait distinctement Sarah au volant. Mais surtout on distinguait une ombre assise à l'arrière du véhicule.

Qui était-ce ? Où Sarah se rendait-elle avec cette personne ? Était-ce dans un cadre professionnel ou personnel, comme le redoutait Christopher ?

33

Christopher leva les yeux de son écran juste avant de sentir des bras l'enlacer, une poitrine se coller à son torse et des lèvres humides l'embrasser. En un éclair, il oublia tout, serra Sarah contre lui, l'embrassa à son tour avec une passion qui le surprit lui-même. Il avait l'impression qu'il aimerait cette femme quoi qu'il apprenne sur elle. C'est en tout cas ce qu'il espérait et redoutait à la fois.

— J'aimerais que ça dure toute la journée, murmura Sarah en plongeant son regard dans celui de Christopher, mais...

— ... notre chauffeur nous attend. On y va.

Main dans la main, ils se frayèrent un chemin jusqu'à la station de taxi et montèrent dans la Mercedes noire qui leur était réservée. Le chauffeur avait reçu pour consigne de démarrer tout de suite et de rejoindre Byblos le plus rapidement possible. Il s'exécuta en poussant une puissante accélération.

Sarah se cramponna d'une main à la poignée de sécurité et plaqua l'autre sur son sac à dos.

— C'est l'ordinateur de Katrina, précisa-t-elle. Pas question de l'abîmer.

— OK, mais j'ai quand même l'impression que tu fais plus attention à ce portable qu'à toi, répliqua Christopher en désignant le bleu qui maculait la pommette de Sarah.

— Ah ! ça, ce n'est rien du tout. J'ai glissé le long d'une falaise, à Vardø, à cause d'un oiseau. Ça aurait pu mal tourner, mais je m'en suis bien tirée.

Ils quittèrent la zone de l'aéroport et rejoignirent rapidement la route à double voie menant vers Byblos, désormais appelée Jbeil. Le chauffeur se faufilait entre les voitures.

Un soleil doré aux rayons rasants frappait les façades des immeubles qui auraient tout aussi bien pu être ceux d'une banlieue française si des palmiers et quelques murs de vieille pierre ne s'étaient pas intercalés de temps à autre parmi les blocs de béton.

— Avant de te dire pourquoi on est ici, j'ai quelque chose à te montrer, dit Christopher en tirant son téléphone de sa poche.

Il ouvrit son application de photos et présenta l'écran à Sarah.

— C'est de la part de Simon. Il a demandé à tes parents de le prendre en photo pour te l'envoyer.

Sarah sourit et Christopher vit ses yeux s'embuer alors que sa main se déposait délicatement sur sa bouche.

C'était un dessin représentant un hélicoptère à l'intérieur duquel était assise une femme aux cheveux roux qui semblait faire un signe de la main. À terre, un enfant et un adulte regardaient le ciel en agitant leurs mains. Une bulle de parole émanait de la bouche du petit garçon et disait : « Je ne veux pas que tu partes encore. » Au-dessus de la tête de l'adulte, une bulle traduisait ses pensées et Sarah pouffa de rire en lisant : « C'est encore moi qui vais faire tout le ménage pendant une semaine... »

— C'est donc à ça que tu penses vraiment chaque fois que je pars en mission ? s'amusa Sarah d'un air faussement sérieux.

— C'est même pire que ça, répliqua Christopher.

— Simon est un garçon vraiment exceptionnel. Je suis tellement désolée de ne pas pouvoir lui offrir toute la présence dont il aurait besoin.

— Ne t'inquiète pas, il sait que tu l'aimes, même en hélicoptère.

— Je vais lui répondre, dit Sarah en prenant le téléphone de Christopher.

Mais le taxi pila brutalement alors qu'un scooter venait de lui faire une queue de poisson.

Christopher et Sarah eurent le même réflexe de plaquer le bras contre le torse de l'autre pour lui éviter d'être projeté en avant. Ils se sourirent d'un air entendu et Christopher déplia une carte sur ses genoux.

Sarah envoya une réponse à Simon et se tourna vers Christopher.

— Maintenant, tu peux m'expliquer pourquoi on est venus ici ? Si loin du Kent, où se trouve la tombe 3666 ?

— D'abord, on ne va pas n'importe où. Byblos est en apparence un modeste port au bord de la Méditerranée, à une petite heure au nord de Beyrouth. Mais en réalité, Byblos est considérée comme le plus vieil endroit habité sur terre. Ou la plus vieille ville du monde, si tu préfères.

Sarah ne s'attendait pas à ça. Elle écouta Christopher avec encore plus d'attention, curieuse de comprendre ce qui rattachait cette ville ancestrale à son enquête.

— Autant te dire que ce qui se trouve là-bas est d'une valeur monumentale pour l'histoire humaine, reprit Christopher. C'est sur ce site que sont enfouies les plus vieilles traces de la civilisation humaine. Ses premières habitations, ses premiers repas, mais aussi ses premières croyances d'être civilisé.

Sarah hocha la tête, de plus en plus impatiente, oubliant son épaule qui cognait régulièrement contre la portière au gré des virages nerveux de leur chauffeur.

— D'après ce que l'on sait, reprit Christopher, Byblos a été fondée il y a environ sept mille ans, soit cinq mille ans avant Jésus-Christ. On ne sait pas trop qui étaient ses premiers habitants, mais on trouve des vestiges évidents des Phéniciens, qui en ont fait un port de commerce extrêmement actif d'où s'exportaient du vin mais aussi le fameux cèdre du Liban, réputé imputrescible.

— Et quel rapport avec…

— J'avais besoin de te dire ça pour que tu comprennes la suite. Tu te souviens que le squelette de la vieille femme retrouvé à côté de la tête de tau-reau avait l'index droit pointé dans une direction. En l'occurrence le sud-ouest.

Sarah approuva.

— Bon, pendant des années, les archéologues ont cherché ce qu'elle pouvait bien désigner. À l'époque, c'était un mystère. Mais il se trouve que, récemment,

314

de nouvelles fouilles ont été effectuées dans la région du Kent et l'on a retrouvé des restes d'amphores, des pièces en bois de cèdre provenant d'armature de bateaux et surtout des quantités de pièces de monnaie phénicienne, là où se trouvait donc très probablement un port.

— C'est cet endroit que la femme montrait du doigt juste avant de mourir… souffla Sarah. Un port. Elle voulait partir ?

— C'est ce que les archéologues ont commencé à se dire. Et cette nouvelle découverte leur a permis de trouver les financements pour approfondir leurs recherches sur le mystère de cette femme.

— En faisant quoi de plus qu'avant ? Ils avaient daté ses ossements et d'après ce que tu m'avais dit, elle ne portait aucun bijou ni reste de vêtements. Qu'est-ce qu'on peut faire de plus dans ces cas-là ?

— Nous serons à Byblos d'ici une demi-heure, lança le chauffeur alors que l'on apercevait la mer d'un bleu saphir entre deux immeubles.

— Plus qu'à espérer que Nassim Chamoun soit bien chez lui à cette heure, commenta Christopher avant de répondre à Sarah. Ce qu'ils ont fait de plus, c'est utiliser les procédés coûteux de l'archéométrie. En gros l'application de méthodes biologiques et physiques à l'archéologie.

— Comme quoi ?

— Ils ont analysé la composition isotopique de ses os et de ses dents.

Sarah avait des notions de biologie, surtout lorsque les méthodes en question faisaient partie du panel de la police scientifique. Mais elle voulait être certaine de comprendre tous les détails et Christopher le devina à son regard.

— Pour faire simple, au cours de notre vie, notre corps absorbe tout un tas d'éléments chimiques provenant de notre environnement naturel et de notre alimentation, expliqua-t-il en faisant des gestes pour désigner l'extérieur de la voiture. Et certains de ces composés chimiques viennent se loger dans nos os et nos dents, si bien qu'après notre mort ils forment une espèce de mémoire des endroits où l'on a vécu et des aliments que l'on a le plus consommés au cours de notre existence. On peut savoir si la personne a vécu dans un environnement sec, humide, près de la mer, dans le désert, on peut savoir quelles plantes elle a mangé, mais surtout on peut savoir si elle a voyagé.

Autant Sarah avait tout suivi jusqu'ici, retrouvant chez Christopher la pédagogie et la passion de l'explication du conférencier qu'il était et qu'elle adorait, autant elle ne voyait pas comment on pouvait déduire d'un corps mort qu'il avait voyagé.

— Et comment on fait ça ?

— En comparant la signature isotopique des dents et des os.

Un rayon de soleil perçant entre deux immeubles illumina soudain le visage de Sarah avec un tel éclat que Christopher en resta admiratif une seconde. Avec sa chevelure d'ambre, ses yeux bleus attentifs et ses taches de rousseur nimbées d'une lueur dorée, Sarah avait des allures de déesse. Mais un nuage obscurcit le ciel et le visage lumineux se fondit dans l'ombre, le regard glacé de Sarah fixant Christopher avec cette intensité qui intimidait tous ceux qui ne la connaissaient pas. À moins que ceux qui prétendaient la connaître aient malgré tout besoin de se méfier, pensa furtivement Christopher en revoyant la photo de Sarah prise au péage de Stavanger.

— Ça va ? demanda-t-elle à Christopher, surprise de le voir s'arrêter en pleine explication.

— Oui, oui... je disais donc qu'il fallait comparer les isotopes des dents et des os. Pourquoi ? Parce que l'émail dentaire, une fois formé, ne se renouvelle pas. Donc si l'on veut déterminer l'environnement des premières années de vie d'un individu, au moment où ses dents se sont formées, c'est-à-dire de zéro à trois ou quatre ans, on analyse ses dents. Là, on sait où il a passé sa petite enfance. Or, l'os, lui, est un tissu vivant qui se renouvelle en permanence lorsque nous grandissons et vieillissons. L'analyse isotopique de l'os reflète donc approximativement les dix à quinze dernières années de vie d'un individu.

— OK, donc si la signature isotopique des dents est différente de celle de l'os, cela veut dire que la personne a changé de lieu de vie.

— Exactement, et là où ça devient fou c'est qu'il existe des cartes mondiales des signatures isotopiques au cours des siècles. En gros, si je sais quel isotope et en quelle quantité tu as dans tes dents et dans tes os, je peux trouver sur une carte quand et où tu es né et quand et où tu as passé les dix ou quinze dernières années de ta vie.

Fascinée par cette technologie, Sarah n'en perdit pas pour autant le fil de son enquête.

— Et donc, si je comprends bien, l'analyse des dents de la femme de la tombe 3666 a montré qu'elle était née dans le Kent, mais qu'elle avait passé les dernières années de sa vie au Liban, à Byblos...

— Exactement, confirma Christopher. Quand elle désignait de son index le port situé au sud-ouest, ce n'est pas qu'elle voulait partir, mais repartir.

Sarah se laissa le temps d'assimiler les informations en regardant le paysage défiler.

— Tu penses que son exécution rituelle est liée à son voyage ici ? demanda-t-elle.

— C'est une piste... d'autant que parmi tous les squelettes retrouvés sur le site de Cliffs End Farm, elle seule présentait cette différence de signature iso-topique. Aucun autre n'avait bougé de ce village du Kent de toute sa vie.

— Qu'est-ce qu'elle est venue faire là ? Et pourquoi est-elle revenue en Angleterre si elle voulait absolu-ment retourner au Liban ?

— Quand on imagine la dangerosité d'un tel voyage à cette époque, on ne peut que conclure que cette femme avait une raison très importante de revenir chez elle en Europe après sa longue migration au Proche-Orient.

— C'est ce que ton contact doit nous apprendre ?

— Selon l'archéologue en chef du site de Cliffs End Farm, Nassim Chamoun aurait peut-être découvert la raison pour laquelle cette femme est venue ici et pour-quoi elle a été exécutée à son retour. Mais, comme je te l'ai dit, c'est à peine s'il n'a pas raccroché au milieu de sa phrase quand il m'a dit ça. Et puis il a bien insisté sur le fait qu'il ne connaissait pas les conclusions de son collègue et qu'il ne souhaitait d'ailleurs pas les connaître.

— Comme s'il avait finalement autant peur que Nassim, qui n'utilise qu'une adresse postale pour communiquer.

— Je t'accorde volontiers qu'il y a quelque chose d'obscur derrière tout ça.

— J'espère que ton contact acceptera de nous parler et que ça nous permettra de trouver le mot de passe de l'ordinateur de Katrina. D'ailleurs, je pense à un autre élément tout aussi énigmatique : la craie que la vieille femme tenait près de sa bouche, tu as pu en apprendre plus ?

— Non, mais je suis à peu près sûr que Nassim aura des éléments de réponse.

— Cet homme n'imagine pas à quel point il est notre dernière chance...

Ils venaient de passer devant un panneau indiquant l'entrée de Jbeil. Le chauffeur tourna à gauche pour quitter l'autoroute et rejoindre une plus petite route qui descendait vers la mer. Le béton laissa place à des pentes recouvertes de végétation verdoyante dont les dernières ramures bordaient une roche beige, léchée par une écume laiteuse.

Sarah baissa la vitre et un air tiède vint lui caresser le visage dans un mélange d'odeurs d'embruns marins et de saveurs boisées. Le contraste avec la dureté des terres glacées de Vardø lui procura un bref sentiment d'ivresse. L'espace de quelques secondes, elle sentit son corps se détendre et son âme aspirer à la sérénité. Mais au calme succéda une soudaine agitation. Le taxi venait de tourner dans une petite rue qui débouchait sur la grande place du marché de Byblos. Une foule grouillante circulait entre la multitude d'étals rouges, verts, orange, où des pyramides de courgettes, de tomates, de bananes ou de haricots rivalisaient de générosité.

— Nous sommes arrivés, avertit le chauffeur en coupant le moteur. Vous voyez la porte en forme d'arche derrière les caisses de poisson, c'est l'adresse que vous m'avez donnée. Bonne visite !

Christopher et Sarah saluèrent le chauffeur et émergèrent dans une explosion de tant d'odeurs que leur cerveau fut débordé. Aux effluves de poisson frais se mêlaient des notes épicées inconnues assaisonnées de charnus parfums d'agrumes, tandis que dans l'air flottait un lointain mélange de poussière de sable et de gouttelettes d'eau salée.

Autour d'eux, des hommes vantaient la qualité de leurs légumes à grand renfort de cris alors que des femmes vêtues de longues tuniques couvrant leurs cheveux choisissaient leurs produits avec soin, sans avoir l'air de prêter attention à l'agitation qui bouillonnait autour d'elles.

Sarah leva les yeux vers le ciel pour reprendre son souffle, mais sa vue fut obstruée par la toile de fils électriques tendus d'un immeuble à l'autre. Se sentant étouffée, elle se faufila en vitesse jusqu'à la porte cochère abritée sous des arcades, un peu à l'écart de la trépidation marchande.

Elle frappa alors que Christopher la rejoignait. Aucune réponse. Christopher tapa plus fort pour essayer de couvrir le bruit de la rue.

Finalement, on entendit la clenche d'une barre se soulever et la porte s'entrouvrit. Le visage d'une femme en train de réajuster son voile apparut dans l'embrasure. Elle devait avoir une cinquantaine d'années.

— Oui ?

— Bonjour madame, je m'appelle Christopher Clarence, je suis journaliste et je suis en train de préparer un reportage touristique sur Byblos et notamment sur le site archéologique. On m'a dit que M. Nassim Chamoun en était un spécialiste et qu'il pourrait m'aider.

La femme le toisa, jeta un coup d'œil rapide sur Sarah avant de revenir vers Christopher, les lèvres pincées.

— Mon mari est mort. Il y a deux mois.

34

Sarah sentit un fluide glacé se répandre dans ses veines. Leur seule chance de trouver le mot de passe de l'ordinateur de Katrina venait de s'évanouir.

Pris lui aussi au dépourvu, Christopher ne trouva pas les mots pour répondre.

— Adressez-vous à l'office du tourisme, ajouta la femme voilée avant de refermer la porte.

— Excusez-moi, intervint Sarah en bloquant le battant de son pied.

— J'appelle la police ! menaça la propriétaire des lieux.

— Je suis inspectrice de la police norvégienne, répondit calmement Sarah en présentant son badge. Je suis en charge de l'enquête sur le meurtre de notre Première ministre. Une affaire dont vous avez peut-être entendu parler...

La femme hocha brièvement la tête sans se départir de son air méfiant.

— Qu'est-ce que mon mari aurait eu à voir avec ça ?

— C'est un peu compliqué à expliquer, mais disons que nous cherchons à en savoir plus sur les recherches que votre époux faisait sur le site de Byblos, notamment à propos d'une théorie qu'il aurait développée sur le squelette d'une femme retrouvé en Angleterre, à Cliffs End Farm, pour être précise.

Sarah en était certaine, son interlocutrice avait pâli.

— Mon mari ne me parlait pas de son travail. Je ne pourrai rien vous dire.

— Mais peut-être que vous pourrez nous aider à trouver l'information. Cela pourrait sauver la vie d'au moins deux personnes, madame, insista Sarah.

— Vous disiez que vous étiez journaliste, répliqua la veuve en pointant Christopher du menton.

— Je suis véritablement journaliste, répondit Christopher en tendant sa carte de presse. Il se trouve que j'ai quelques connaissances en archéologie et je fais donc équipe avec l'inspectrice Geringën.

Puis il ajouta immédiatement.

— Madame, je sais que notre présence ici peut paraître absurde, mais je vous assure que tout cela est très sérieux. Je regrette que votre mari ne soit plus parmi nous et je comprends que cela ne soit peut-être pas agréable de l'évoquer auprès d'inconnus. Mais, pour tout vous dire, vous êtes notre dernière chance de trouver l'assassin de la Première ministre norvégienne et d'empêcher le meurtre de deux autres femmes.

La veuve de Nassim Chamoun scruta une nouvelle fois ses deux visiteurs et se résigna à ouvrir sa porte.

Ils s'installèrent dans le salon de ce sombre appartement d'une quarantaine de mètres carrés. Sarah avait déjà catalogué l'endroit et noté la présence d'une seule chambre tristement meublée et de quelques photos au-dessus de la cheminée. Dont celle d'une jeune fille qui ressemblait beaucoup à leur hôtesse.

— Je m'appelle Raïssa. Et voici mon mari, dit la femme en tendant un cadre photo posé sur un guéridon.

Christopher prit le cliché, sur lequel on reconnaissait la femme qu'il avait en face de lui aux côtés d'un homme très mince et grand au regard pétillant derrière de petites lunettes.

— Alors, que voulez-vous savoir ? demanda Raïssa Chamoun.

— Selon nos sources, votre mari aurait établi une hypothèse pour expliquer la mort d'une femme dont le squelette a été retrouvé à des milliers de kilomètres d'ici. Une femme qui aurait vécu à Byblos il y a de cela deux mille sept cents ans. Cela ne vous dit rien ?

La veuve haussa les épaules, le regard vide.

— Rien du tout. Comme je vous l'ai dit, Nassim ne parlait pas de ses travaux à la maison. Il disait qu'ici il voulait seulement profiter de sa famille et ne plus réfléchir.

— Je vais être un peu directe, prévint Sarah. Mais avez-vous gardé les affaires de votre époux ? Ce sur quoi il travaillait ?

— J'aurais aimé, mais il m'avait fait promettre de tout détruire s'il venait à mourir avant moi. Alors j'ai respecté son vœu. Il ne reste plus rien, j'ai tout brûlé. Dans cette cheminée, précisa Raïssa en montrant l'âtre noirci.

Sarah se demanda si elle n'allait pas se sentir mal.

— Il n'avait pas un bureau à l'université ? tenta Christopher.

— Si, mais j'ai fait le ménage là-bas aussi.

— Et vous n'avez même pas gardé un souvenir ?

— À part quelques photos de nous deux, non.

Sarah nota comme un trémolo dans la voix de la veuve. Quelque chose d'imperceptible à celui qui n'avait pas dix ans d'expérience d'interrogatoire derrière lui. Était-ce dû seulement à l'émotion provoquée par l'évocation des souvenirs de son mari ?

— Si vous me permettez, de quoi est mort votre époux, madame Chamoun ?

Raïssa posa une main devant sa bouche. Christopher le prit comme un geste destiné à réprimer une émotion, Sarah lui attribua une autre explication. Désormais, elle guettait chaque intonation de voix et chaque geste de cette femme visiblement mal à l'aise.

— Nassim a été agressé un soir, alors qu'il rentrait tard de l'université. Il avait fait l'erreur de garder son ordinateur portable à la main. D'après les témoignages, il aurait refusé de donner son ordinateur à une bande de cinq voyous. Ils lui ont pris de force et l'ont roué de coups. Ils l'ont laissé pour mort. Les urgentistes sont parvenus à le réanimer, mais il est décédé deux heures plus tard d'une hémorragie cérébrale.

Alors que Raïssa détournait la tête, Christopher se sentit gêné de faire remonter tant de souffrances chez cette femme. Mais Sarah, elle, tâchait d'observer le comportement corporel de leur interlocutrice dans son ensemble. Et le tressautement nerveux des jambes de Raïssa lui sembla incongru dans un tel moment. Pourquoi était-elle si nerveuse ?

— Vous étiez chez vous hier soir vers 20 heures ? la relança Sarah. Je demande ça parce que nous sommes passés et que personne n'a répondu.

— Quelle question. Oui, j'étais chez moi, je... je regardais la télévision comme tous les soirs à cette heure-là.

Christopher réprima un mouvement d'étonnement. Pourquoi Sarah inventait-elle une telle question ?

— Pourriez-vous nous donner le nom de collègues avec lesquels votre mari travaillait. Il leur parlait certainement de son travail, non ?

— Peut-être, mais j'en doute. Nassim était le seul dans sa spécialité, d'après ce qu'il m'avait dit, et comme il ne parlait pas de son métier il n'évoquait pas non plus ses collègues.

— Madame Chamoun, lança soudain Sarah d'une voix froide. Je ne vous juge pas, car vous avez certainement de bonnes raisons de le faire. Mais vous mentez.

Christopher se tourna, interloqué, vers Sarah. Même s'il connaissait sa compagne, il ne pouvait s'empêcher d'être surpris par sa façon de faire basculer un dialogue.

— Quoi ? Mais comment osez-vous me dire une chose pareille ? s'emporta la veuve en se levant. Vous débarquez chez moi, seulement deux mois après la mort de Nassim, j'ai la gentillesse de vous accueillir et vous me traitez de menteuse ! Allez-vous-en !

— Vous avez peur, madame Chamoun, répondit calmement Sarah en se redressant. Et la peur fait faire bien des choses que l'on ne ferait pas en temps normal. Si vous avez quelque chose à dire sur la mort ou les recherches de votre mari, c'est aujourd'hui que votre parole pourra sauver des vies et condamner un assassin misogyne. Un homme qui, un jour ou l'autre, réunira suffisamment d'adeptes pour que l'on s'en prenne à votre fille.

— Vos histoires de misogynie ou je ne sais quoi ne n'intéressent pas, madame l'inspectrice, proféra Raïssa en tendant son index droit devant elle. Veuillez sortir de chez moi et cessez de salir la mémoire de Nassim. Quel que soit le travail qu'il a accompli, je ne m'y suis jamais intéressée et ne m'y intéresserai jamais ! J'aimais mon mari pour ce qu'il était, pas pour ce qu'il faisait ! Quant à ma fille, elle est bien assez grande pour prendre soin d'elle toute seule ! Fichez le camp !

Christopher et Sarah tournèrent le dos à leur hôtesse et traversèrent le long couloir qui menait à l'entrée de l'appartement. Derrière eux, ils l'entendaient encore pester, la voix cassée. Et soudain, elle les dépassa en les bousculant et plaça la main sur le verrou. Sarah se tendit.

— Dans mon pays, et surtout dans ma famille, on m'a appris à ne jamais quitter des hôtes sur ce ton. Alors je vous souhaite bon voyage au Liban, conclut Raïssa en serrant la main à ses deux visiteurs.

Elle déverrouilla la porte et l'ouvrit alors que Christopher la regardait pour essayer de comprendre ce qui venait de se passer à l'instant. Mais la veuve l'ignora et claqua la porte.

— Il faut y retourner, elle sait quelque chose, vociféra Sarah en s'apprêtant à cogner de nouveau sur le battant.

Christopher la prit gentiment par le bras.

— Attends…

— On n'a pas le temps d'attendre, Christopher !

Mais, à son regard, elle sut qu'elle devait l'écouter.

Il s'arrêta derrière un pilier qui entourait la place du marché et prit les mains de Sarah dans les siennes avant d'ouvrir sa paume droite.

À l'intérieur reposait un tout petit bout de papier chiffonné.

— Elle me l'a déposé en me serrant la main, murmura Christopher.

Sarah n'en revenait pas. Mais elle se garda bien de manifester une quelconque excitation. Si Raïssa avait agi ainsi, c'était qu'elle tenait à ce que ce message, quel qu'il soit, reste secret.

Christopher saisit le morceau de papier du bout des doigts et le déplia. Une série de chiffres y avaient été griffonnés à la va-vite.

— Trente-quatre point vingt et un, trente-sept, soixante-seize, et trente-six point vingt-six, vingt-huit, zéro cinq, balbutia Christopher, incrédule.

Sarah laissa échapper un souffle de stupeur.

— Des coordonnées GPS.

35

Christopher entra les coordonnées sur son téléphone.

— C'est au nord-est d'ici, à côté de la petite ville de Hrabta. Ça a l'air complètement paumé.

Il montra à Sarah la photo satellite d'une bourgade cernée par une immense zone désertique en direction de la frontière syrienne. À quelques kilomètres encore plus au nord, le marqueur GPS était planté au milieu de nulle part.

— On peut y aller en voiture ?

— Oui, a priori, c'est à deux heures. Mais qu'est-ce qu'on va trouver là-bas ?

Sarah haussa les épaules. Trop d'hypothèses étaient envisageables.

Le marché s'était considérablement rempli et une foule grouillait désormais dans les allées.

Une jeune femme leur indiqua où trouver un loueur de voitures en leur précisant que ce commerçant était très bon marché.

Sarah s'apprêtait à suivre le chemin qu'on venait de lui indiquer quand elle se rappela que ni elle ni Christopher n'avaient remercié la jeune femme.

Elle se retourna pour lui dire merci et il lui sembla alors qu'un homme avec une casquette les observait de loin. Mais, à la seconde où elle l'aperçut, il s'arrêta devant un étal et serra la main au marchand en parlant à grand renfort de gestes. Les deux hommes avaient l'air de se connaître et elle se faisait certainement des idées. Mais elle préféra être prudente.

— Tu as retenu l'adresse du loueur ? demanda-t-elle à Christopher.

— Mouais, pourquoi ?

— Parce qu'il y a peut-être quelqu'un qui nous suit. Donc, tu vas partir à droite en marchant vite, et moi à gauche un peu après. Tu te planques dans n'importe quel endroit pendant au moins dix minutes et ensuite, seulement, on se rejoint chez le loueur. Je vais faire pareil de mon côté.

Christopher souffla. Il détestait ces moments-là.

— OK…

— Vas-y.

Christopher embrassa Sarah et obliqua vers la droite d'un pas rapide. En quelques secondes, il avait disparu dans la foule du marché et même Sarah ne le voyait plus.

Elle fit mine de tâter quelques pommes en jetant un œil en direction de l'homme à la casquette. Il était toujours en discussion avec le marchand. Elle s'arrêta devant un marchand d'étoffe et acheta une étole marron.

Puis elle se baissa soudainement, comme si elle avait fait tomber une pièce en payant, et évolua courbée entre la foule d'habitants venus faire leur marché. Elle en profita pour passer le foulard sur sa tête et se redressa progressivement avant d'entrer dans une boutique. Elle patienta une dizaine de minutes, puis ressortit. Elle ne vit nulle part l'homme qu'elle soupçonnait et fila en direction de l'adresse du loueur de voitures ; là elle retrouva Christopher, qui avait l'air de douter de l'intérêt de tous ces détours.

Vingt minutes plus tard, quelques provisions pour le voyage jetées sur la banquette arrière, ils entraient les coordonnées dans le GPS de leur véhicule tout terrain et filaient en direction du nord de Byblos.

— Comment as-tu su qu'elle nous mentait ? demanda Christopher en suivant avec attention la route sinueuse qui traversait des villages de plus en plus petits.

— Quand j'ai demandé si elle avait gardé un souvenir de son mari, et qu'elle a répondu non, l'intonation de sa voix a été brièvement moins affirmée. Ensuite, lorsqu'elle a expliqué la mort de Nassim, elle a commencé par mettre la main devant ses lèvres. Dans mes interrogatoires, j'ai souvent remarqué que les gens faisaient ça quand ils mentaient, comme s'ils voulaient éviter que la vérité ne sorte de leur bouche. Mais c'est lorsque j'ai cherché à savoir où elle était hier soir que j'ai su qu'elle nous avait menti pendant presque tout l'entretien.

— Comment ?

— Le mouvement de ses yeux.

Christopher ralentit l'allure pour laisser passer un berger qui traversait la route avec son troupeau de brebis et accéléra de nouveau.

— Sarah…

— Quand je lui ai demandé ce qu'elle avait fait hier soir, son regard s'est porté vers le haut, mais à droite. Et elle nous a dit qu'elle avait regardé la télévision.

— Donc ?

— Elle n'avait aucune raison de nous cacher ce qu'elle avait fait hier soir. Par conséquent, elle a seulement fait appel à sa mémoire pour nous répondre. Ce qui veut dire que, chez elle, la sollicitation mémorielle se traduit par un regard orienté en haut à droite. Or lorsqu'elle a décrit la mort de son mari, son regard était en permanence tourné vers le haut, mais à gauche. Et dans le cerveau, l'opposé de la mémoire, c'est l'imagination. Donc, Raïssa n'était pas en train de se souvenir de la façon dont son mari était mort, elle était en train d'imaginer ce qu'elle pouvait nous raconter. Bref, elle nous mentait.

— Tu crois que Nassim a été tué dans d'autres conditions ?

— Au début, je me suis dit que Raïssa était peut-être mêlée à sa mort, mais le fait qu'elle nous donne ces coordonnées change tout. Elle a peur de quelqu'un.

— Nassim n'aurait peut-être pas été victime d'une fortuite agression…

— Peut-être. C'est l'impression que ça me donne. Et puis, ça rejoint la défiance de l'archéologue que tu as contacté en Angleterre. Ce que Nassim a découvert doit être suffisamment important pour déranger certaines personnes aux bras longs. Et il est loin d'être exclu que ce soient les mêmes qui sont derrière l'assassinat de Katrina Hagebak.

— Peut-être que Raïssa a finalement gardé les affaires de son mari et les a cachées là où on va.

— Je nous le souhaite.

Ils entamèrent l'ascension d'une chaîne de montagnes aux flancs boisés, entrecoupés d'immenses prairies verdoyantes. Jamais on ne pouvait supposer qu'une centaine de kilomètres plus loin, au pied des massifs, s'étendait le désert. D'autant qu'en passant le col ils aperçurent le miroir des neiges éternelles frappées par le même soleil qui, en contrebas, asséchait les terres et brûlait les herbes folles.

Christopher conduisait vite, pressé par les heures qui filaient et la crainte que l'assassin ne découvre l'identité d'Ada et de Ludmila avant eux.

D'ailleurs, à un moment, ils crurent qu'ils étaient suivis par un autre 4 × 4 blanc. Mais, lorsqu'ils parvinrent à la descente serpentant désormais entre des collines pelées saupoudrées d'arbustes, le véhicule bifurqua vers une petite route annexe et ne réapparut pas.

Derrière eux, la barrière montagneuse au sommet nimbé de neige les dominait désormais de toute son écrasante hauteur, comme pour dire que tout retour serait impossible.

Avant le désert, ils traversèrent à toute allure une steppe inhabitée où le vent rabattait des touffes d'herbe par saccades, sifflant entre les jointures des portières de leur voiture. Mais, au loin, déjà, les nappes d'air huileuses flottaient au-dessus de l'horizon, annonçant la canicule du sable et des pierres fendues.

Plus ils avançaient, plus Sarah et Christopher se demandaient ce que Raïssa avait bien pu cacher si loin. Et à l'impatience succéda l'inquiétude. Si, au final, ils ne trouvaient rien qui puisse les aider ? Ou si, pire encore, il s'agissait d'un piège pour se débarrasser d'eux à l'abri des regards ? Ils avaient évoqué ces hypothèses au cours du trajet, mais, chaque fois, ils avaient tenté de se rassurer.

— Tu m'attendras dans la voiture, cette fois, précisa Sarah. Tiens-toi prêt à démarrer, avec ou sans moi, on est bien d'accord ?

— On verra, répondit Christopher. Et regarde bien mes yeux, tu verras que tu n'as aucune raison de me faire confiance.

Sarah secoua la tête et laissa échapper un petit souffle amusé. Christopher était aussi tendu qu'elle, sinon plus puisqu'il se savait plus vulnérable. Mais, contrairement à elle, il trouvait toujours la force de glisser un bref moment de complicité amusée entre eux. Pour cela, et bien d'autres choses, elle l'admirait.

Le bitume était maintenant mangé par la poussière ocre du désert de terre et de pierre. La climatisation du 4 × 4 soufflait à son maximum pour tenter de rendre supportables les 44 degrés qui martyrisaient la carrosserie. Sarah avala une nouvelle gorgée d'eau et tendit la bouteille à Christopher.

— Hrabta, dit-il en calant la bouteille d'eau entre ses jambes.

Au loin se dessinait une petite bourgade flanquée contre la pente d'une colline.

Christopher ralentit pour ne pas alerter les habitants. Ils pénétrèrent dans l'artère principale. Le bitume avait laissé place à une simple piste de terre, et les constructions de couleur beige étaient reliées les unes aux autres par des amas de fil électrique.

Les rues étaient dépeuplées et seuls un ou deux marchands de rue proposaient quelques légumes sur un étal ambulant. Personne ne semblait prêter attention à leur voiture recouverte de poussière, à l'image des quelques autres véhicules qu'ils croisèrent.

Roulant au pas, ils suivirent les indications du GPS, qui les conduisit en dehors de Hrabta jusqu'à désigner une destination qu'on ne pouvait atteindre qu'en quittant la route pour rouler à travers le désert.

Sarah fit un signe d'approbation à Christopher et ils s'engagèrent sur la croûte ocre parsemée de pierres et de buissons d'épineux.

Brinquebalés en tous sens, ils progressaient lentement, guettant une habitation, un signe de vie quelconque. Jusqu'au moment où ils discernèrent le toit d'une petite habitation dans un creux du paysage.

Christopher coupa le moteur.

— Pour nous deux, reste dans la voiture, lui suggéra Sarah. On ne sait jamais.

— Ressors vite pour me dire ce que tu as trouvé, OK ?

Sarah acquiesça et ouvrit la portière.

L'affolante température la ceintura. Son cœur se mit immédiatement à battre plus vite, ses yeux ne furent plus que deux fentes, pas tant pour se protéger du soleil que du souffle brûlant qui les faisait pleurer.

Le craquement de ses pas sur le sol crevassé s'envolait dans l'air, comme porté par le silence et la brise de fournaise.

Pas un bruit alentour ni en provenance de la maisonnette.

Sarah se retourna vers Christopher, qui la scrutait depuis la voiture, puis cogna à la porte. Pas de réponse.

Elle frappa à nouveau.

On entendit alors des pas lents approcher, comme si quelqu'un montait un escalier avec peine. Le battant s'ouvrit enfin sur le visage d'un vieil homme à la peau tannée. Il regarda Sarah sans rien dire.

— Je suis l'inspectrice Sarah Geringën. Raïssa Chamoun m'a donné ça…

L'homme âgé prit le papier où les coordonnées avaient été notées, chaussa des lunettes qui pendaient à son cou puis s'effaça.

La porte s'ouvrit sur un palier qui donnait directement sur une volée de marches s'enfonçant dans le sol.

— Je m'appelle Khalil, dit le vieil homme en passant le premier.

— Mon mari est avec moi, précisa Sarah.

Khalil ouvrit les bras en signe d'attente.

Sarah fit signe à Christopher de venir et il les rejoignit.

Ils apprécièrent tous les deux la baisse de température au fur et à mesure de leur descente.

Ils atteignirent bientôt une large pièce souterraine éclairée par un puits de lumière.

On y trouvait une table encombrée de livres, une espèce de placard à étagères où étaient rangés des ustensiles de cuisine et un lit calé au fond de la pièce. Sur la gauche, une tenture était pendue au plafond et semblait dissimuler l'entrée d'une autre pièce.

Khalil souleva le pan de tissu et leur fit signe d'entrer.

Une odeur très forte d'épices ou d'onguents assaillit leurs narines. Dans la semi-obscurité, un homme était allongé sur un lit. On entendait sa respiration, rapide, douloureuse.

Christopher approcha le premier et, sous le masque d'un visage maigre épuisé par la douleur, il distingua

338

les traits de l'homme qu'il avait vu sur la photo aux côtés de Raïssa.

— Nassim Chamoun….

Sarah fit un pas en avant en entendant Christopher. À son tour, elle n'en crut pas ses yeux.

L'homme tourna lentement la tête, découvrant une longue cicatrice qui décrivait un arc de cercle d'un bout à l'autre de la gorge.

— Il entend à peine, il est aveugle et ne peut plus parler, glissa le vieil homme. Mais, comme vous pouvez le constater… il est en vie.

Choquée par le contraste entre le cadavre vivant qu'elle avait devant elle et l'homme souriant à l'œil pétillant qu'elle avait vu sur la photo, Sarah chercha un endroit où s'asseoir pour se donner un peu de contenance.

— Qu'est-ce qui s'est passé ? demanda Christopher.

— Je ne sais pas quelle histoire a inventée Raïssa cette fois, reprit celui qui semblait s'occuper du malade, mais la vérité est que Nassim a été assassiné. Cela s'est passé chez lui, dans sa demeure, il y a deux mois. Son meurtrier lui a arraché les paupières pour que Nassim lui livre l'ensemble de ses recherches concernant l'histoire du site de Byblos.

Le vieil homme trempa un linge dans une cuvette d'eau et épongea le front de Nassim avant de reprendre son récit.

— Ensuite, il a menacé de s'en prendre à sa femme et à sa fille s'il venait à apprendre que Nassim ne lui avait pas donné l'intégralité de son travail. Puis il l'a traité de traître à la cause des hommes et de notre civilisation et lui a tranché la gorge. Il l'a laissé pour mort.

Khalil essora le linge humide dans un ruissellement aux résonances métalliques et déposa une crème sur le bout de ses doigts avant de l'appliquer avec précaution sur la cicatrice de Nassim.

— C'est Raïssa qui l'a découvert en rentrant plus tôt du travail. Nassim a été transporté aux urgences et, par une chance inouïe, les médecins ont réussi à le sauver. Mais Nassim a décidé de faire croire à tout le monde qu'il avait succombé à ses blessures. Il craignait bien trop que le tueur ne revienne et ne s'en prenne cette fois à sa femme et à sa fille. Il vit ici depuis deux mois et je m'occupe de lui. Vous êtes la première étrangère à lui rendre visite. Raïssa a dû vraiment avoir confiance en vous.

Sarah remercia Khalil et lui expliqua la raison de sa présence. Elle évoqua le meurtre de la Première ministre et le lien possible avec la défunte de la tombe 3666 de Cliffs End Farm.

Nassim s'agita et émit un râle en tapotant la main de Khalil.

— Nassim me dit qu'il veut en savoir plus. Soyez plus concrète, madame Geringën, s'il vous plaît. Que cherchez-vous exactement ?

— Pourquoi la femme de la tombe 3666 a-t-elle été exécutée dans un tel rituel, et cela pourrait-il avoir un rapport avec sa venue à Byblos comme l'étude des signatures isotopiques le prouve ? intervint Christopher. Un archéologue de Cliffs End Farm m'a dit que vous aviez établi une théorie sur la question. Nous aimerions la connaître. Cela pourrait nous aider à retrouver l'assassin et à sauver la vie d'au moins deux femmes qui sont sur sa liste.

Khalil recula un instant en laissant échapper un long soupir.

— Je regrette, je n'ai jamais voulu savoir sur quoi Nassim travaillait avant d'être victime de cette tentative d'assassinat. Pour mon bien et celui de mes proches. Et je crains que Nassim ne soit plus en mesure de vous expliquer quoi que ce soit…

Mais l'ancien professeur agonisant fit un signe qui pouvait ressembler au mime d'une main en train d'écrire.

Khalil lui tendit un crayon ainsi qu'une petite feuille de papier tirée d'un bloc qui devait parfois leur servir à communiquer.

Aux aguets, Sarah chercha à lire, mais elle ne comprit pas ce qui était écrit.

Lorsque Khalil lut le papier, il parut surpris.

— Tu es sûr, Nassim ?

Le chercheur meurtri ouvrit la main deux fois.

— Soit.

Khalil donna le papier à Sarah et Christopher.

Dessus était écrit quelque chose en arabe.

— Cela veut dire « mon papillon éternel ». C'est comme ça que Nassim appelle sa fille Naïma. Seuls elle et lui connaissent ce surnom. Si vous lui donnez ce papier, elle saura que c'est son père qui vous envoie. Elle est guide sur le site archéologique de Byblos. Vous la trouverez là-bas jusqu'à 19 heures environ.

— Et ? hésita Sarah.

— Naïma est la seule à qui Nassim a confié l'intégralité de sa découverte. Elle saura répondre à toutes vos questions et vous livrera la vérité sur ce qui est, semble-t-il, bien plus qu'une théorie.

— Merci, répondit Sarah en touchant le bras de Nassim du bout des doigts.

— Si je peux me permettre, inspectrice, ajouta Khalil, soyez très prudente.

— Quelque chose que vous auriez oublié de me dire… ?

— Après la tentative d'assassinat de Nassim, nous avons appris la mort subite de deux autres chercheurs. Ils travaillaient tous les deux sur la même thèse que Nassim.

36

— Madame Chamoun, c'est un de mes camarades qui a rendu visite à votre mari il y a deux mois, dit Stieg en jouant avec un long couteau de combat. C'est moi qui lui ai enseigné une partie des traitements qu'il a réservés à Nassim. Donc, un conseil, parlez et nous n'aurons pas besoin d'en arriver à ces extrêmes.

Ligotée sur une chaise, bâillonnée, l'œil droit gonflé comme un œuf, le nez brisé, coulant de sang, Raïssa Chamoun tremblait de tout son corps meurtri.

— Qu'est-ce que l'inspectrice et le journaliste vous ont demandé, et que leur avez-vous dit ? répéta Stieg Anker en retirant le bandeau de la pauvre femme.

— Que Nassim était mort… que je n'avais jamais rien su de ses découvertes et qu'ils pouvaient aller au diable ! cracha Raïssa.

Stieg Anker s'impatientait. Agacé d'avoir été semé sur la place du marché, il n'avait plus que cette femme pour retrouver l'inspectrice et le journaliste. Il lui remit son bâillon.

Et, de la pointe aiguisée de son arme, il incisa la poche de sang qui avait gonflé sous l'œil de sa victime.

Raïssa secoua la tête en poussant des hurlements étouffés.

— Voilà, vous me verrez mieux comme ça, dit Stieg, et vous saurez donc que je ne m'arrêterai pas tant que vous n'aurez pas dit la vérité. Après vous avoir parlé, j'ai continué à suivre vos deux visiteurs. Ils ont loué une voiture. Pour aller où ?

L'assassin s'empara cette fois d'une tige en bois pointue, comme une pique de Mikado. Il l'approcha de l'oreille de Raïssa, l'enfonça dans le conduit et imprima une pression progressive en serrant fermement le crâne de sa victime pour qu'elle ne se débatte pas.

— Bientôt le tympan sera percé… et je m'attaquerai au suivant.

Le sang coula le long de l'oreille au moment où Stieg appuyait d'un coup sec sur la tige de bois taillée en pointe.

Un cri guttural proche d'un vomissement filtra à travers le bandeau de tissu qui cisaillait la commissure des lèvres de Raïssa.

Elle tourna de l'œil. Stieg la gifla.

— Que leur avez-vous dit ? glissa-t-il.

Il montra la tige ensanglantée à sa proie et l'approcha de l'autre oreille.

Raïssa sembla vouloir dire quelque chose.

Stieg la débâillonna.

— La découverte de Nassim sur la dame de Byblos. C'est ça qu'ils cherchaient… bredouilla-t-elle.

— Bien… Où sont-ils allés ensuite ?

— Je ne sais pas. Pitié…

Stieg Anker replaça le bâillon, contourna Raïssa pour se placer dans son dos et déchira sa tunique.

Partant d'entre les omoplates, il découpa la peau de sa victime sur une dizaine de centimètres tout le long de la colonne vertébrale. Quand la pointe de son arme finit par frotter sur les vertèbres, il joua avec la lame du couteau entre les interstices de deux vertèbres dorsales, à la façon d'un artisan qui chercherait à décoller deux morceaux de bois en faisant levier avec un tournevis.

Raïssa se cambra si brutalement pour échapper à l'intolérable douleur que tous les muscles de son dos se crispèrent en une crampe qui la paralysa.

— Où leur avez-vous dit d'aller ? répéta Stieg. Dites-le-moi et je vous assure que toute cette douleur cesse immédiatement.

Raïssa était désormais secouée de spasmes, mais elle demeurait muette.

De rage, Stieg Anker lui asséna un coup de poing qui lui fit éclater la pommette. Puis il regarda autour de lui et commença à vider les placards et les tiroirs du salon. Il éplucha chaque document, chaque photo pendant plus d'une demi-heure, alors que Raïssa poussait des râles de souffrance. Et soudain, il s'arrêta, l'œil luisant de victoire. Sur un cliché, on voyait Nassim aux côtés de sa fille affichant fièrement son diplôme de guide de Byblos. Derrière, était écrit : « À ma fille, qui un jour prendra ma place. »

— C'est elle qu'ils sont allés voir, souffla Stieg dans le cou de Raïssa. N'est-ce pas ?

La pauvre femme, qui n'y voyait plus très clair, nia d'un mouvement de tête.

— Ça ne peut être qu'elle… continua Stieg en regardant intensément la photo.

Il trancha la gorge de Raïssa dont la tête retomba sur la poitrine.

Puis il nettoya le salon partout où il avait pu laisser des traces et alla se laver les mains et le visage dans la salle de bains à toute vitesse.

S'il voulait obtenir l'intégralité du mot de passe qui déverrouillerait les fichiers de la Première ministre, il devait faire parler l'inspectrice et son journaliste juste après qu'ils se seraient entretenus avec la fille de Nassim. Et avant qu'ils n'aient le temps de découvrir et de prévenir la deuxième associée de Katrina Hagebak.

37

Sarah conduisit à toute allure sur le trajet de retour vers Byblos.

Pendant ce temps, Christopher en profita pour appeler Simon et prendre de ses nouvelles.

— Ça va, chéri ? demanda-t-il en entendant la petite voix du garçon.

— Oui… on va aller dîner.

Christopher avait mis le haut-parleur.

— Qu'est-ce que vous allez manger de bon ? lança Sarah.

— Grand-mère, on mange quoi ? cria Simon.

On entendit une voix féminine répondre avec un fort accent norvégien.

— Du poisson avec des pommes de terre et des myrtilles à la crème fraîche en dessert.

— Oh non ! pas du poisson ! souffla Simon. C'est le pire menu de ma vie, chuchota-t-il.

Sarah sourit. Sa mère n'était pas la meilleure cuisinière de Norvège, mais elle avait toujours veillé à ce que ses enfants mangent sainement. Et elle appliquait la même recette à Simon, qu'elle avait immédiatement adopté comme son petit-fils.

— Tu te souviens de ce que je t'ai dit pour le poisson, dit Christopher. Moi aussi, je détestais ça petit et, encore aujourd'hui, j'ai du mal. Mais, un jour, j'ai compris à quel point c'était bon pour mon corps et mon cerveau et j'ai décidé de l'avaler comme un bon médicament…

— Mouais, super, ton conseil. Vous êtes où ?

Christopher regarda autour de lui le désert ocre bordé de montagnes aux neiges éternelles. L'horizon était déformé par les vagues de chaleur qui s'échappaient de la terre brûlée par le soleil.

— On est loin, chéri… et la seule chose que je puisse te dire, c'est qu'il fait plus chaud qu'à Oslo.

— Vous rentrez quand ?

Christopher consulta Sarah du regard. Elle haussa les épaules, l'air navré de ne pouvoir lui apporter une réponse.

— D'ici deux jours, je pense. Mais tu nous manques tellement, tu sais !…

— Mm…

— On va s'organiser pour que Sarah et moi, on ne reparte plus jamais ensemble comme ça, OK ?

— Mm… Vous allez attraper ceux qui ont tué la ministre, c'est ça ?

— Euh… je ne sais pas comment tu sais ça, mais oui, Sarah travaille sur cette enquête parce que c'est la meilleure. Et moi, je l'aide.

Sarah fit comprendre à Christopher qu'elle voulait parler à Simon.

— C'est moi, chéri. Normalement, je ne devais plus travailler sur des enquêtes comme ça, qui m'emmènent loin. Mais là, comme tu l'as compris, il s'est passé quelque chose d'exceptionnel et ils ont voulu que je m'en occupe.

— Tu sais qui a tué la ministre ? Parce qu'à l'école, tous les enfants disent que tu sais, mais que tu ne peux pas le dire.

— Non, je ne sais pas encore, c'est la vérité. Mais je vais trouver, ou plutôt on va trouver, parce que sans ton papa, je ne serais même pas fichue de gagner au Cluedo.

On entendit Simon souffler de rire et Sarah sentit un immense bonheur partir de son ventre et irradier sa poitrine.

— Grand-mère dit qu'il faut que je vienne dîner.

— Alors, vas-y. Et une fois encore, promis, c'est la dernière fois qu'on se quitte si longtemps, d'accord ?

— D'accord…

— Je t'aime chéri, termina Sarah.

Christopher reprit le combiné.

— Allez, va vite manger tes spaghettis à la bolo-gnaise.

— C'est pas drôle…

— File, je t'aime, mon grand lutin.

— Bisous.

Christopher raccrocha en regardant son téléphone comme s'il s'agissait d'une photo du petit garçon.

— Ça va ? lui demanda Sarah.

— Oui, oui, répondit aussitôt Christopher pour mas-quer son malaise.

Cet appel lui avait confirmé le sentiment diffus qui le tourmentait depuis son départ d'Oslo : sa place n'était pas là, à l'autre bout du monde, à traquer l'assassin de Katrina Hagebak. Elle était, sans équivoque, auprès de Simon.

Mais il ne pouvait décemment pas en parler à Sarah maintenant, en plein cœur de leur enquête. Pour ne rien laisser transparaître de la soudaine évidence qui l'agitait, il parla vite de Simon et de son heureuse évolution depuis les traumatisants événements de l'année précédente.

Attentive aux réactions de toutes les personnes qui l'entouraient, et plus encore de celles qu'elle aimait, Sarah perçut tout de suite le malaise de Christopher. Elle donna le change en répondant comme si elle n'avait rien remarqué. Peut-être par peur de créer une situation gênante, ou peut-être par égoïsme. Elle aurait dû lui dire que cette enquête était, au fond, la sienne, que c'était son métier, qu'elle n'aurait pas dû l'embarquer là-dedans et qu'il fallait qu'il rejoigne tout de suite leur petit garçon. Mais elle avait tant besoin de Christopher à ses côtés...

Chacun dissimulant à l'autre son véritable état d'esprit, ils eurent à peine le temps de se mentir qu'ils étaient déjà arrivés.

À 18 h 05, Sarah garait leur 4 × 4 de travers sur le parking du site archéologique.

Elle relâcha un instant la tension de ses muscles et apprécia la main réconfortante de Christopher qui lui massa la nuque. À la pression immédiate de l'enquête s'ajoutait une crainte supplémentaire. La mort des deux chercheurs qui travaillaient sur le même sujet que Nassim était sans guère de doute le fait de la même organisation qu'elle traquait. Ce qui révélait une ambition meurtrière d'une ampleur encore plus étendue que ce qu'elle redoutait.

— Regarde, dit Christopher. Ça va te faire du bien…

Devant eux s'ouvrait une vue qui les projeta à une époque où les collines qu'ils avaient traversées pour arriver ici ne comptaient aucune habitation, aucune route, seulement des forêts et des prairies sillonnées de quelques sentiers à l'ombre d'immenses cèdres. Des sentiers qui menaient tous à la cité de Byblos, dont les vestiges s'étendaient devant eux sur une avancée de terre brune plongeant dans la mer.

Christopher sortit de la voiture, ébahi. Sarah claqua la portière derrière elle et rabattit une mèche de cheveux soulevée par une brise tiède.

Au premier coup d'œil, on remarquait les cyprès fuselés aux allures italiennes, et une imposante bâtisse de grosse pierre dont le toit orange se découpait sur l'azur du ciel.

Mais, très vite, l'œil se promenait avec fascination entre les ruines qui s'entrecroisaient comme autant de témoignages d'édifices et de ruelles d'une cité grouillante de vie et de croyances. Car, au moins en deux endroits, de majestueuses colonnes jaillissaient du sol parmi les herbes jaunes brûlées par le soleil, révélant au visiteur la présence d'un temple au cœur du port marchand de la plus vieille ville du monde.

Encouragé par le ciel d'un bleu parfait, l'esprit n'avait pas un grand travail à fournir pour imaginer les Phéniciens tirant ici un chariot chargé de tonneaux de vin à destination de l'Égypte, là des menuisiers

occupés à tailler les planches de cèdre qui fabrique-
raient la coque de leurs puissants navires ou encore les
prêtres et prêtresses célébrant les cérémonies de leurs
divinités au sein de sanctuaires aux colonnes ocres.

— Sarah, commença Christopher d'une voix exci-
tée. Regarde là !

Il désignait l'une des zones parsemées de piliers en
ruine.

Sarah eut beau chercher, au-delà de la splendeur du
site, elle ne vit pas ce qu'il y avait de si enthousiasmant.

— Les restes de la bâtisse juste en face de la mer…
regarde bien leur tracé vu de haut.

Sarah plissa les yeux pour gommer les détails et
saisir les grandes lignes du panorama. Et, cette fois,
l'évidence lui sauta aux yeux. Les allées bordées de
murets et de colonnes effondrées qui bordaient la mer
formaient exactement le même plan de rectangles
enchâssés les uns dans les autres que celui tatoué dans
le dos de Katrina Hagebak.

Alors que Christopher marmonnait des paroles de
satisfaction mêlée d'incrédulité, Sarah avait déjà classé
l'information dans un coin de sa tête pour repérer les
lieux d'un œil professionnel.

Elle n'oubliait pas que s'ils avaient été en mesure
de trouver cet endroit, leurs ennemis en étaient tout
aussi capables.

Le terrain était accidenté, donc périlleux en cas de
course, strié de petits chemins bordés de temps à autre
de bosquets épineux et même de touffus arbustes aux
fleurs rosées. Autant de moyens de se dissimuler.

Pourtant, le site était quasi désert. Sarah avisa deux
couples qui déambulaient entre les ruines, appareil

photo en main, un groupe de trois adolescents un peu plus bruyants qui prenaient des selfies tous les dix mètres et deux vigiles armés qui surveillaient les ruines en marchant. Elle remarqua aussi un petit attroupement d'une dizaine de personnes qui suivaient les explications d'une jeune femme parlant avec de grands gestes.

— Là ! Naïma ! Prêt ? demanda-t-elle à Christopher dont elle savait qu'il était encore en train de voir sept mille ans d'histoire humaine défiler devant ses yeux.

— Oui… je l'ai vue aussi. Allons l'attendre près de la maison au toit orange. Il me semble avoir lu quelque part que c'était le départ et le retour de toutes les visites du site.

Christopher s'engagea le premier sur le sentier menant à l'intérieur de l'enceinte du site archéologique.

L'air était doux, il régnait un calme apaisant, bercé par des chants d'oiseaux inconnus et le ressac somnolent de la mer. Mais Sarah se sentait nerveuse. Qu'allaient-ils apprendre de si dérangeant de la bouche de cette universitaire ? Et que se passerait-il si les choses tournaient mal ? Elle avait pris soin de réserver son billet avec sa propre carte de paiement et non celle de son travail. Et en tant que seule maîtresse à bord sur cette enquête, elle n'avait eu besoin de rendre compte à personne de son voyage. Mais Jens Berg avait le bras long et elle n'avait aucun moyen de savoir ce qu'il connaissait de ses déplacements.

Sous son apparente froideur, l'anxiété la gagna. Cette fois, elle n'était pas seule et, surtout, elle n'était pas armée, faute d'avoir eu le temps d'effectuer toutes les démarches administratives nécessaires au transport aérien d'une arme de service.

Elle scruta une dernière fois l'endroit sans rien remarquer de particulier, passa le sac à dos contenant l'ordinateur de Katrina Hagebak sur son ventre et descendit à son tour le chemin de terre qu'avait emprunté Christopher.

— C'est amusant de penser que des sites comme les pyramides d'Égypte ou les temples mayas sont saturés de touristes tout au long de l'année, analysa Christopher en contournant un muret envahi par la végétation, alors que les vestiges de la plus ancienne cité de l'humanité sont pratiquement déserts, inconnus du grand public, perdus dans ce petit port du Liban. Si je n'avais pas fait cette recherche pour toi, jamais je n'en aurais entendu parler...

Sa voix se perdit dans le silence des vestiges, troublé par le paisible bourdonnement d'abeilles butinant le pollen des essaims de fleurs sauvages.

Sarah aurait aimé se laisser porter par l'atmosphère antique et suave du lieu, mais l'urgence de l'enquête interdisait tout plaisir. Elle guettait la jeune guide, attendant le moment où elle terminerait sa visite.

— Et si elle n'accepte pas de nous parler malgré le mot de son père ? pensa tout haut Christopher.

— Elle ne refusera pas. J'en suis sûre.

Ils s'écartèrent pour laisser passer un couple dont la femme portait un foulard et l'homme une casquette.

— *Choukran*, dit la femme avant de baisser les yeux.

Christopher répondit d'un petit signe de main.

Ils grimpèrent une volée de marches usées par les millénaires et parvinrent à un petit plateau qui surplombait la mer. À quelques mètres devant eux, la terre jaune et poussiéreuse se muait en roche blanche caressée par une mer passant de l'émeraude côtier au bleu profond du large.

— Regarde, là-bas ! lança Christopher, émerveillé.

À leur droite, derrière un vieux cyprès ondulant sous la brise, se dessinait la forme en arc de cercle d'un ancien théâtre romain face à la mer. Sur la scène qui surplombait le vide, un des adolescents mimait un acteur déclamant outrageusement sa tirade, sous l'œil hilare de ses compagnons assis dans les tribunes.

À quelques mètres, l'un des vigiles du site remontait lentement le chemin dans leur direction, les bras croisés dans le dos.

— *Masa el kher*, dit-il en passant à côté d'eux.

— Bonsoir, répondit Christopher avec un signe de main appuyé pour compenser le silence de Sarah, concentrée sur le pistolet, la matraque et le talkie-walkie que le gardien portait à la ceinture.

— Elle arrive, dit-elle soudain en voyant le groupe de touristes revenir dans leur direction.

Le rythme cardiaque de Sarah accéléra d'un cran. À l'instar de celui de Christopher.

— Excusez-nous. Accepteriez-vous de nous prendre en photo ?

Christopher et Sarah reconnurent le couple qu'ils avaient laissé passer quelques minutes plus tôt sur un chemin étroit. C'était l'homme qui avait parlé et il semblait gêné de les déranger.

Tout en surveillant la progression de Naïma, Sarah les observa du coin de l'œil. Le mari avait un pansement sur la joue gauche et il portait un étui à appareil photo en bandoulière.

— Euh, en fait ce n'est pas trop le moment, répondit poliment Christopher, nous attendons quelqu'un et…

— Désolée, trancha Sarah.

— Ah… laissa échapper la jeune femme, l'air profondément triste. J'aime tellement le français et il se fait rare chez nous, alors j'aurais été très fière que ce soit un Français qui nous prenne en photo, mais ce n'est pas grave.

Christopher se sentit penaud. À son rythme, Naïma ne serait pas là avant deux ou trois minutes.

— Bon allons-y, dit-il.

— Oh, *choukran*, merci mille fois !

Le mari serra sa femme par l'épaule, l'air heureux.

— Est-ce qu'on peut faire la photo, là-bas, juste à côté du palmier ?

L'homme venait de désigner un arbre poussant entre deux murailles en ruines, à environ cinq mètres.

Sarah soupira et fit signe à Christopher de faire vite.

Alors qu'ils s'éloignaient, l'homme au pansement sortit son appareil photo avec précaution de son étui.

— C'est un peu à l'ancienne, hein, dit l'homme en anglais. Mais il fait de bien plus belles photos que tous ces smartphones ! ajouta-t-il en riant. Donc il faut regarder dans le viseur et appuyer là.

Arrivé près du palmier, le couple grimpa sur une pierre plate, tout sourire.

Christopher recula de plusieurs pas, porta l'appareil près de son visage et prit trois photos.

— C'est bon !

— Ah ! merci beaucoup ! dit la femme en redescendant. C'est vraiment très gentil.

Christopher rendit l'appareil photo au mari, qui le rangea aussitôt dans son étui.

— Merci beaucoup, Christopher Clarence, murmura l'homme.

Christopher se figea. Tout sourire avait disparu du visage de l'homme.

— Avant de faire quoi que ce soit, écoutez bien ce que je vais vous dire : en plaçant l'appareil photo devant votre visage, vous avez absorbé une bactérie mortelle. Quelque chose de proche du bacille du charbon, improprement appelé anthrax. Les toxines qui sont déjà dans votre organisme vont rapidement provoquer un étouffement douloureux, suivi d'une septicémie et d'une méningite hémorragique fatale. Sauf si l'on vous donne le bon antibiotique, à temps. C'est-à-dire dans moins de soixante minutes.

Déconcerté, Christopher tourna la tête vers Sarah. Elle était concentrée sur l'universitaire qui approchait et ne prêta pas attention à lui.

— Ne la regardez pas et faites comme si tout était normal, ou vous mourrez. Ne songez même pas à vous rendre dans un hôpital. Le temps qu'ils identifient la bactérie, donc l'antidote, il sera trop tard pour vous sauver.

— Qu'est-ce que vous voulez ? siffla Christopher entre ses dents.

— Chérie, viens voir les photos, elles sont superbes ! enchaîna Stieg Anker à l'attention de sa fausse épouse.

La jeune femme se plaça devant Christopher pour gêner la vue de Sarah.

— Vous allez trouver un prétexte crédible pour vous éloigner et laisser votre compagne ici. Si vous faites ce que je vous dis, vous serez sauvé. Dans le cas contraire, Mme Geringën sera veuve avant la tombée de la nuit. Dernière précision, je n'ai pas l'antidote sur moi… toute violence à mon égard serait vaine.

Terrassé par l'angoisse, Christopher envisagea un instant qu'il pouvait s'agir d'un bluff. Mais l'assassin de Katrina Hagebak était associé avec le ministre de l'Intérieur et la détention de bactéries hautement toxiques était donc tout à fait probable.

Du coin de l'œil, Christopher aperçut Naïma Chamoun arriver sur le plateau du site et se diriger vers Sarah, qui lui avait fait un petit signe de la main pour lui dire qu'elle voulait lui parler.

— Vite, monsieur Clarence, siffla Stieg entre ses dents en serrant la main de Christopher pour donner l'impression qu'il le remerciait.

Christopher avait l'impression de vivre un cauchemar éveillé. Cette situation lui paraissait irréelle. Et la panique atteignit son apogée quand Sarah se tourna vers lui, stupéfaite de le voir encore avec ces deux touristes à un moment si crucial de l'enquête. Elle allait se douter de quelque chose. Il fallait trouver un moyen de la rassurer.

— Je viens de recevoir un SMS de tes parents ! cria Christopher soudainement. Il y a un problème avec Simon. Ils disent que c'est urgent. Il faut que je les rappelle, mais ça capte mal ici.

Christopher vit l'assassin et la femme qui l'accompagnait s'éloigner, comme s'ils reprenaient tranquillement leur visite.

— Rejoignez-nous à l'entrée du site, glissa Stieg Anker sans se retourner.

— C'est grave ? s'inquiéta Sarah.

— Je ne sais pas, répondit Christopher. Je te rejoins au plus vite.

Sarah lui fit un signe affectueux de la main et se retourna pour accueillir Naïma Chamoun.

En quelques minutes, Christopher gagna le portail de l'entrée en faisant mine d'orienter son téléphone pour chercher du réseau.

L'assassin lui adressa un regard sévère. À ses côtés, la femme semblait attendre quelque chose. Le tueur lui glissa une liasse de livres libanaises dans la main.

— Pour votre silence… absolu, murmura Stieg. Ou vous savez ce qui vous attend.

La jeune femme approuva d'un signe de tête, et elle s'en alla sans même adresser un regard à Christopher.

— Par ici ! ordonna l'assassin en désignant à Christopher un véhicule garé sur un parking, à l'écart du site.

— Qu'est-ce que vous voulez ? éructa Christopher quand il fut assis côté passager.

— On va voir à quel point votre compagne tient à vous, lâcha Stieg Anker avant que l'arcade sourcilière de Christopher n'éclate sous la brutalité du coup de poing qu'il venait de lui asséner.

38

Sarah attendit que tous les visiteurs aient fini de saluer leur guide, qui leur répondait à tous d'un mot gentil, puis elle s'approcha.

— Bonjour, madame.

— Bonjour, répondit Naïma en repoussant une sacoche qu'elle portait en bandoulière.

Elle présentait un large sourire, qui semblait habituel sur son visage solaire aux grands yeux marron et aux joues arrondies.

Sarah reconnut en elle les formes généreuses de sa mère, Raïssa, et le regard vif de son père. Elle hésita presque à révéler la raison de sa présence, craignant de mettre en danger cette jeune femme qui semblait si heureuse.

— Vous souhaitez une visite guidée ? demanda Naïma avec une véritable chaleur dans la voix.

— Eh bien... oui et non, révéla Sarah en attendant que tous les visiteurs soient partis. Pour tout vous dire... je viens de la part de votre père, Nassim.

Naïma se figea et sa bonhomie se mua en une méfiance presque agressive. Sarah s'attendait à cette réaction, mais fut malgré tout surprise.

— Mon père est mort, madame.

Sarah lui tendit le morceau de papier sur lequel Nassim avait griffonné de sa main tremblante le petit nom qu'il attribuait à sa fille. Les yeux de Naïma s'embuèrent.

— Où avez-vous eu ça ? demanda-t-elle d'une voix émue.

— Je m'appelle Sarah Geringën, je suis inspectrice de police, Naïma. Voici ma carte. Je viens de Norvège et j'enquête sur la mort de notre Première ministre, dont vous avez peut-être eu des échos jusqu'ici. Ne vous inquiétez pas, vous n'êtes pas du tout mêlée à tout ça. Enfin pas directement.

Naïma regarda autour d'elle, les lèvres pincées.

— Votre maman, Raïssa, nous a dit où trouver votre père dans le désert, près de Hrabta, reprit Sarah. Je lui ai expliqué pourquoi je le cherchais, mais dans son état il était incapable de me parler. Khalil nous a dit que votre père vous avait expliqué tous les détails de la découverte qu'il s'apprêtait à publier avant... la tentative d'assassinat. C'est pour cela que je suis là.

Naïma essuya une larme qui avait coulé le long de sa joue.

— Pourquoi voulez-vous connaître sa découverte ?

Sarah lui résuma les conditions du meurtre de Katrina Hagebak, le rapport avec la tombe 3666 de Cliffs End Farm et le site de Byblos. Quand elle eut terminé, Naïma s'était calmée. Elle s'assit sur un muret et poussa un long soupir en plaquant les mains sur son visage.

— Je suis désolée de rouvrir ainsi des plaies, Naïma. Et encore plus désolée de ce qui est arrivé à votre père. Mais s'il m'a donné le droit de vous rencontrer, vous, la personne à qui il tient le plus au monde, c'est qu'il sait que mon travail peut vous rendre justice et éviter d'autres meurtres.

Naïma hocha la tête et prit une grande inspiration.

— D'accord… d'accord. Allez-y, posez-moi vos questions.

— Bien, comment et pourquoi cette femme de la tombe 3666 est-elle venue à Byblos il y a près de trois mille ans ? Et pourquoi a-t-elle été assassinée à son retour dans son pays ? Avec ces coups d'épée derrière la tête, et cette tête de taureau à ses côtés ?

— Vous êtes bien consciente que ce que je vais vous dire vous mettra à votre tour en danger de mort.

— Oui… je sais aussi pour les deux autres chercheurs. Mais pourquoi est-ce si dangereux ?

— Parce que démystifier une croyance aussi puissante que celle dont je vais vous parler est un séisme dans la vie d'un croyant. Ce n'est même pas audible pour lui. Et pourtant, papa a consacré vingt ans de sa vie à étudier les ruines de Byblos et les peuples qui s'y sont succédé au cours des sept mille dernières années. Donc, ce que je vais vous dire est la stricte réalité historique.

Sarah profita du moment où Naïma cherchait quelque chose dans sa sacoche pour tenter d'apercevoir Christopher. Ne le voyant nulle part, elle lui envoya un SMS.

— Bien, c'est bien que l'on soit à cet emplacement, parce qu'il s'agit du meilleur endroit pour discerner les restes du bâtiment le plus important de Byblos. Vous voyez les murs en ruines en contrebas, ceux qui forment une espèce de grand « E » carré ou deux espèces de rectangles l'un dans l'autre.

Sarah reconnut immédiatement le tatouage du dos de Katrina Hagebak que Christopher avait repéré un peu plus tôt.

— Oui…

— Bien, à l'époque où celle que l'on va appeler « l'étrangère de Cliffs End Farm » s'est rendue sur la terre même où nos pieds sont posés, aux alentours du VIe siècle avant Jésus-Christ, le premier édifice qu'elle a vu en arrivant en bateau, c'est ce bâtiment central dominant la mer. En réalité, un temple dédié à celle que l'on appelait à l'époque la Dame de Byblos.

Dame de Byblos, nota mentalement Sarah. Au même moment, elle recevait un message de Christopher disant que Simon faisait une crise d'angoisse, que ça allait prendre du temps et qu'elle devait le rappeler quand elle aurait terminé avec Naïma.

À moitié rassurée, elle tacha de se concentrer sur les propos du professeur.

— Or, plusieurs documents nous ont dévoilé le vrai nom de cette Dame de Byblos, reprit Naïma. Un nom qui en fait dépassait la simple localité de Byblos, puisqu'il était connu de la plupart des peuples du Proche-Orient.

Naïma regarda autour d'elle et baissa la voix, alors que seuls quelques oiseaux sifflotant pouvaient les écouter du haut de leur arbre.

— Ce nom, c'est Asherah.

Asherah. Le mot se grava dans l'esprit de Sarah.

— Ce nom ne vous dit probablement rien, parce qu'il a été oublié, mais vous allez voir qu'en réalité, vous l'avez déjà lu et vu à plusieurs reprises. Le problème, c'est qu'il est au cœur d'une controverse taboue, qui fait peur à nombre d'historiens et d'archéologues.

— Pourquoi ?

— Parce qu'Asherah est la preuve du plus grand vol et de la plus grande usurpation de la Bible, madame Geringën.

Sarah avait déjà entendu ce type de discours et elle était désormais méfiante à l'égard de ce genre de déclaration.

— Asherah, reprit Naïma calmement, sans chercher à convaincre son interlocutrice, est la preuve que le Dieu prétendument unique de la Bible a été inventé de toutes pièces par des hommes qui, à une époque, ont voulu se réattribuer tous les pouvoirs au détriment des femmes. Asherah est la preuve qu'avant de croire en un Dieu unique, les Israélites ont vénéré plusieurs dieux, à l'image des Grecs. Et que ce Dieu de la Bible, installé comme le seul et unique Dieu depuis la nuit des temps, n'était en réalité pas seul. À ses côtés régnait une autre divinité : Asherah. Et pas n'importe quelle divinité, puisqu'il s'agissait de sa femme. Car oui, le grand Dieu à la barbe blanche était marié ! Et le plus dur à accepter pour un croyant, c'est que, loin d'être le créateur de l'univers, il avait été engendré par Asherah elle-même. Asherah qui était appelée « la créatrice de tout », « la mère des Dieux ».

Sarah s'humecta les lèvres, troublée.

— Si cette croyance était là, à l'origine, pourquoi la Bible ne parle-t-elle que d'un Dieu unique et en aucun cas d'une épouse ?

— Parce que lorsque les hommes ont décidé de reprendre le pouvoir aux femmes, ils ont refaçonné toutes les croyances pour qu'elles aillent dans le sens d'une domination divine d'ordre uniquement masculin. Les rédacteurs des Écritures de la nouvelle religion se sont donc évertués, texte après texte, commandement après commandement, à éradiquer la mémoire de celle qui, jadis, régnait dans tous les esprits. Ils ont effacé Asherah.

La révélation semblait si énorme à Sarah qu'elle doutait presque de la véracité des propos de la jeune guide. Mais elle se rappela que son père avait consacré vingt ans de sa vie à cette découverte.

— Quelles preuves avez-vous de tout ça ?

Naïma hocha la tête alors que les rayons orangés du soleil couchant se reflétaient dans ses yeux.

— Il n'y a pas très longtemps, on a découvert un étrange site archéologique dans un coin reculé de la péninsule du Sinaï. Il s'agit des ruines d'une ancienne forteresse israélite construite entre le IXe et le VIIIe siècle avant Jésus-Christ, à Kuntillet Ajrud. Sur place, on a retrouvé de gros fragments de jarres couverts de dessins et accompagnés d'inscriptions. Des inscriptions qui, d'après leur forme et leur vocabulaire, sont forcément le fait d'un groupe israélite, donc d'un peuple qui était censé vénérer depuis toujours un seul et unique Dieu, si l'on en croit la Bible, n'est-ce pas ? Celui qui crée la terre, le soleil, les animaux, Adam et Ève tout seul, sans que soit jamais fait mention d'une épouse, et encore moins d'une épouse grande créatrice de l'univers. Nous sommes bien d'accord ?

Sarah hocha la tête, de plus en plus absorbée par le récit.

— Bien. Or, deux des inscriptions sur les jarres de Kuntillet Ajrud sont des formules de bénédiction qui mentionnent non pas Yahvé, mais Yahvé et son Asherah !

Sarah fronça les sourcils, incrédule.

— Je vais être précise, madame Geringën, voici des photos des tessons où l'on peut lire les deux inscriptions qui disent : « *Je te bénis par Yahvé et son Asherah.* » Le mot « Asherah » est ensuite répété à plusieurs reprises ! Il prend plus de place que celui de Yahvé !

Sarah contempla un instant les photos que Naïma lui montrait. Elle était bien incapable de déchiffrer ce qui était écrit. En revanche, elle remarqua tout de suite deux dessins qui jouxtaient les inscriptions et qui l'interpellèrent : l'une des figures représentait un taureau ou une vache et l'autre un grand arbre.

— Et ces deux esquisses, elles font allusion à quoi ?

— Le taureau a toujours été associé à la divinité féminine, parce qu'il est considéré comme un animal fertile, et l'arbre, ou même le tronc d'arbre, est lui aussi le symbole du féminin parce qu'il représente la vie qui sort du ventre de la terre.

Le tronc d'arbre et le taureau. Sarah repensa à la tête coupée de l'animal aux côtés de Katrina, aux taureaux représentés sur les parois de la grotte secrète et même aux deux étranges troncs d'arbre qui entouraient son bureau souterrain.

— C'est troublant, avoua-t-elle, mais ce ne sont que deux inscriptions retrouvées sur un seul site. N'en faudrait-il pas plus pour aboutir à des conclusions générales ?

Naïma sourit.

— Vous êtes inspectrice. Jamais satisfaite avant d'avoir la preuve absolue. Et vous avez raison.

Cette fois, Naïma s'empara d'un livre épais rangé dans sa sacoche.

— La preuve qu'Asherah a bien existé dans les croyances des premiers Israélites et que son pouvoir était énorme se trouve ici, en toutes lettres, dans le livre le plus vendu et le plus lu au monde, inspectrice : la Bible.

Sarah repéra la multitude de marque-page qui dépassaient de l'ouvrage religieux.

— Soyons clairs. Si Yahvé avait de tout temps été le Dieu unique, aucune autre croyance n'aurait dû être citée dans la Bible. Aucune autre divinité n'aurait dû être condamnée dans les textes, puisqu'elles n'auraient pas existé. Or, le nom de la déesse Asherah est cité quarante fois dans l'Ancien Testament. Une fois aurait suffi à prouver son existence dans la croyance des premiers Israélites. Mais quarante fois ? Ce chiffre prouve que la crainte d'un retour d'Asherah confinait à l'obsession chez les créateurs de la nouvelle religion masculine. Et à vouloir tant l'effacer des mémoires d'un peuple qui voulait encore croire en elle, ils ont eux-mêmes inscrit pour l'éternité la preuve de leur mensonge. La preuve de leur révisionnisme.

Naïma ouvrit la Bible à l'un de ses marque-page.

— Il faut imaginer que la rupture a dû être violente chez les Israélites quand, du jour au lendemain, on leur a déclaré que leur déesse n'existait pas, qu'il ne fallait plus croire en elle mais seulement vénérer son mari. Bref, abandonner la protection maternelle au profit d'un dieu guerrier, vengeur et jaloux. La plupart des croyants, notamment les femmes, ne voulaient certainement pas qu'on leur impose ce monothéisme. Les créateurs du Dieu unique ont donc mis sur pied une immense propagande pour détruire les symboles de l'ancienne déesse, pour la condamner et menacer ses adeptes. Ce ne fut rien d'autre que de l'intimidation, du matraquage, du conditionnement des masses. Voyez par vous-même !

Naïma se pencha vers Sarah et pointa du doigt chaque passage qu'elle lisait à voix haute.

— Exode 34, 13 : « Détruisez leurs autels, réduisez en poussière leurs pierres sacrées et coupez leurs piliers d'Asherah. » Deutéronome 16, 21 : « Il vous est interdit de planter un arbre comme symbole d'Asherah aux côtés des autels de Yahvé. » Juges 3, 7 : « Les Israélites firent le Mal aux yeux de Yahvé, ils oublièrent leur Dieu l'Éternel et servirent Asherah. » Michée 5, 13 : « [moi Yahvé], j'exterminerai tes idoles d'Asherah, et je détruirai tes villes. J'exercerai ma vengeance avec fureur sur les nations qui n'ont pas écouté. »

La jeune guide referma la Bible.

— Et je peux continuer pendant des pages, conclut Naïma.

Cette fois, Sarah n'avait plus de raison de douter de l'analyse de Nassim.

— Si vous voulez vérifier par vous-même, ajouta la guide, prenez une bible anglaise, les bibles de traduction française ont supprimé toute référence à Asherah en traduisant la bible hébraïque. Elles ont remplacé Asherah par « piliers ». Je suis actuellement en train de faire des recherches sur la raison de cette disparition dans les traductions latines.

Sarah apprécia la précision mais, pour le moment, elle avait surtout besoin de relier tout ce qu'elle venait d'apprendre à l'immédiateté de son enquête.

— Et quel est le rapport entre Asherah et la voyageuse de la tombe 3666 ?

— Vous imaginez que tout cela n'a pas pu se faire sans violence ! Les mots du texte en eux-mêmes sont déjà violents. Mais que faisait-on à ceux qui refusaient de se soumettre au nouveau dogme du Dieu unique tout-puissant ? Je doute qu'on les ait laissés croire en toute liberté. Les enjeux étaient trop importants. C'était le pouvoir sur tout un peuple qui était en jeu, on ne pouvait pas laisser vivre les dissidents… Et pour que le message passe auprès des récalcitrants, rien de mieux que l'exécution rituelle et symbolique.

Un des vigiles du site s'approcha de Sarah et de l'universitaire.

— Tout va bien, madame ? On ne vous importune pas ? demanda-t-il dans un français parfait.

— Absolument pas. Merci.

Le gardien s'en alla en sifflotant.

— Voilà ce qui a dû se passer, reprit Naïma. Cette femme a voyagé jusqu'ici après avoir probablement entendu des récits sur Asherah par des marins phéniciens qui commerçaient déjà à l'époque avec l'Angleterre. Elle a voulu connaître ce culte différent des croyances guerrières de son milieu et a quitté sa terre. Tombée sous le charme de la déesse Asherah, elle s'est installée ici, à Byblos, pendant des années. Il est aussi fort probable qu'elle ait voyagé jusque dans le Sinaï, là même où l'on a retrouvé les amphores gravées des bénédictions d'Asherah. J'en veux pour preuve la craie que la voyageuse tenait près de sa bouche au moment de mourir. Cette pierre provient d'un gisement que l'on trouve dans cette vallée près de Kuntillet qui s'appelle la Vallée de la craie.

— Elle aurait gardé avec elle un simple morceau de craie ?

— On peut supposer que ce morceau de craie était tout ce qu'il restait d'une statuette ou d'une amulette dédiée à Asherah. Objet sacré que ses bourreaux avaient certainement brisé et dont elle était parvenue à récupérer un éclat. Un éclat qu'elle a embrassé dans son dernier souffle, tout en tendant le doigt vers le port qui l'avait conduite à sa déesse.

— Mais pourquoi ses propres concitoyens auraient-ils fait ça ?

— Parce que, pendant qu'elle était ici, à Byblos, et que le culte d'Asherah et d'autres divinités était dominant, le monothéisme, lui, se répandait à toute vitesse dans d'autres parties du monde. Quand elle est revenue chez elle et a voulu faire connaître et aimer la déesse Asherah, les détenteurs du Dieu unique, autrement dit les hommes, étaient déjà bien en place à Cliffs End Farm. Ils lui ont peut-être laissé une chance de se taire ou de se convertir, mais elle a dû résister et ils ont fait d'elle un exemple pour les autres. Ils ont décapité devant elle un taureau, symbole de fertilité et donc de la grande déesse Asherah, ils l'ont mise à genoux pour la soumettre, puis l'épée de l'Éternel l'a frappée avant qu'on ne la laisse pourrir quelques jours et la recouvre de terre.

La voix de Naïma mourut dans le bercement de la mer.

— Je ne connais pas les conditions exactes du meurtre de votre Première ministre, reprit finalement la jeune guide. Mais si sa mort ressemble à celle de la tombe 3666, c'est un crime qui va au-delà du simple assassinat. C'est une vengeance à l'égard de toutes les femmes et du pouvoir féminin. C'est une déclaration de guerre ancestrale. À l'image du crime commis contre mon père et les deux autres chercheurs qui travaillaient sur le même sujet.

Abasourdie par tout ce qu'elle venait d'entendre, Sarah mit un peu de temps à reprendre ses esprits. Ses neurones, occupés à prendre la mesure de la supercherie que Naïma venait de lui dévoiler, eurent du mal à se reconnecter à l'urgence de son enquête.

— Vous ai-je aidée dans vos questionnements, madame Geringën ?

Sarah regarda la jeune femme dans les yeux sans un mot. Certes, elle avait appris et compris beaucoup de choses en quelques minutes. Mais surtout, le mot de passe de Katrina ne faisait plus aucun doute.

— Oui, Naïma, je pense que vous venez de donner une chance de sauver deux femmes et d'arrêter le tueur de votre père.

Sarah décrocha son téléphone.

— Christopher, je connais le mot de passe ! lança-t-elle à toute vitesse.

— Tant mieux, inspectrice Geringën, répondit une voix inconnue. Votre compagnon, Christopher Clarence, aura peut-être une chance de s'en sortir.

Le corps traversé par un courant d'effroi, Sarah ne parvint pas à parler. Blême, elle fixait l'horizon sans le voir.

— Inspectrice Geringën, vous allez faire exactement ce que je vous dis.

— Où et quand ? se contenta-t-elle de répondre en sachant que le ravisseur ne révélerait ni son identité ni ce qu'il avait fait à Christopher.

— Vous avez raison de ne pas perdre de temps en questions inutiles, car M. Clarence n'en a plus pour longtemps à vivre. Rendez-vous à l'entrée du vieux souk, descendez le premier escalier sur votre gauche, celui qui passe sous un dais de couleur pourpre, puis entrez par la petite porte en bas des marches. Seule et sans prévenir personne, bien évidemment, ou je serai contraint de trancher la gorge de mon prisonnier.

Un suc acide coula dans l'estomac de Sarah. Elle plaça le sac contenant l'ordinateur sur son dos et boucla la sangle de sécurité sur son ventre.

— Tout va bien ? s'enquit Naïma.

— Merci pour tout, Naïma. Je dois partir d'urgence. Je vous rappellerai. Où se trouve le vieux souk ?

— Juste à côté d'ici. Prenez à gauche en sortant du site, suivez le chemin de pierre et vous tomberez sur l'entrée. Bonne chance…

Mais Sarah avait déjà dévalé les marches qui descendaient du terre-plein.

39

Sarah surgit hors du site archéologique et fonça sur un étroit chemin de pierres mal agencées qui descendait vers le village. Les touristes étaient ici plus nombreux et déambulaient avec la nonchalance des vacanciers.

— Excusez-moi ! lança-t-elle en percutant un homme âgé qui venait de s'arrêter pour prendre en photo la coupole bleu turquoise d'une mosquée.

Freinée dans sa course, Sarah reprit de plus belle et aperçut au loin une arche en pierre au-delà de laquelle se dessinait un foisonnement d'étoffes chamarrées et de grappes de visiteurs : le souk.

Elle fila sous le tunnel de vieilles pierres, fendant les groupes de badauds qui râlaient, et ralentit son allure à la recherche d'une toile pourpre dominant l'entrée d'un petit escalier. Son regard se noya dans l'agitation et l'accumulation des milliers de tissus multicolores, de lampes aux formes tordues, de chaises et de tabourets sculptés dont certains étaient exposés au-dessus des têtes alors que des parures bigarrées flottaient à hauteur de regard. Et ces odeurs inconnues, enivrantes, et ce brouhaha d'interpellations, de marchandage. Sarah ne voyait rien.

Elle avança au milieu de la foule, ignorant les avances des commerçants qui lui vantaient leur marchandise, scrutant chaque boutique, chaque espace.

Et soudain, un peu plus loin sur sa gauche, elle aperçut une toile pourpre ondulant au gré du vent. Elle renversa un plat de petits pains enduits d'huile d'olive et de zaatar qu'une femme lui soumettait sans avoir le temps de s'excuser et se retrouva comme prévu devant un escalier exigu.

En partie dissimulée derrière la porte ouvragée d'une boutique, elle passait inaperçue aux yeux de la foule. Sarah descendit les marches à l'abri des regards. Au fur et à mesure de sa descente, le chaos du souk s'estompa pour laisser place à un lointain brouhaha, la lumière diminua et bientôt, seule une fine lame de ciel bleu au-dessus de sa tête la rattacha au monde.

Elle posa le pied à terre et fit face à la porte en arche sur sa gauche. Il faisait sombre désormais et l'escalier l'avait menée si bas qu'elle ne voyait même plus le sommet des marches. Le tueur avait parfaitement choisi son endroit.

La main sur la poignée, Sarah se demanda dans quel état elle allait trouver Christopher. De quel mal souffrait-il ? Et comment allait-elle procéder face à un tueur qui, malgré ses promesses, les tuerait une fois qu'il aurait obtenu ce qu'il voulait ? Elle était peut-être allée trop vite, elle avait peut-être cédé trop facilement à la demande du ravisseur. Elle envisagea un instant d'appeler quelqu'un de son équipe pour lui dire où elle se trouvait et ce qu'elle s'apprêtait à faire. Mais à qui pouvait-elle faire confiance, en sachant l'emprise que Jens Berg avait sur la police ?

Elle réprima un tremblement de sa main et appuya sur la poignée.

Un couloir voûté s'avançait dans l'obscurité et l'on distinguait un rai de lumière sous la porte, qui devait se trouver à l'autre extrémité. Sarah referma derrière elle et marcha avec prudence. Au départ, elle n'entendit aucun bruit, à part le crépitement de ses pas sur les dalles saupoudrées de gravillon humide.

Jusqu'à ce qu'elle soit assez proche de la porte pour y coller l'oreille. Elle perçut une respiration pénible de souffrance. Elle aurait voulu regarder par la serrure, mais elle avait été condamnée.

Sarah resserra un peu plus les attaches de son sac à dos et entra.

D'abord, le visage de Christopher, plissé de douleur, moite, et son regard luisant de peur et de rage. Puis le ravisseur, debout derrière son otage. Elle reconnut l'homme en couple qu'ils avaient croisé sur le site. Et soudain, les détails lui semblèrent évidents : son regard d'aigle, sa carrure athlétique, son allure statique de militaire entraîné et cette blessure à la pommette gauche qu'il dissimulait. C'était bien l'assassin contre qui elle avait échoué dans la grotte aux serpents.

Le haut de sa tête touchait presque la voûte de la cave basse, tandis que la seule ampoule qui éclairait la pièce pendait du plafond à hauteur de son regard.

À côté du tueur, on avait installé une petite table sur laquelle était posé un ordinateur portable connecté à une clé USB. Probablement celle que l'assassin avait volée à Sarah dans la grotte.

L'air était étouffant et il n'existait aucune autre issue que la porte par laquelle Sarah était entrée.

— Voici la situation, commença le tueur. M. Clarence a été empoisonné par une toxine mortelle proche du bacille du charbon.

À ces mots, Sarah ne broncha pas et espéra de toute son âme que Christopher ne détecte pas que ses pupilles se dilataient de terreur.

— Il lui reste quelques heures à vivre, ou plutôt à souffrir, reprit Stieg Anker. Vous devez connaître les effets de ce type de bactérie. Dans le cas contraire, vous avez déjà entendu parler de la mort des personnes atteintes de la peste.

— Vous voulez le mot de passe de l'ordinateur de Katrina, c'est ça ? demanda Sarah.

— Je vous écoute.

— Et ensuite ? répliqua Sarah.

— Je vous donnerai le seul antidote adapté au traitement de cette maladie. Oubliez la pénicilline ou les céphalosporines, ça ne fonctionnera pas. Donc, n'essayez pas de résoudre le problème par la force en espérant faire soigner ce pauvre homme à l'hôpital. Ils ne pourront rien pour lui.

— Où est l'antibiotique ?

Stieg Anker passa sa main gantée dans son dos et en sortit un couteau de combat à la lame effilée, qu'il glissa sous la gorge de Christopher. Ce dernier eut le réflexe de reculer sa tête, que l'assassin s'empressa de saisir par les cheveux.

— L'antibiotique est ici, répondit le tueur en lâchant provisoirement la tête de Christopher pour prendre une plaquette de cachets entamée dans la poche intérieure de sa veste. Mais si vous approchez d'un centimètre, inspectrice, j'appuie plus.

Stieg Anker jeta les cachets sur la table à côté de l'ordinateur et renforça sa menace en entaillant la gorge de Christopher d'une fine balafre.

Christopher écrasa un gémissement de douleur tandis que le sang coulait en filet.

— Qu'est-ce qui prouve que votre antidote fonctionne ? siffla Sarah en maîtrisant difficilement la pulsion qui lui donnait envie de se ruer sur son adversaire.

— Je dois en prendre moi-même toutes les quatre heures depuis que j'ai été obligé d'en inhaler en sortant l'appareil photo de son étui. Maintenant, nous n'attendons plus que vous, inspectrice, termina l'assassin en tirant la tête de sa victime en arrière pour exposer son cou.

Prisonnier, à la merci d'un homme pour qui tuer était un métier, Christopher n'était plus qu'un maelström de panique et d'impuissance. Une nouvelle douleur lui brûla la poitrine et il ne put réprimer une toux brutale. Sa peau frotta en secousse contre la lame aiguisée du couteau que Stieg ne prit pas la peine d'éloigner. Une nouvelle surface d'épiderme s'ouvrit et le sang s'écoula.

— À ce rythme, il mourra d'une hémorragie externe et non interne, s'amusa le tueur.

Christopher croisa le regard de Sarah et une nouvelle peur lui vrilla le ventre. Ce n'était pas les yeux de sa femme qu'il venait de voir, mais la lueur glaciale de la professionnelle. Celle qui évalue l'intérêt ou non de sacrifier un otage pour protéger son enquête.

Les paroles du journaliste qui enquêtait sur Sarah lui revinrent à la mémoire comme une lame déjà plantée dans sa chair : « On ne sait jamais avec qui on partage sa vie… » Christopher croyait connaître Sarah, mais les dernières révélations du reporter lui avaient prouvé qu'elle lui mentait sur au moins une période de sa vie. Quel obscur secret gardait-elle ? Quel acte devait-elle dissimuler même à l'homme qui avait juré de l'aimer coûte que coûte ?

Et si finalement Sarah était faite du même acier sans âme que le père de Christopher ? Et si elle aussi allait le laisser mourir, comme son père avait laissé sa femme se faire exécuter plutôt que de révéler un secret ? Non, c'était impossible… Pas Sarah. Il n'était pas comme sa mère. Il était moins naïf. Il aurait vu en Sarah le monstre que sa mère n'avait pas su ou voulu voir dans son père.

Sauf qu'au bord du gouffre Christopher n'était plus sûr de rien.

— Pourquoi faites-vous ça ? demanda Sarah.

— Le mot de passe ! lui renvoya le tueur alors que Christopher sentait ses cervicales craquer sous la poigne de l'assassin, qui retenait sa tête en arrière.

Du coin de l'œil, il parvint néanmoins à apercevoir Sarah. Des gouttes de sueur perlaient sur son front. Il ne l'avait jamais vue dans un tel état de nervosité. Et le pire, c'était qu'elle évitait son regard. Exactement comme le père de Christopher avait ignoré sa femme, qui le suppliait de parler, juste avant la détonation.

— Et si vous le tuez ? lança soudainement Sarah. Que se passera-t-il après ?

Stieg Anker s'était préparé à affronter une femme mue par une solide détermination, comme il avait pu l'éprouver lors de leur combat dans la grotte. Mais ça, il ne s'y attendait pas.

— ... Vous vous retrouverez seul face à moi, reprit Sarah. Et j'aurai le choix de vous affronter au corps à corps, pour peut-être vous tuer, ou pourquoi pas de fuir et vous laisser incapable de jamais trouver le mot de passe.

— Vous ne ferez pas ça.

— Le deuil sera long et pénible, mais j'aurai fait mon devoir. Ce pour quoi je me bats depuis toujours. La seule chose qui fait que je peux me regarder dans la glace.

— Très bien, asséna le tueur.

Et il trancha.

40

— *3666 Asherah*, lâcha Sarah d'un ton presque neutre.

Le tueur retint son geste un peu trop tard et la lame glissa sur le côté du cou de Christopher, entaillant la chair jusqu'au muscle.

Sous le hurlement étouffé de Christopher, Stieg Anker saisit Sarah dans les serres de son regard puis il lâcha la tête de son otage dont le visage ruisselait de larmes.

— *Asherah*… évidemment, souffla le tueur. J'espère que vous dites vrai, inspectrice.

Sarah ignora la nouvelle menace. Elle était désormais concentrée sur Christopher, dont la mauvaise plaie saignait en rideau.

Stieg approcha sa main libre de l'ordinateur tout en gardant son couteau sous la gorge de son otage. Il tapa les quatre chiffres et les lettres du nom de la déesse sur son clavier.

Sarah fixait Christopher avec une telle intensité qu'il finit par stabiliser son regard sur elle. Elle leva à deux reprises les yeux vers l'ampoule au plafond et pencha discrètement la tête vers la droite. Christopher cligna des paupières en signe d'acquiescement.

Sarah recula de deux pas.

Brièvement concentré sur l'écran, l'assassin acheva d'entrer les trois dernières lettres. Le rectangle où le code devait être inscrit passa au vert et une série de fichiers s'ouvrit sur l'écran.

Stieg Anker relâcha un bref instant sa concentration au profit d'un élan de satisfaction que Sarah choisit pour agir. Soudainement, tout la cave plongea dans l'obscurité.

On entendit le bruit sourd d'un corps tombant à terre et le sifflement d'une arme qui fendait l'air dans le vide. Comme prévu, le tueur avait frappé en direction de Christopher lorsque la lumière s'était éteinte, mais Christopher avait déjà fait basculer sa chaise.

Courir sur cinq pas à 30 degrés vers la gauche et frapper à l'estomac. Sarah fonça à l'aveugle en suivant l'angle programmé et écrasa son poing dans la partie inférieure du corps de l'assassin. *Reculer de quatre pas et tirer Christopher pour le mettre à l'abri des coups.* Alors que Stieg Anker laissait échapper un gémissement, Sarah atteignit Christopher et le tira de toutes ses forces jusqu'au mur opposé.

La suite du scénario possédait désormais trop d'embranchements possibles pour être prévisible. On entendit le bruit d'une table renversée et Sarah se cala dans un coin de la pièce en protégeant Christopher de son corps.

Mais, à sa grande surprise, aucun coup de couteau ne transperça l'obscurité dans leur direction. La porte de la cave s'ouvrit à la volée. La silhouette du tueur se découpa dans la lumière et disparut. Sarah eut juste le temps de voir qu'il fuyait avec l'ordinateur portable sous le bras.

Elle regarda Christopher. Sa blessure au cou saignait, mais elle jugea qu'il pouvait contenir l'hémorragie tout seul. Elle ramassa son téléphone.

— Plaque ta main sur la plaie de ton cou et appelle les secours ! cria-t-elle en franchissant la porte.

Laisser l'assassin s'échapper avec les dossiers secrets de Katrina Hagebak, c'était signer l'arrêt de mort des deux consœurs de la Première ministre.

Sarah débuola hors du couloir alors que le tueur avait presque atteint le sommet de l'escalier menant au souk. Elle avala les marches deux par deux et émergea dans la foule juste à temps. Lancé comme un joueur de rugby prêt à marquer, le tueur télescopait tous les badauds qui se trouvaient sur sa route.

Sarah le prit en chasse, sautant par-dessus les touristes encore à terre, zigzaguant entre les étals qui débordaient sur le chemin, repoussant les étoffes et ignorant les cris de protestation et les insultes qui jaillissaient de toutes parts.

Sous l'arcade qui rejoignait le site archéologique, la foule se fit moins dense et Sarah gagna du terrain. Son adversaire était peut-être plus fort, mais aussi plus lourd qu'elle.

Il bifurqua à la sortie du tunnel de pierre. Sarah le talonnait dans la ruelle étroite et déserte qu'ils venaient d'emprunter.

Elle poussa une accélération et accrocha le bras du tueur. Il fit volte-face et frappa d'un revers de main. Sarah se baissa puis bloqua le rapide coup de pied qui aurait dû l'atteindre à la tête. Elle allait riposter quand on entendit un bruit de moteur qui recule à toute allure. Le tueur se décala d'un bond et Sarah ne découvrit que trop tard la voiture qui fonçait sur elle en marche arrière. Elle eut juste le temps de culbuter sur le coffre pour éviter le choc frontal avant de retomber à terre.

Une portière claqua, la voiture démarra en trombe pour tourner au coin de la rue et disparut de son champ de vision avant qu'elle ait pu relever une plaque d'immatriculation.

Sonnée mais indemne, Sarah se redressa lentement et frappa du poing sur sa cuisse.

41

Quinze minutes plus tard, Sarah était assise dans l'ambulance qui transportait Christopher en urgence au centre médical de l'université américaine de Beyrouth. Sa plaie au cou avait été suturée de cinq points et les secouristes l'avaient placé sous assistance respiratoire.

Sarah lui serrait la main, dévorée par l'inquiétude. De quel mal souffrait réellement Christopher ? L'assassin avait-il bluffé ou l'avait-il réellement empoisonné avec une bactérie mortelle ?

Elle confia aux deux urgentistes le soin de faire analyser la plaquette de médicaments antibiotiques que le tueur avait abandonnée dans sa fuite. Puis elle posa sa main sur le front de Christopher.

— Tu es pris en charge à temps, lui murmura-t-elle. Ça va aller. Ce genre d'infection se guérit de façon certaine si on la traite vite.

Christopher bascula lentement la tête vers elle. Elle vit dans ses yeux pourtant vitreux à quel point il l'aimait. Sa gorge se serra.

Jamais elle ne s'en remettrait s'il venait à disparaître. Jamais.

Elle sentit les larmes affleurer dans ses yeux et détourna le regard, faisant mine de vérifier que l'ordinateur portable de la Première ministre était toujours bien dans son sac.

La voix étouffée de Christopher peina à traverser le masque à oxygène.

— Sarah…

Elle arrêta immédiatement ce qu'elle était en train de faire et se pencha vers lui.

— Pour… pourquoi tu as attendu si longtemps… pour lui… donner le mot de passe… ?

Sarah se pinça les lèvres. Elle songea de nouveau combien il avait dû avoir peur. Il avait forcément douté d'elle et elle ne savait que trop à quel épisode de sa vie il avait dû repenser.

Incapable de détacher son attention de l'épais pansement qui cachait sa gorge entaillée, elle ne put contenir plus longtemps ses larmes.

Elle s'en voulait tellement de n'avoir su mieux le protéger ! De ne pas avoir compris plus tôt qu'il était en danger. Elle se demanda même si elle n'avait pas refoulé l'intuition qu'il lui était arrivé quelque chose pour mieux écouter le récit de Naïma Chamoun. Comme si une partie d'elle-même avait privilégié son enquête plutôt que la vie de Christopher.

Effrayée, Sarah posa sa main tremblante sur son front.

— Sarah, tu… m'as sauvé la vie…, la rassura Christopher de sa voix assourdie par le masque.

— Je calculais…, finit-elle par expliquer la voix chevrotante. Je calculais le nombre de pas que j'allais devoir faire dans le noir pour le frapper avant qu'il ne réagisse, je prévoyais les gestes que j'allais devoir exécuter à l'aveugle en anticipant les premières réactions que lui allait avoir quand la lumière s'éteindrait. Je n'avais pas le droit à l'erreur et il me fallait gagner du temps pour tout répéter dans ma tête… Pour que tu t'en sortes vivant.

La main affaiblie de Christopher chercha le visage de Sarah et l'attira vers sa poitrine. Elle entendit son cœur battre et ils demeurèrent ainsi quelques brèves secondes. Dans l'ambulance, on n'entendait plus que la sirène hurler et le son régulier de l'électrocardiogramme.

— Entre le mot de passe… souffla alors Christopher. Trouve Ada et Ludmila avant lui.

Sarah se redressa, les yeux rougis. Elle hocha la tête et sortit l'ordinateur de sa sacoche pour le poser sur ses genoux.

Il était près de 19 h 30. Il restait donc moins d'une demi-journée avant le 11 décembre. Le tueur allait tout faire pour frapper avant qu'Ada ne s'exprime. Quelle infime chance lui restait-il de l'arrêter à temps ?

Elle enclencha l'allumage en espérant que l'ordinateur n'avait pas été abîmé par sa chute. Elle poussa un soupir de soulagement en voyant s'afficher à l'écran le cadre rectangulaire réclamant le mot de passe.

D'un doigté fébrile, elle composa le code secret « 3666 Asherah » et appuya sur entrée.

L'encadré du code secret passa au vert et trois fenêtres s'ouvrirent à l'écran. Chacune contenait un fichier. Le premier était intitulé « Discours », le deuxième, « Ada » et le troisième, « Ludmila ».

Après avoir pris une profonde inspiration et prié un Dieu auquel elle ne croyait définitivement plus, Sarah double-cliqua sur le fichier « Ada ».

– 42 –

La déception fut à la mesure de l'espoir. Sur l'unique page dédiée à Ada, apparaissait la mention suivante : *Ada, 11 décembre 2018.* Pas un mot de plus, pas une indication supplémentaire. Sarah eut beau changer la couleur du texte, explorer les propriétés du fichier, elle ne trouva rien en dehors de cette laconique information, qu'elle connaissait déjà.

— C'est pas vrai ! souffla-t-elle en s'empressant d'ouvrir le second dossier, intitulé Ludmila.

Ludmila, 12 décembre 2018.

Christopher toucha la main de Sarah pour lui demander ce qu'elle voyait. Elle se contenta de tourner l'écran vers lui. Il redressa la tête une seconde avant de la laisser retomber sur le brancard.

L'un des secouristes pesta en plaquant sa main sur le cou de Christopher, où les points de suture encore fragiles risquaient de céder.

En même temps qu'est-ce qu'on espérait ? pensa Sarah. Qu'après avoir protégé toute sa vie son secret, elle allait mettre le nom et l'adresse de ses deux associées dans son ordinateur ?

Ne restait plus qu'une chance : le fichier du discours.

L'ambulance accéléra et Sarah retint de justesse l'ordinateur qui manqua de glisser de ses genoux. Poussant un soupir pour évacuer son stress, elle regarda Christopher. Elle avait beau essayer de faire comme si tout allait bien se passer, elle était morte d'inquiétude.

— Dans combien de temps serons-nous à l'hôpital ? demanda-t-elle.

— Dans moins de quinze minutes, mais tout est déjà prêt pour l'accueil et les examens, répondit la femme secouriste.

Peut-être qu'elle interprétait, mais il sembla à Sarah que l'urgentiste avait l'air sombre.

— Vous ne m'avez pas dit ce que vous aviez conclu de votre premier examen ? dit Sarah à l'attention des secouristes.

— À part la blessure au cou, une gêne respiratoire d'origine virale ou bactérienne, mais qui peut très bien n'être qu'un rhume ou une allergie bénigne. Il faut procéder à une radiographie pulmonaire et à une prise de sang pour tirer d'autres conclusions.

Sarah se rappela la menace du tueur : s'il ne prend pas le bon antibiotique dans les plus brefs délais, il sera perdu.

Brinquebalée de gauche à droite par les virages que l'ambulance faisait pour slalomer entre les voitures, elle avisa la plaquette de médicaments rangée à l'intérieur d'une pochette en plastique.

Si l'empoisonnement n'était pas un bluff, alors cela faisait déjà plus d'une heure que Christopher avait été contaminé. Le temps qu'ils arrivent à l'hôpital et que l'on obtienne les résultats des examens, il s'écoulerait probablement une heure de plus. Il serait peut-être trop tard pour le guérir alors que l'antidote avait été à portée de main.

Elle réfléchit, pesa le pour et le contre et prit sa décision.

— Donnez-lui un cachet de cette plaquette.

Christopher tourna la tête vers elle alors que les deux secouristes se regardaient d'un air indécis.

— On ne sait pas quelle est la pathologie et encore moins ce que contiennent ces cachets, dit la femme secouriste.

— Qui nous dit qu'il ne s'agit pas d'un poison encore plus virulent que celui inhalé ? ajouta son collègue.

Pourquoi vouloir empoisonner Christopher avec ces médicaments si le tueur avait déjà eu l'occasion de le faire avec le bacille ? D'un autre côté, c'est vrai, pourquoi l'assassin aurait-il emporté un antidote pour soigner des gens qu'il voulait de toute façon éliminer ?

Seul élément qui avait fait pencher la balance dans la réflexion de Sarah : il manquait deux cachets à la plaquette. Deux cachets que l'assassin lui-même aurait effectivement pu avaler pour s'éviter l'empoisonnement.

— J'en prends la responsabilité. Et faites-le par intraveineuse.

Tandis que la femme secouriste préparait une seringue de sérum physiologique pour y diluer l'antibiotique, son collègue faisait signer une décharge.

— OK ? demanda Sarah à Christopher qui avait tout entendu de la conversation.

Il battit des paupières en signe d'acquiescement.

— Allez-y.

Sarah posa sa main sur la poitrine de Christopher lors de l'injection. L'électrocardiogramme témoigna d'une accélération de son rythme cardiaque quelques secondes sous l'effet du stress, mais le cœur finit par reprendre son allure normale.

Ils patientèrent tous deux minutes dans une appréhension tendue, concentrés sur les bips réguliers des appareils de contrôle des signes vitaux et la sirène de l'ambulance.

Rien de particulier ne se produisit.

Sarah chercha le regard de Christopher et s'agaça de le voir avec ce masque à oxygène.

— Mon mari a vraiment besoin de ça ? se renseigna-t-elle.

— Pour lui d'une part et pour nous de l'autre. Il peut être contagieux, répliqua le secouriste.

Cet « il » impersonnel transperça Sarah. Il faisait soudain de Christopher un patient et non plus un homme. Un être qui n'est déjà plus tout à fait du même monde que les vivants. Un cas médical dépossédé de sa personnalité, de son histoire, de sa vie, un malade.

La sirène de l'ambulance lui fut soudain insupportable. L'odeur d'éther lui donna le vertige, la gravité des secouristes lui donna l'impression de conduire Christopher à son enterrement.

— Il s'appelle Christopher Clarence ! lança froidement Sarah à l'attention des deux secouristes, c'est un brillant journaliste et formidable père d'un petit garçon de neuf ans, qui s'appelle Simon. Je les aime tous les deux et on a encore beaucoup de choses à vivre ensemble. Alors ayez la gentillesse de ne plus jamais dire « il », mais « monsieur Clarence ».

Le secouriste allait ouvrir la bouche pour parler, mais se tut et hocha la tête.

Sarah serra la main de Christopher, qui lui répondit d'une légère pression pour la remercier. Elle lui sourit en le caressant du pouce puis se concentra de nouveau sur l'ordinateur posé sur ses genoux. Là aussi, il n'y avait plus une minute à perdre.

Provisoirement rassurée, elle cliqua sur le dernier fichier de Katrina Hagebak. Seul Christopher perçut le léger tremblement dans la main de sa compagne.

Elle lut quelques lignes puis fit défiler l'intégralité du texte.

— Il y a plusieurs pages, constata-t-elle. Ça va prendre du temps.

Mais, alors que Christopher s'attendait à ce qu'elle relève la tête pour lui faire un résumé régulier de ce qu'elle lisait, Sarah ne décrocha pas le regard de l'écran pendant plus d'une dizaine de minutes. Par deux fois, Christopher lui demanda ce qu'elle avait trouvé, mais elle lui demanda de la patience d'un geste de la main.

— Nous arrivons dans une minute, madame.

Sarah ne répondit pas, comme hypnotisée par le texte qu'elle lisait.

— Sarah ! appela Christopher avec le peu de souffle qui lui restait.

Elle redressa lentement la tête, avec dans le regard une expression si déconcertée que l'électrocardiogramme de Christopher témoigna d'une forte accélération de son pouls.

La bouche à moitié entrouverte, Sarah semblait avoir compris quelque chose de fondamental.

— Sarah, qu'est-ce que tu as lu… dis-moi s'il te…

Mais Christopher ne termina pas sa phrase. Il était épuisé.

— Madame, il faut qu'il se repose, intervint un des secouristes.

— Dis-m… souffla Christopher.

— OK. Juste une petite chose alors, Chris… tu liras le texte en intégralité toi-même tout à l'heure. Mais, pour le moment, il y a une phrase qui peut nous aider à retrouver les deux autres femmes.

Elle s'approcha de Christopher pour lui parler à l'oreille.

— Katrina termine son texte par une étrange formule qui n'a pas grand-chose à voir avec le reste de son… exposé. Ça dit : « Etta la cité réveillera, Ada la science embrasera et Ludmila tous les réunira. »

Sarah se redressa à l'instant où l'ambulance s'arrêtait. Les deux portes arrière s'ouvrirent à la volée et un éclat de lumière pénétra dans l'habitacle médicalisé.

Deux brancardiers et un médecin prirent immédiatement Christopher en charge alors que les deux secouristes l'informaient de l'état du patient et des craintes sur son empoisonnement.

Sarah put les suivre en trottinant jusqu'à ce que Christopher entre en salle de radiologie.

Assise dans le couloir des visiteurs, elle tâcha de se concentrer sur l'énigme que Katrina leur soumettait une fois de plus. Mais toute son attention était en réalité concentrée sur la porte de la salle de radiologie où, une boule d'angoisse au ventre, elle guettait la sortie du médecin qui viendrait lui annoncer les résultats.

Les minutes s'écoulèrent. Sarah se répétait en boucle la phrase *Etta la cité réveillera, Ada la science embrasera et Ludmila tous les réunira*, comme une étudiante qui récite une leçon à l'infini sans la comprendre. Et ces heures qui filaient alors que le tueur avait peut-être déjà identifié la réelle Ada. Et cette porte qui ne s'ouvrait pas !

Sarah se leva d'un bond et frappa aux portillons du département radiologie. Un interne vint lui répondre qu'il était interdit d'entrer et que le médecin viendrait la voir. Actuellement, ils attendaient les résultats de la prise de sang pour se prononcer.

— C'est-à-dire « pour se prononcer » ? s'agaça Sarah. Se prononcer sur quoi ?

— Je ne sais pas. Je ne suis pas personnellement en charge du dossier.

— Appelez quelqu'un qui l'est !

— Madame, je comprends votre inquiétude, mais nos médecins sont tous auprès des patients de l'hôpital, y compris auprès de votre mari. Les déranger ne ferait que retarder et déranger leur travail. Et, comme je vous l'ai dit, les examens sont en cours. Il faut attendre.

Sarah reconnut le bien-fondé de l'argument, même si elle n'avait qu'une envie : bousculer cet interne et faire irruption dans les couloirs pour parler face à face avec les docteurs qui prenaient soin de Christopher.

Elle retourna s'asseoir et chercha à se concentrer de nouveau sur son enquête. *Etta la cité réveillera, Ada la science embrasera et Ludmila tous les réunira.*

La seule chose qu'elle pouvait conclure de cette espèce de prière, c'était que celle qui se cachait sous le pseudonyme d'Ada travaillait très certainement dans le domaine scientifique.

Sans trop y croire, elle pianota la requête suivante sur Google : « Ada et sciences ». Elle tressaillit. Les sites affichaient les uns derrière les autres le même personnage : « Ada Lovelace, mathématicienne de génie », « Ada Lovelace, la fiancée des sciences », « Ada Lovelace, la lady de l'informatique », « Microsoft rend hommage à Ada Lovelace ».

Sarah approfondit sa recherche et sut qu'elle avait trouvé la bonne référence. Ada Lovelace était une Anglaise du XIXᵉ siècle, fille du fameux poète Lord Byron, considérée par les informaticiens comme la première des programmeurs de l'histoire. Cent ans avant la création de l'ordinateur, en 1843, elle avait écrit le premier algorithme au monde. Un travail reconnu aujourd'hui comme visionnaire. À tel point que Microsoft avait inscrit son visage en hologramme sur tous les certificats de Windows 95 vendus dans le monde. Et les articles qui se succédaient mettaient en avant un mérite d'autant plus impressionnant qu'elle vivait à l'époque dans une société où le pouvoir patriarcal était absolu et où le pourcentage de femmes scientifiques – plus précisément autorisées à être scientifiques – était très proche de zéro. Tout en élevant trois enfants, elle était pourtant parvenue à être l'une des mathématiciens les plus brillants de l'histoire humaine. Sans aucun doute, l'Ada du cénacle de Katrina Hagebak se réclamait de cette femme. Mais où la trouver si elle possédait autant d'admirateurs et d'admiratrices dans le monde ?

— Madame Geringën.

Le ton rappela à Sarah, cette intonation si définitive des examinateurs qui appellent un étudiant dont c'est le tour d'être interrogé.

Devant le cabinet de radiologie se tenait le médecin qu'elle avait aperçu à la descente de l'ambulance. Elle qui était pourtant spécialisée dans le décryptage des émotions ne discerna rien de ce que cet homme allait lui annoncer. Il la pria de la suivre dans son bureau, referma la porte, s'assit derrière son bureau alors que Sarah sentait ses jambes sur le point de la lâcher.

— Ça suffit, le cérémonial ! finit-elle par lancer. C'est quoi, le problème ?

— Eh bien, les radiographies et les analyses sanguines montrent que votre mari a effectivement été contaminé par un bacille d'une virulence rare.

Sarah saisit le dossier d'une chaise.

— Mais, ajouta le médecin, il semble que son système immunitaire résiste assez bien et parvienne à combattre la bactérie. Où avez-vous trouvé l'antibiotique que vous avez demandé aux urgentistes de lui administrer ?

— Qu'importe, il va s'en sortir ou pas ?

— Oui, grâce à vous. Je ne peux pas être catégorique, mais à une heure près je ne suis pas sûr que le traitement aurait si bien fonctionné. Vous avez eu de la chance ou de l'intuition. Quoi qu'il en soit, votre mari est autorisé à quitter l'établissement dès aujourd'hui et doit poursuivre la prise de l'antibiotique que vous lui avez donné pendant une semaine. Il sera peut-être un peu fatigué, mais logiquement rien de bien méchant. J'ajoute qu'il n'est pas contagieux.

Sarah remercia le médecin et s'apprêta à quitter le cabinet.

— En revanche, je dois vous avertir que compte tenu de la gravité de l'infection et des conditions, disons particulières, de la contamination dont vous n'avez pas voulu révéler les détails, je suis obligé de faire un rapport à la police.

— Certainement, répliqua Sarah. Où se trouve mon mari ?

— Attendez-le à l'accueil, il va arriver.

Alors qu'elle tournait en rond au point d'agacer certains visiteurs, Sarah réfléchissait à la façon d'identifier la femme qui se cachait sous le pseudonyme d'Ada. Mais une partie de son cerveau était tellement impatiente de revoir Christopher qu'elle ne parvenait pas à se concentrer. Elle préféra se pencher sur une tâche plus facile.

— *Etta la cité réveillera*, murmura-t-elle pour elle-même.

La cité, autrement dit la politique dans les temps anciens. Etta devait être une femme très active à ce niveau-là, pensa Sarah.

Elle pianota les mots clés « Etta politique » sur Google et la confirmation ne se fit pas attendre.

— Etta Palm d'Aelders, souffla-t-elle.

Puis elle lut à toute vitesse et découvrit qu'Etta Palm était une femme politique de la Révolution française, connue entre autres pour son retentissant discours sur l'injustice des lois en faveur des hommes, aux dépens des femmes. Elle avait osé demander officiellement à l'Assemblée législative que l'éducation des filles soit fondée sur les mêmes principes que celle des garçons, que les femmes deviennent majeures à l'âge de vingt et un ans, qu'elles puissent accéder aux fonctions civiles, et que la loi sur le divorce soit promulguée. La réponse du président de l'Assemblée avait été une fin de non-recevoir. Son association fut dissoute après 1792.

Cela ne faisait aucun doute, Katrina Hagebak se réclamait de cette héroïne de la Révolution française. Mais Ada ?

Sarah aperçut enfin Christopher régler les frais des soins. Elle le rejoignit et il l'enlaça comme si c'était la première fois qu'il était autorisé à la toucher.

— Tu m'as encore sauvé la vie… chuchota-t-il. En fait c'est toi, mon antidote.

— Après t'avoir exposé au virus en te faisant venir ici, c'était bien la moindre des choses.

— Ouais, je me suis surtout fait avoir comme un amateur… Merci madame, ajouta Christopher à l'attention de l'infirmière qui lui tendait son reçu. Tu as trouvé quoi dans le discours de Katrina ?

— Tu as mal ? demanda Sarah en effleurant le large pansement sur la gorge de Christopher.

— Ça tire, mais c'est supportable. Alors, le discours ?

Sarah se rassit sur l'une des banquettes de l'accueil de l'hôpital et résuma sa trouvaille à voix basse, en terminant par ce qu'elle avait trouvé sur le combat d'Etta Palm.

Christopher prit place à côté d'elle.

— Je n'arriverai jamais à comprendre comment des hommes braillant à tout-va les valeurs de l'égalité, de la justice et se réclamant des Lumières ont pu rejeter toutes les demandes des femmes, les renvoyer à leurs tâches domestiques, les museler et les tuer par milliers.

— Tu liras le discours de Katrina, tu verras, çà remonte à bien plus loin que la Révolution française… C'est l'une des plus grandes, si ce n'est la plus grande et la plus profonde manipulation de l'histoire humaine. Mais pour le moment, on doit trouver Ada.

— OK. Que ce soit Etta ou Ada, ces femmes se sont ouvertement battues pour la cause féminine. Autrement dit, elles se sont exposées publiquement. Tout comme l'a fait Katrina Hagebak. Celle qui se cache derrière Ada est donc une femme de sciences qui affiche clairement ses revendications pour l'égalité avec les hommes.

Alors que Christopher parlait, Sarah tentait déjà plusieurs combinaisons de mots clés sur Google, dont « Ada féminisme sciences ».

— Je crois que tu as trouvé quelque chose, Chris ! lança-t-elle après avoir lu un texte en diagonale sur l'écran de son téléphone.

— Quoi ?

— Écoute : le projet Ada Lovelace est né en 1997 en Allemagne, en référence à l'exceptionnel courage et à la puissante clairvoyance de la mathématicienne anglaise Ada Lovelace.

Sarah avait parlé avec un tel enthousiasme que des patients et des visiteurs, eux aussi assis sur les banquettes de la salle d'attente, levèrent des yeux intrigués vers ces deux étrangers agités. Sarah reprit à voix plus basse.

— Il a pour but d'encourager les filles à suivre des études supérieures dans le domaine des stim (Sciences, technologie, informatique et mathématiques) où les femmes sont encore largement sous-représentées et les stéréotypes masculins, très ancrés. Le projet Ada Lovelace offre aux écolières de toute l'Allemagne la possibilité d'être encadrées et coachées par une femme scientifique qui est parvenue à déjouer les pièges des préjugés pour se construire une carrière heureuse et passionnante dans les stim. Ce principe de mentorat fonctionne sous forme d'ateliers et de suivi personnalisé.

— C'est une excellente idée, et c'est certainement là qu'il faut creuser. Qui est à l'initiative de ce projet ? demanda Christopher tout en cherchant sur son téléphone.

— La dirigeante du projet Ada Lovelace s'appelle Shafi Reinwasser et elle travaille à l'Institut Max-Planck, en Allemagne.

— Max-Planck ? s'étonna Christopher.

— Tu connais ?

— Un peu que je connais ! C'est dans l'un des centres Max-Planck qu'on a séquencé le génome de Néandertal, déjà c'est un exploit, mais en plus, c'est grâce à eux que l'on a découvert qu'on a tous en nous 1 % à 3 % de gènes néandertaliens. Autant te dire qu'ils sont à la pointe. Elle est dans quel institut – ils en ont plusieurs en Allemagne ?

Sarah balaya le site, cliqua sur un onglet et releva la tête.

— Celui qui est situé à Iéna, et elle est spécialisée en archéogénétique. Jamais entendu parler de cette discipline.

— … Et devine quoi ? poursuivit Christopher le temps de faire une rapide recherche, elle a un site personnel où elle raconte toute la vie d'Ada Lovelace ainsi que sa contribution à la science actuelle. Sarah, c'est elle, c'est certain…

— Il faut l'appeler pour l'avertir.

Christopher épela le numéro de téléphone affiché sur le site.

Sarah obtint rapidement quelqu'un au téléphone et s'exprima en anglais.

Pendu à ses expressions, Christopher retenait sa respiration. Mais la conversation ne prit pas la tournure qu'ils espéraient. Shafi Reinwasser était absente et l'avait été toute la journée pour préparer sa conférence de demain. Il était impossible de la joindre.

Sarah raccrocha

— Merde ! lança-t-elle.

— Au moins, cette fois, on est vraiment sûrs que c'est elle, si elle prépare une intervention pour demain. Tu ne peux pas appeler la police allemande pour qu'ils aillent chez elle et la mettent en sécurité ?

— Il faudrait que ma demande passe officiellement par Oslo pour être acceptée. Et si elle passe par Oslo, Jens Berg sera mis au courant et trouvera Shafi avant nous.

Christopher tapotait sur son téléphone.

— J'ai son adresse postale et son numéro de téléphone personnels. Elle les donne sur le site du projet Ada Lovelace pour que les mentors et les étudiants puissent la joindre.

Sarah composa le numéro que Christopher lui donna et tomba sur une messagerie.

— Madame Reinwasser, je suis l'inspectrice Sarah Geringën, en charge de l'enquête sur la mort de Katrina Hagebak. Si vous êtes bien la personne que je cherche, vous savez alors que ce que je vais vous dire doit être pris au sérieux. L'assassin de Katrina a désormais les moyens de vous retrouver tout comme je suis parvenue à le faire. Fuyez le plus loin possible de votre lieu de résidence et renoncez à votre conférence… pour le moment. Appelez-moi dès que possible au numéro affiché.

Sarah venait à peine de raccrocher que son téléphone sonna de nouveau. Elle décrocha.

— Jens Berg à l'appareil. Vous êtes où ? Vous faites quoi, inspectrice Geringën ?

— Je suis au Liban et l'enquête avance.

— Soyez précise.

Sarah hésita. Le chemin était étroit entre ce qu'elle devait dire pour ne pas alarmer le ministre et ce qu'elle devait taire pour ne pas lui donner des informations dont il se servirait pour trouver la seconde associée de Katrina avant eux.

— Katrina Hagebak avait au moins deux associées avec lesquelles elle comptait accomplir une espèce de projet. Nous sommes sur la piste de la seconde femme. Nous pensons que l'assassin cherche à la retrouver pour la tuer également. Si nous l'identifions avant lui, nous pourrons peut-être le coincer.

— Attendez, quel projet ? Quelle associée ?

Salopard de menteur, songea Sarah.

— Quelque chose en rapport avec les femmes et les injustices dont elles sont victimes depuis des millénaires. Quant à l'associée, nous ne savons toujours pas de qui il s'agit. Si ce n'est qu'elle se fait appeler Ada. C'est elle que nous cherchons à identifier.

— Et vous avez une piste ?

Pour que tu puisses la refiler vite fait à ton bras armé qui nous traque, c'est ça ? pensa Sarah.

— Elle doit travailler dans le domaine scientifique, car « Ada » fait allusion à Ada Lovelace, une mathématicienne qui…

— … Je sais qui était Lovelace ! répliqua Jens Berg. Mais vous comptez vous y prendre comment pour retrouver celle qui se cache derrière ce pseudo ?

— Justement, j'étais dessus. Je vous tiens au courant.

— Et vous n'avez pas une piste plus directe pour retrouver celui ou ceux qui ont assassiné Hagebak ?

— Non, monsieur…

Elle faillit ajouter que le tueur qu'il avait engagé était particulièrement efficace pour arriver à ses fins sans laisser de traces.

— Bien… j'attends votre appel dès que vous avez identifié la potentielle deuxième victime.

Sarah raccrocha en laissant échapper un soupir. Elle avait l'impression d'avoir joué au jeu du ni oui ni non sans y être préparée.

De son côté, Christopher avait le nez collé à son écran.

— Il y a un vol pour Leipzig, qui est à une heure de route d'Iéna. Il décolle dans deux heures. Et j'ai regardé sur le site du Max-Planck, la conférence de presse doit se tenir dans l'Institut lui-même demain à midi. Si on se débrouille bien, on peut y être une petite heure avant…

406

Sarah et Christopher rejoignirent en courant le parking du site de Byblos où ils avaient laissé leur voiture de location.

— Qu'est-ce que Shafi Reinwasser s'apprête à révéler, selon toi ? demanda Christopher en montant dans la voiture.

— Quand tu liras ce que Katrina devait révéler, tu vas comprendre que ces trois femmes n'ont pas prévu d'y aller en douceur. Mais si en plus, cette fois, la révélation est d'ordre scientifique, je m'attends à tout, même à l'annonce la plus révolutionnaire.

Sarah claqua sa portière, démarra en faisant déraper les pneus sur le gravier et fonça en direction de l'aéroport.

Christopher se coula dans son fauteuil près du hublot et avala un des cachets antidouleur qu'il avait achetés à l'aéroport avant d'embarquer. Sa blessure au cou le lançait et il lui semblait qu'elle était toujours sur le point de se rouvrir.

Il palpa le pansement sur sa gorge en grimaçant, puis ouvrit l'ordinateur portable de Katrina Hagebak sur sa tablette et accéda au discours de la Première ministre.

Sur le chemin de l'aéroport, Sarah lui avait raconté en détail les découvertes de Nassim Chamoun sur Asherah, la femme de Dieu. Christopher, qui avait écrit un livre sur les impostures de l'Histoire, regrettait de ne pas avoir eu accès à cette information sidérante et si révélatrice du fonctionnement des religions.

C'était donc avec impatience qu'il attendait de découvrir la première révélation du cénacle d'Etta, Ada et Ludmila.

À ses côtés, Sarah inclina le dossier de son siège au maximum et se laissa aller à lire les gros titres du journal anglais que le passager assis de l'autre côté de l'allée centrale avait déplié devant lui. Tous étaient alarmistes : « L'échec du Brexit révèle la prison Europe » ; « Le pape, malade, pourrait annoncer sa renonciation » ; « Migrants : ce n'était qu'un début » ; « Assassinat de la Première ministre norvégienne : la piste du suicide ».

En lisant le dernier titre, Sarah se demanda jusqu'où elle devait croire les informations précédentes. Presque rassurée de voir que la presse était loin de la vérité, elle cala un coussin derrière sa nuque et ferma les yeux après avoir posé la main sur le bras de Christopher.

Ce dernier ajusta la luminosité de l'écran de l'ordinateur et, à peine le fichier du discours de Katrina ouvert, il en entama la lecture.

« Mesdames, messieurs, bonsoir et merci à vous d'être présentes et présents ici. Ce que je vais vous révéler aujourd'hui ne va pas plaire à tout le monde. Pire encore, mes propos, pourtant historiques, vont provoquer des colères. Mais il est urgent de révéler au monde la plus grande des impostures de l'Histoire.

Commençons par deux devinettes. Qui a dit : "L'amour est un sentiment factice célébré par les femmes pour rendre dominant le sexe qui devrait obéir" ? Ou encore : "Il n'y a point de bonnes mœurs pour les femmes hors d'une vie domestique et retirée" ?

Un rustre vulgaire et inculte ? Un macho bête et brutal ?

Non. Il s'agit du grand philosophe des Lumières Jean-Jacques Rousseau. Son contemporain Montesquieu, inspirateur des futures lois de la France, n'est pas en reste. Je cite : "[La Nature] a semble-t-il conféré aux hommes le droit de gouverner. Elle a placé la témérité dans un sexe et dans l'autre la honte."

Aussi contradictoire que cela puisse paraître, aucun des grands penseurs des Lumières qui ont défendu la liberté et l'égalité à s'en briser la voix n'a su ou voulu libérer les femmes ! En cette époque de régénération historique, les pauvres, les comédiens, les homosexuels, les protestants, les hommes de couleur, les domestiques ont été libérés et même invités à prendre une place en politique. Mais les femmes, non.

Comment fut-il possible qu'en cette période de libération universelle, de combat pour l'égalité absolue et d'explosion des intelligences les plus fines, la femme soit de nouveau traitée par le mépris et la soumission ?

La situation m'a longtemps semblé aberrante. Jusqu'à ce qu'une réponse inattendue se dégage de mes recherches. Elle tient en un mot : conditionnement. Ces penseurs des Lumières, comme leurs prédécesseurs et comme nous tous aujourd'hui, ont été victimes d'un redoutable plan d'endoctrinement de notre inconscient collectif, mis en place à l'époque de l'apparition de l'écriture, aux alentours de 3000 avant J.-C.

Car il fut un temps précédant cette époque où la femme occupait une place prédominante dans la société. Jusqu'au jour où des militants du patriarcat ont décidé que le pouvoir ne serait plus partagé avec les femmes, mais en leur possession, unique et exclusive jusqu'à la fin des temps.

Et si l'on doit reconnaître à ces usurpateurs un génie, c'est celui d'avoir choisi la meilleure des ruses pour aboutir à leurs fins : en réécrivant l'inconscient collectif. Cette mémoire collective de l'espèce humaine qui guide nos vies de génération en génération à travers les mythes, les traditions et la religion.

C'est ainsi que, depuis presque cinq mille ans, des millions d'hommes, de femmes, d'enfants sont nourris de récits religieux maquillés, de mythes réécrits, et d'une Histoire où la féminité est sans cesse rabaissée et diabolisée pour nous faire accepter l'inacceptable : la soumission de la femme à l'homme. »

Christopher se sentit à la fois impatient et mal à l'aise. Impatient parce qu'il brûlait de découvrir l'argumentation de Katrina. Et mal à l'aise parce qu'il avait souvent exploré ces sujets au cours de ses travaux de journaliste, sans jamais en dégager clairement le propos misogyne, qui semblait au cœur du discours de la Première ministre. Il se leva pour aller chercher deux verres d'eau et en déposa un sur la tablette de Sarah. Après avoir bu une gorgée, il reprit sa lecture.

« En fixant par écrit une culture falsifiée selon leurs intérêts, ces hommes d'une époque reculée se sont assurés que les générations futures ne connaîtraient plus que leur seule version patriarcale des faits.

Ces conquérants du patriarcat ont si bien travaillé que, aujourd'hui encore, nous sommes mus par cette reprogrammation de notre mémoire collective sans même nous en rendre compte. Sans même nous souvenir qu'il y eut un avant.

Mesdames, messieurs, le mot en fera peut-être ricaner certains mais, sans nul doute, il s'agit de la plus grande conspiration de l'histoire de l'humanité. Et je vais vous le prouver.

Car ce que les armées de scribes du patriarcat n'avaient pas prévu, c'était que l'archéologie nous permette aujourd'hui de retrouver l'Histoire qu'ils ont cru pouvoir enfouir sous des piles de livres. »

— Monsieur, monsieur !

— Chris ! lança Sarah étonnée de voir que Christopher ne répondait pas à l'hôtesse de l'air qui poussait son chariot de victuailles.

— Hein ? Ah ! pardon, j'étais en train de lire et…

— Cela avait l'air passionnant. Eau ? Jus de fruits ? Vin ? Que souhaitez-vous ?

— De l'eau, ça ira très bien, merci.

Et Christopher se replongea dans sa lecture sans se rendre compte que c'était Sarah qui lui déposait verre d'eau et sachet de cacahuètes au coin de sa tablette.

« Réfléchissons un instant au vécu d'une tribu pré-historique. Les hommes et les femmes chassent, cueillent, sculptent ou peignent pour certains. Il leur arrive donc de créer, mais aucune de leur création ne surpasse l'étrange phénomène qui parfois survient dans la tribu : le ventre d'une femme se met à grossir et, quelques lunes plus tard, un petit humain en sort vivant.

413

L'homme primitif est incapable de faire le rapprochement entre l'accouplement et l'enfantement. Le délai entre le coït et la grossesse est si long que le rapport de cause à conséquence est encore impossible à comprendre. Dans la tête des premiers humains, ce sont donc les femmes et elles seules, les créatrices de la vie ! Les uniques détentrices du plus grand des pouvoirs, face auquel l'homme devait se sentir, pardonnez-moi l'expression, "impuissant".

La femme était donc assurément vénérée comme source de vie. La preuve de cette vénération se retrouve dans la quantité de figurations féminines représentées sur les parois des grottes dans le monde entier, là où la représentation des hommes est quasi absente ou bâclée. Multitude de silhouettes de femmes à la poitrine et aux hanches surdéveloppées, vulves dessinées ou gravées sur des galeries entières avec un soin tout particulier. Autant de dessins auxquels il faut ajouter les deux cent cinquante statuettes féminines découvertes du sud-ouest de la France jusqu'en Sibérie, en Italie, en Allemagne, en Autriche, en Ukraine, en Turquie, Syrie, Irak et que l'on a appelées des "vénus". Là où, une fois encore, très peu de statuettes d'hommes ont été découvertes. Sans nul doute, la femme était un objet d'adoration, de vénération que les artistes hommes ou femmes de l'époque ont tenu à représenter en abondance et avec soin.

Mais vous allez voir qu'à cette époque, et un peu plus tard au Néolithique, la révérence à l'égard de la femme allait bien au-delà de sa capacité "magique" à fabriquer la vie par elle-même.

Au moment de la chasse, les mères et leurs nourrissons ne pouvaient se déplacer aussi vite et aussi silencieusement que les autres membres de la tribu. Elles demeuraient au campement et cela pouvait durer longtemps. Elles devaient alors se procurer de la nourriture pour elles et leurs enfants par leurs propres moyens. Les chercheurs en ont tiré la conclusion que c'est très probablement la femme qui a commencé à travailler la terre et a donc inventé l'agriculture. En allant chercher autour d'elle des graines comestibles et en les consommant régulièrement au même endroit, elle comprit que les morceaux qu'elle laissait tomber à terre donnaient quelque temps plus tard une pousse. C'est certainement ainsi que l'espèce humaine apprit à planter les graines et à cultiver les premiers champs. Et, puisque les femmes étaient toutes consacrées à cette pratique, ce sont elles qui comprirent les premières l'importance de l'eau, de la température dans la pousse des plantes. Ce sont elles qui devinrent les détentrices des secrets de la fertilité de la terre nourricière. Et c'est ainsi qu'elles cumulèrent la connaissance des deux pouvoirs créateurs : celui de la vie humaine et celui de la vie végétale. Deux pouvoirs auxquels il faut ajouter la connaissance des plantes et de leurs vertus curatives, faisant des femmes les premiers médecins. »

D'une main aveugle, Christopher tâtonna pour attraper le paquet de cacahuètes dont il avait perçu l'odeur et renversa son verre d'eau sur sa cuisse. Sans même pester ni essuyer son pantalon, il avala une graine et reprit sa lecture.

« Tout dédié à la chasse et à la défense physique de la tribu, l'homme se sentait étranger à ces savoirs merveilleux et, pendant une longue période, cette connaissance détermina le rôle de la femme dans la société, la plaçant au sommet des peuplades humaines. Raison pour laquelle, bien avant les dieux masculins inventés plus tard, c'était les déesses, les reines des panthéons et elles que l'on vénérait pour que les récoltes soient fructueuses, que les enfants soient en bonne santé ou pour que la guérison arrive vite. Si les dieux masculins existaient parfois, ils n'étaient que les enfants ou les compagnons discrets des divinités féminines.

Je ne citerai que les déesses mères les plus connues de l'Antiquité : la déesse Nekhbèt, en Égypte, était considérée comme une démiurge qui aurait créé le monde en prononçant sept paroles et en lançant sept flèches, et ce bien avant l'avènement du dieu soleil Amon. Cybèle, officiellement appelée la *magna mater*, la mère des dieux, et dont le culte à Éphèse (dans l'actuelle Turquie) a rayonné sur tout l'Empire romain, jusqu'en Gaule, sans qu'aucun Dieu masculin vienne lui faire de l'ombre. Ishtar, chez les Sumériens, fut la grande déesse de vie, de fertilité et réunissait pas moins de quinze sanctuaires. Mari, la déesse primordiale des Basques, dont le nom est encore présent dans la culture du pays, la géante Gaïa, ancêtre maternelle de tous les dieux du panthéon grec, Brigit, la déesse la plus puissante de la mythologie celtique, Asherah, la déesse mère des peuples de Canaan et des premiers Israélites, etc.

Et comprenez bien que ces déesses n'étaient pas des divinités parmi d'autres. Non, elles étaient uniques et régnaient seules, sans aucun dieu à leurs côtés.

D'ailleurs, dans les temples qui leur étaient dédiés, seules les femmes avaient le droit de pratiquer les cérémonies. Et si les hommes étaient parfois invités, ils revêtaient des robes, à l'image de leurs consœurs, pour se fondre dans la masse et ne pas offenser la déesse. Ce qui, au passage, expliquerait pourquoi les prêtres de toutes les confessions actuelles sont vêtus de robes et non de vêtements masculins.

Mais tous ces noms de femmes déesses, aussi célèbres aient-ils été, ne vous disent plus grand-chose aujourd'hui. En revanche, le symbole qui les unissait toutes, lui, vous le connaissez. D'autant qu'on va le retrouver dans tous les textes religieux et mythologiques qui nous sont parvenus.

Ce symbole, on l'a retrouvé sur des multitudes de gravures, de fresques et sur les bras de statuettes représentant des prêtresses. On l'a retrouvé par centaines, de la Crète à l'Irak, en passant par le Liban, la France, l'Égypte et Israël. Il était partout, tout le temps associé à la déesse mère des temps anciens. Ce symbole universel de la fertilité et du féminin sacré, c'est le serpent.

Pourquoi ? Pour une raison biologique toute simple. Les reptiles sont les animaux les plus répandus au monde et en même temps les plus féconds. En fonction de leur espèce, les serpents pondent en moyenne une vingtaine d'œufs, et jusqu'à cent pour les pythons. À cela s'ajoute la mue du serpent, qui semble pouvoir le régénérer à l'infini. Deux particularités qui symbolisent parfaitement la fertilité et l'immortalité que l'on attribuait aux déesses féminines. En ces temps reculés, le serpent était donc un animal sacré, révéré et associé par tous les peuples à la féminité. Et c'est grâce à ce symbole universel du serpent que vous allez comprendre comment les militants du patriarcat s'y sont pris pour renverser la femme de son piédestal. Car, après avoir traversé le Paléolithique et des milliers d'années du Néolithique, la déesse mère s'est vu déclarer la guerre par les armées du patriarcat. Une armée dont nous sommes tous les bons petits soldats sans même en prendre conscience. »

Christopher leva la tête de son écran. Dans la cabine de l'Airbus A320 qui les conduisait vers l'Allemagne, le calme s'était progressivement installé alors que le damier des têtes des passagers et des écrans ressemblait à un jeu d'échecs aux pièces immobiles. Qu'allait-il apprendre dans la suite du texte de Katrina qui ferait de tous ces gens et de lui-même les complices d'une domination ancestrale ?

À ses côtés, Sarah dormait. Elle avait détaché ses cheveux qui tombaient en cascade rousse sur ses épaules et son visage, dont la bouche était à peine entrouverte, se fronçait par moments de mouvements nerveux, comme si son esprit était traversé de désagréables pensées. Il la contempla longuement, prenant conscience qu'après plus d'un an de vie commune il se demandait encore tout ce qu'elle pouvait avoir dans la tête. Un peu comme les anciens devaient regarder les prêtresses de l'époque, détentrices de savoirs secrets.

— Tu veux me faire une offrande ? murmura Sarah qui avait senti le regard de Christopher sur elle.

— Évidemment, j'aurais dû m'en douter, tu ne dors jamais vraiment.

— Si, mais tes pensées m'ont réveillée… Tu en es où ?

— Au serpent.

— Là où tout s'explique.

Christopher caressa la main de sa compagne et poursuivit la découverte du texte de Katrina.

« Avant de vous démontrer la manipulation flagrante des grands textes mythologiques que vous connaissez tous, un mot sur la raison qui a dû amener les hommes à vouloir renverser la déesse. Il est fort probable que le patriarcat a pris naissance non pas chez les peuples d'agriculteurs, mais chez les pasteurs, les gardiens de troupeaux. Pourquoi ? Tout simplement parce qu'en observant leurs bêtes, ils ont fini par comprendre le lien de cause à effet entre accouplement et grossesse. En faisant le rapprochement avec lui, l'homme a compris que lui aussi était à l'origine de la vie et que, sans lui, la femme ne pouvait rien ! Il était donc aussi important qu'elle. De là à dire qu'il était plus important, il n'y avait qu'un pas. Et, soit dit en passant, cela explique pourquoi c'est chez les éleveurs que la femme est devenue une marchandise que l'on s'échangeait ou vendait comme une vache, une chèvre ou un chameau.

Et c'est à partir de là que tout a basculé, que la propagande s'est mise en place et que les scribes se sont évertués à inverser tous les symboles du divin féminin pour les désacraliser. Chaque texte a été écrit ou réécrit pour écraser l'ancienne culture de la déesse mère, pour faire d'elle le chaos qu'il fallait combattre pour permettre à l'homme de vivre dans le mal.

Et le symbole qui a été le plus attaqué dans toutes les cultures est forcément celui qui symbolisait le plus la déesse : le serpent. L'animal révéré, symbole de fertilité et d'immortalité, va devenir le monstre absolu, le dragon dévoreur qui n'est autre qu'un serpent volant, le terrible Léviathan serpent des mers, l'hydre à plusieurs têtes, la méduse et sa chevelure reptilienne, etc.

C'est à partir de ce moment-là que tous les héros masculins des mythes vont devenir des pourfendeurs du monstrueux serpent sous toutes ses formes. Ces personnages masculins vont saccager, tuer, trancher, mais tous seront présentés par l'idéologie patriarcale comme des héros venus sauver le monde actuel contre la menace de l'Ancien Monde dominé par la déesse. Tous seront

« vendus » comme des guerriers chargés d'ordonner le chaos. Mais, pour les peuples de l'époque, le message était très clair : l'ancienne religion de la déesse était devenue le Mal et il fallait la détruire pour que domine un nouveau Dieu masculin garant de l'ordre patriarcal.

Et ces histoires de dragons pourfendus dont nous avons aujourd'hui perdu l'explication symbolique, nous les répétons à l'infini à nos enfants comme des enseignements de sagesse ! Poursuivant l'œuvre de conditionnement de notre inconscient collectif initié par les conquérants du patriarcat absolu.

Commençons par le retournement le plus évident ou le plus grotesque, maintenant que vous connaissez la symbolique féminine du serpent : le péché originel d'Adam et Ève raconté dans la Genèse de la Bible. Je vous rappelle l'histoire : Dieu, donc le nouveau chef de l'ordre patriarcal, interdit à l'homme et à la femme de goûter au fruit de l'arbre de la connaissance du Bien et du Mal. Or le serpent, donc la déesse, vient proposer à la femme de désobéir à l'ordre de Dieu le Père. Ce qu'elle fait, proposant à Adam de faire de même. Pour les punir, Dieu les chasse alors du jardin d'Éden et commence pour eux une vie de souffrance, autrement dit de chaos. Quant au serpent, Dieu lui dit : "Parce que tu as fait cela, maudit sois-tu entre toutes les bêtes."

Peut-on faire démonstration plus limpide de la diabolisation d'un symbole jadis révéré ? Prenons encore le Léviathan, terrible monstre qui apparaît à plusieurs reprises dans la Bible comme destructeur cataclysmique et dévoreur des âmes aux enfers. Quel animal était-ce, d'après vous ? Un serpent marin ! Et, pour que les choses soient plus claires, un serpent qui s'est révolté contre la domination de Dieu et que ce dernier a donc détruit. Ce qui jadis se lisait comme le symbole de la divinité féminine de l'ancienne époque, qui lutte encore pour exister et que le nouvel ordre patriarcal se doit d'exterminer pour le bien des hommes.

La mythologie grecque offre également un exposé limpide du conditionnement psychologique des masses à travers ses récits. Pour commencer, Échidna, qui en grec veut dire "femelle vipère", mi-femme mi-serpent, était connue comme "la mère de tous les monstres" de la mythologie grecque.

L'épopée d'Hercule, le bras armé du grand dieu patriarcal Zeus, raconte une succession de massacres des enfants d'Echidna, pour la plupart des créatures elles aussi reptiliennes. Et cela commence dès la naissance d'Hercule, qui étrangle deux serpents présents dans son berceau, avant de trancher les têtes reptiliennes de l'hydre de Lerne, qui ne cessent de repousser à l'image de cette ancienne religion féminine qui ne veut pas disparaître. Le massacre se poursuit avec l'exécution du dragon Ladon, qui protège les pommes d'immortalité du jardin des Hespérides, planté jadis par la grande déesse Héra. Comprendre par là que la déesse ne doit plus avoir ce pouvoir d'immortalité, mais qu'il doit revenir aux dieux masculins. Quant à l'épopée d'Héraclès chez la reine Omphale, elle se termine par le héros tuant un serpent géant qui détruisait les hommes et les récoltes. Oui, les récoltes ! L'inversion des symboles voulue par les partisans du patriarcat est évidente : l'ancienne source de vie et de fertilité qu'était la déesse à travers le serpent devient génératrice de mort. Méfiez-vous d'elle ! Car ce sont les dieux masculins qui incarneront à eux seuls la source de toute vie.

On peut continuer la liste avec le héros Persée, qui tranche la tête de Méduse, couverte de... serpents bien évidemment. Ou encore le dieu du soleil Apollon, qui vole le sanctuaire de la déesse de Delphes, en tuant Python, fille de la grande déesse Gaïa. Il y installe ensuite son propre temple et y soumet la fameuse prêtresse appelée Pythie, dont le nom vient, vous l'avez compris, du mot python. »

Christopher se passa une main sur le visage, envahi par la culpabilité. Comment lui qui se prétendait journaliste n'avait-il pas vu l'évidente misogynie de l'ensemble de ces récits héroïques ? Comment avait-il pu raconter ces histoires à Simon, comme s'il s'agissait d'aventures formidables qui nourriraient l'imaginaire du petit garçon. Il se revit mimant les combats, changeant sa voix pour incarner les monstres ou les dieux, ajoutant quelques détails de son cru pour rendre les monstres encore plus terrifiants, suivant à la lettre la volonté des hommes qui avaient inventé ces récits pour diaboliser et opprimer les femmes.

— Quel imbécile !... murmura-t-il.

Un furtif sourire de connivence se dessina sur les lèvres de Sarah mais elle garda les yeux fermés et Christopher reprit sa lecture.

« Les héros du Nord ne sont pas en reste : Thor, l'équivalent du Zeus nordique, tue Jörmungandr, un serpent marin géant et terrifiant que l'on surnommait comme par hasard "le poisson de la terre", et Siegfried massacre lui aussi un serpent dont le sang le rend invulnérable. Explication enfantine du dieu masculin qui s'approprie le pouvoir d'immortalité d'une déesse moribonde que l'on doit chasser de nos esprits comme un cauchemar.

Enfin, plus proche de nous, le christianisme ne sera pas en reste pour détruire les dernières poches de résistance du féminin sacré et faire entrer une bonne fois pour toutes dans nos têtes que la Grande Déesse, c'est le mal, et qu'est advenu le règne du lumineux masculin. Pour illustrer ce prétendu triomphe du Bien sur le Mal, on met en scène des chevaliers à l'armure rayonnante, pourfendeurs de dragons ou de serpents géants, comme avec les iconiques saint Michel et saint Georges, systématiquement peints ou sculptés en train de terrasser le dragon. Et ce qu'on ignore souvent, c'est que toute une armée d'autres saints vont leur emboîter le pas dans toutes les régions où s'installe le christianisme. À tel point qu'on les a appelés les saints sauroctones, du mot "saurien", qui désigne donc tous les saints tueurs de reptiles. On n'en recense pas moins de quarante !

Je pourrais poursuivre les exemples presque à l'infini, car l'extermination de la divinité féminine ne s'est pas faite en un jour et les militants du patriarcat ont dû sans cesse renouveler ou répéter leurs histoires, au cours des siècles, pour ne pas perdre leur combat.

Dans une certaine mesure, on peut dire qu'ils ont gagné.

Et pourtant ils ont dû affronter de puissantes résistances de la part de peuples qui ne voulaient pas abandonner leurs déesses de la vie au profit de dieux uniquement vengeurs et guerriers. La preuve de cette résistance, on la trouve encore aujourd'hui, en nombre, à condition de bien regarder. Aussi, pour terminer cette intervention, je vous propose de lever ensemble le voile sur la présence du féminin sacré caché ou déguisé partout autour de nous. »

Bouleversé par ce qu'il venait de lire, Christopher se laissa un instant retomber sur le dossier de son fauteuil. Comment n'avait-il pas vu cette lecture des mythes et de la religion auparavant ? Cela lui semblait si évident, si gros même maintenant qu'il savait. Il se revit, fier de lire les douze travaux d'Hercule à Simon, en mimant les combats du héros grec, alors qu'il ne faisait que commémorer la victoire patriarcale sur le grand féminin. Il se remémora les centaines de fois où enfant il avait vaincu le dragon avec ses figurines et délivré la princesse.

— Et la princesse n'est au fond que la version domestiquée de la grande déesse dragon, celle qui attend docilement de se soumettre au chevalier… commença-t-il en oubliant que Sarah dormait.

— … chevalier qui fera d'elle sa femme sans qu'elle ait son mot à dire, marmonna Sarah dans un demi-sommeil.

— Katrina a mille fois raison en disant que nous continuons encore aujourd'hui à célébrer cette usurpation, sans même nous en rendre compte. Les contes de fées en sont le parfait exemple.

— Et encore Katrina aurait pu nous parler des sorcières, qui n'étaient autres que les premières guérisseuses de l'humanité, et dont la tradition a fait ce que l'on sait pour saper leur importance et leur lien avec le féminin sacré.

Christopher se passa la main sur le visage. Puis il demeura immobile, les yeux fixés sur l'écran, avec pour seul compagnon sonore le bourdonnement des moteurs de l'avion et les dialogues étouffés de quelque film filtrant à travers le casque d'un passager endormi.

Il était rare que de simples mots puissent changer en si peu de temps la vision de toute une vie. Mais comment pouvait-il en être autrement après ce qu'il venait de lire ? Pour le bien de l'humanité, le monde entier aurait dû entendre ce discours et ouvrir les yeux. Aussi immoral que cela puisse paraître, il comprenait aussi pourquoi Katrina Hagebak avait été assassinée avant de pouvoir faire sa révélation.

Il allait poursuivre sa lecture, mais fut pris d'un vertige. Il posa les mains à plat sur les accoudoirs en respirant profondément.

— Ça va ? lui demanda Sarah, inquiète en entendant son souffle.

— Je crois que je commence à fatiguer.

— Repose-toi vraiment si tu veux que l'on ait une chance de le découvrir.

— J'aimerais lire la fin du discours, c'est tellement incroyable ce qu'elle raconte que…

— Écoute, je ne sais pas ce qui nous attend en Allemagne, mais on peut supposer que l'assassin est arrivé aux mêmes conclusions que nous… et on doit tout faire pour le prendre de vitesse. Une fois que l'on aura atterri, on n'aura plus une seconde pour reprendre notre souffle. Dors, c'est notre meilleure arme si on veut aller au bout de tout ça. Tu finiras la lecture du texte plus tard.

Sarah posa la main sur la joue de Christopher. Il l'embrassa et pencha la tête sur le côté en fermant les yeux.

Mais une pensée obsédante l'empêcha longtemps de trouver le sommeil : ce qu'il venait de lire sur l'imposture de l'inégalité entre les hommes et les femmes lui semblait indépassable. Et pourtant, il restait encore deux révélations.

44

Assis en business classe dans un Boeing 737 en direction de Leipzig, Stieg Anker se félicitait encore des vieux restes de ses longues études en langues étrangères à l'université d'Oslo. Au-delà des langues parlées, il avait suivi plusieurs cours sur le langage informatique, afin d'y repérer les analogies avec la structuration grammaticale de la parole. Cet enseignement remontait à plus d'une vingtaine d'années, mais sa mémoire avait imprimé les interventions de cette professeure féministe qui prenait un soin particulier à souligner l'apport des femmes dans ce domaine. C'était là qu'il avait longuement entendu parler de la créatrice du premier programme informatique, Ada Lovelace, et, quand il avait lu la fin du discours de Katrina Hagebak, qui évoquait le rapport entre Ada et la science, la connexion avec la savante anglaise s'était faite immédiatement.

Comme Sarah et Christopher, il avait rapidement découvert le projet Ada et son lien avec l'Institut Max-Planck. L'annonce d'une conférence de presse le lendemain à 10 heures du matin d'une certaine Shafi

Reinwasser, spécialiste en archéogénétique, lui avait confirmé qu'il avait trouvé sa prochaine cible.

Il décrocha le téléphone installé sur le devant de son siège et appela le contact de leur organisation en Allemagne. Contrairement au Liban où ni Jens Berg ni lui ne connaissaient personne, l'Allemagne était une terre où le masculinisme avait développé son réseau.

— Une coupe de champagne, monsieur ? demanda une jeune hôtesse.

Stieg Anker lui décocha un regard glacé pour lui faire comprendre qu'il voulait qu'on lui fiche la paix.

— Stieg Anker à l'appareil, dit-il en s'assurant que l'hôtesse de l'air s'était bien éloignée.

— Content de t'entendre, camarade ! Ce que tu es en train de faire est… dingue.

— Justement, j'ai besoin de ton aide.

— Tout ce que tu veux.

— Il va me falloir une camionnette chargée en bonbonnes de gaz et en bidons d'essence, à Iéna, chuchota Stieg. Du lourd. Pour un immeuble.

— Dans combien de temps ?

— Mon avion atterrit dans sept heures à Leipzig. Je te laisse faire le calcul.

— Ça va être serré, mais je vais faire le nécessaire. Tu as besoin d'autre chose ?

— Une arme de poing. Discrète.

— Ça, c'est plus facile. Où tu veux ton matériel, à Iéna ?

— Pas très loin du Max Planck Institute.

— OK… laisse-moi regarder.

Stieg patienta quelques secondes, non sans laisser traîner son regard sur les jambes de l'hôtesse qui repassait devant lui.

— Très bien, je vois. Le mieux, c'est que je fasse mine de changer un pneu le long de la route à une centaine de mètres de l'institut. On fera l'échange de véhicules.

— OK, ça me semble être une bonne idée. D'ailleurs, trouve-moi une voiture rapide, prépayée, avec remise des clés à la descente d'avion à Leipzig, je gagnerai du temps. C'est tout.

— À tout à l'heure camarade… et on est beaucoup à compter sur toi pour qu'elles ferment enfin leur clapet !

— Ça va être pire que ça.

Et Stieg raccrocha avant de héler l'hôtesse de l'air et de lui ordonner sur un ton menaçant de ne plus jamais le déranger au cours du trajet. Il glissa ensuite dans un sommeil récupérateur.

45

— 11 h 14, dit Christopher en mettant son clignotant pour quitter l'autoroute qu'ils avaient prise depuis Leipzig. Le GPS indique qu'on sera à destination dans trente-cinq minutes. Ça nous laisse très peu de temps pour lui parler avant la conférence...

À ses côtés, confiante dans la conduite de Christopher qui avait foncé à toute allure sur l'autoroute sans limitation de vitesse, Sarah rappela Shafi Reinwasser, mais tomba de nouveau sur son répondeur.

Au moment où elle raccrochait, son téléphone lui annonçait qu'elle avait reçu un message. C'était le directeur de Kripos, l'agence de police norvégienne du crime. Il expliquait avoir reçu un appel de Jens Berg, qui se plaignait ouvertement du manque de communication entre lui et Sarah. Il avait tenté de le calmer en expliquant qu'elle avait l'habitude de travailler de cette façon et que c'est ainsi qu'il la laissait faire pour qu'elle soit le plus efficace. Il ajoutait qu'il avait le sentiment que Jens Berg ne lui pardonnerait pas la moindre erreur et qu'elle devait par conséquent faire un effort pour mieux le tenir au courant de ses avancées.

Il concluait en disant qu'à Oslo, tout le monde était suspendu aux résultats de son enquête et que le pays attendait impatiemment des réponses.

Sarah sentit une raideur supplémentaire lui tendre la nuque et tâcha de ne pas se laisser parasiter par la pression.

Elle fouilla plus attentivement le site Internet de l'Institut Max-Planck pour en savoir davantage sur le sujet de la conférence de presse de Shafi Reinwasser, mais les informations étaient laconiques : « Shafi Reinwasser, directrice du département d'archéogénétique de l'Institut, fera une annonce très importante sur une nouvelle découverte qui vient d'être confirmée après dix ans de recherche. La conférence de presse se tiendra le mardi 11 décembre 2018 à midi précis à l'Institut Max-Planck d'Iéna. »

— C'est quoi, exactement, l'archéogénétique ? demanda Christopher en se penchant sur le côté pour voir s'il pouvait doubler le camion qui les ralentissait.

— Je suis dessus, répondit Sarah en basculant contre la porte alors que Christopher venait de déboîter d'un mouvement sec en poussant une forte accélération.

Leur Audi dépassa le poids lourd sans mal et Christopher poursuivit sur sa lancée.

— C'est l'étude du passé humain *via* l'analyse de l'ADN, dit Sarah en redressant la tête. En gros, soit on analyse l'ADN de restes archéologiques comme des ossements. Soit, si je comprends bien, on peut aussi étudier l'ADN de personnes vivant aujourd'hui pour remonter le temps et déduire certains mouvements de populations et certains mélanges de nos ancêtres.

Ils doublèrent une autre voiture où des enfants assis à l'arrière leur firent coucou avec un grand sourire. Christopher leur répondit d'un petit geste mais la seconde d'après son visage se ferma.

— Simon est en sécurité chez mes parents, Chris, lui dit Sarah qui avait compris son malaise. Tu l'as vu tout à l'heure. Il va bien. Ils vont l'emmener à l'école, et bien s'occuper de lui.

— Hum…

— Mais ?

— Non, rien, je… me dis que je devrais être avec lui. Quand il t'a vu partir en hélicoptère, il a vraiment été traumatisé. Il s'est dit que tu l'abandonnais et que tu allais faire quelque chose de dangereux. Il a même cru que c'était encore lié à ce qui lui est arrivé l'année dernière. Et deux jours après c'est moi qui l'abandonne.

Sarah ne répondit pas. Elle ne savait pas si elle devait se sentir coupable ou triste.

— Et je te dis ça comme si je sous-entendais que tout était ta faute, ajouta Christopher. Je suis vraiment un abruti.

— Sans que ce soit ma faute, j'y suis pour quelque chose.

— Mais ce que tu fais est bien, et tu le fais mieux que personne. J'ai de la chance de pouvoir t'aider un peu et Simon le sait. Même s'il ne le dit pas souvent, il est très fier de nous deux. Ça le structure, ça le rassure.

Sarah caressa la nuque de Christopher avec tendresse.

— Sarah… s'il m'arrivait quelque chose, tu t'occuperais de Simon ?

Tout en posant la question, il s'aperçut qu'il demandait plus ou moins à Sarah si elle serait capable d'arrêter son travail d'enquêtrice pour se consacrer à Simon.

— Évidemment, oui.

Christopher fut surpris de la réponse franche et immédiate de Sarah.

— Mais tu n'aurais peut-être plus le temps de…

— … Je sais, mais Simon passe avant mon travail. Et puis je te rappelle que je t'ai fait une proposition avant de partir.

Sarah eut un sourire intimidé, comme si elle se sentait gênée d'aborder ce sujet dans ces circonstances.

Christopher la regarda, ému. Elle posa sa main sur sa cuisse.

— J'ai envie qu'on soit une famille, Chris. Une vraie famille. Et le temps venu, je ferai les choix qui s'impo… attention !

Sarah se jeta sur le volant et braqua vers elle. Leur voiture fit une embardée et évita de justesse le véhicule qui venait en face. Chamboulé par toutes les pensées contradictoires qui lui passaient par la tête, Christopher avait brièvement perdu le contrôle de sa trajectoire.

Alors que le klaxon furieux du conducteur s'éloignait derrière eux, Christopher reprenait le contrôle de lui-même. Son cœur affolé martelait sa poitrine et ses mains tremblaient.

— Ça va aller… dit-il. Ça va aller… Je me concentre.

— OK… si tu veux que je te remplace, tu me le dis.

Christopher souffla bruyamment à plusieurs reprises et ils s'octroyèrent tous les deux quelques instants de calme pour reprendre leurs esprits.

— Ça va aller, finit par répondre Christopher. Je crois que je me suis laissé déborder par tout ce qu'on vient d'apprendre et de traverser…

— C'est normal, Chris, t'en es bien conscient quand même ? Tu ne te dis pas que tu devrais aller bien ?

En prononçant cette phrase, Sarah constata qu'elle avait parlé comme si elle, en revanche, se sentait d'autant plus vivante qu'elle était au cœur de cette traque harassante. L'espace de quelques secondes, elle douta avec angoisse de l'entière sincérité de la réponse qu'elle avait donnée à Christopher sur ce qu'elle serait prête à faire pour Simon.

— Parlons d'autre chose pour nous changer les idées, proposa Christopher.

Contente de pouvoir fuir cette désagréable hésitation, Sarah approuva.

— Tu vois, commença Christopher, ce qui vient d'arriver à l'instant, ça me fait penser à cette idée toute faite comme quoi les femmes ne savent pas conduire. Et je me demandais combien de préjugés de ce type j'avais en tête. En fait, pour aller plus loin, je me demande combien de fois j'ai été un sale con sans m'en rendre compte, ou même en m'en rendant compte, mais sans que ça me pose de problème.

— Belle preuve de courage intellectuel de te poser la question. Et donc ?

— Et j'ai bien peur que la réponse soit *plusieurs fois*, répondit Christopher alors que la ville d'Iéna venait de se dévoiler en contrebas de la route au détour d'un virage.

Nichée dans une cuvette verdoyante cernée de collines boisées, elle présentait un assemblage incongru de maisonnettes de campagne au toit orange au centre desquelles trônait une immense tour de verre cylindrique, elle-même protégée à son pied par quelques bâtiments rectangulaires d'allure moderne.

— À quels comportements tu penses ? reprit Sarah.

— Eh bien, par exemple, si j'ai un homme et une femme en face de moi et que je dois les convaincre de quelque chose, je vais plus regarder l'homme parce que je me dis qu'à la fin c'est lui qui prendra la décision, répondit Christopher en contrôlant d'un œil le GPS qui indiquait qu'il fallait tourner à droite dans moins de deux kilomètres.

Sarah hocha la tête. Elle ne comptait même plus toutes les fois où elle avait observé une telle attitude.

— C'est bien que tu aies un éclair de lucidité sur ce point…

— Et puis, il y a les blagues misogynes. J'en ai ri et j'en ai raconté. Même si j'ai toujours senti qu'il y avait quelque chose de trop facile donc de malsain là-dedans, je l'ai fait. Un peu comme les ados qui fument pour faire comme les copains, même s'ils savent que c'est mauvais pour la santé. C'était comme un rituel d'appartenance au clan des hommes, tu vois ?

— Comme les prétendues blagues sur les blondes qui sont une manière déguisée de s'attaquer en réalité à toutes les femmes. Perso, ça ne m'a jamais fait rire, pour cette raison.

— Mais la plupart des hommes à qui tu dirais ça te répondraient : on ne peut plus rigoler alors, vous n'avez pas d'humour !

— L'humour n'a pas toujours raison. Surtout si avoir de l'humour consiste à rabaisser un groupe de personnes réuni en fonction de sa couleur de cheveux, ou de je ne sais quel autre critère réducteur.

— Mais tu sais qu'il y a plein de femmes qui font des blagues sur les blondes et qui se traitent elles-mêmes de blondes quand elles font un truc idiot.

— Je sais et je pense qu'elles sont victimes de ce que tu disais tout à l'heure : du rituel d'intégration. Si elles ne le font pas, elles craignent inconsciemment de passer pour des rabat-joie et d'être exclues par le groupe dominant, à savoir les hommes. Elles pré-fèrent donc s'autodétruire pour correspondre à ce que la société masculiniste attend d'elles : la soumission.

Christopher était surpris qu'ils n'aient jamais ouver-tement parlé de ce sujet jusqu'ici, alors qu'il s'agissait d'un problème tellement important. Il se demandait combien de fois il avait mal agi, sans que Sarah lui dise rien.

— Si en revanche, une femme se moque d'elle-même par rapport à des défauts qui lui sont propres, je trouve ça très drôle, reprit Sarah. L'autodérision par rapport à des traits de personnalité, c'est génial. Que ce soit un homme ou une femme. Mais ça demande un peu plus d'efforts. Et tu le fais très bien d'ailleurs.

— « Tu sais très bien te foutre de ta propre gueule, chéri, et j'aime ça. » Merci Sarah, je me sens mieux.

Elle éclata de rire. Christopher était parvenu à la faire rire dans un moment où l'appréhension leur nouait les entrailles.

Leurs sourires s'estompèrent lentement et bientôt un nouveau silence s'installa dans l'habitacle.

Ils demeurèrent muets quelques minutes, chacun appréhendant à sa façon le moment qui les attendait.

Christopher se demanda si ce n'était pas l'occasion de montrer à Sarah ce qu'elle faisait à ce péage d'autoroute alors qu'elle était censée être à Hemsedal en stage de décompression post-guerre.

— Destination à trois cents mètres, annonça la voix robotique du GPS.

Christopher sentit une bile acide lui brûler l'estomac.

— Sarah, ça va se passer comment sur place si le tueur... est là. Tu n'as même pas d'arme.

— Il va y avoir du monde, donc forcément un service de sécurité. Le tueur ne pourra pas agir facilement. Il n'est pas exclu que ça se passe... bien.

Au même moment, une camionnette blanche qui était garée sur le bas-côté s'engagea sur la route juste devant eux. Christopher dut freiner brutalement.

Le chauffeur leva un bras pour s'excuser et tourna sur une petite route de terre une cinquantaine de mètres avant le panneau indiquant l'entrée de l'Institut Max-Planck.

46

Le parking de l'Institut Max-Planck était saturé de véhicules de presse et de camionnettes munies d'antennes satellites. Des journalistes munis de micros et d'enregistreurs de poche se pressaient vers l'entrée des bâtiments tandis que deux vigiles organisaient la circulation pour éviter l'embouteillage. Christopher gara la voiture sur le bas-côté de la route et Sarah en descendit pour courir en direction du hall d'entrée.

Niché dans un parc de verdure, l'institut était composé de deux bâtiments diamétralement opposés. Du côté gauche, une structure moderne toute en baies vitrées sur trois étages, où l'on apercevait les laboratoires et les bureaux des chercheurs. De l'autre, relié à la première aile par une passerelle couverte, un ancien manoir en briques rouges aux tourelles couvertes de tuiles grises scintillantes sous les pudiques rayons de soleil.

Les journalistes se dirigeaient tous vers le bâtiment récent. Sans tenir compte des semonces, Sarah remonta la file d'attente pour parler aux deux vigiles qui contrôlaient les cartes de presse. Son badge de la police norvégienne présenté devant elle, elle s'adressa à l'imposant homme en costume qui lui faisait une remontrance.

— Madame, vous devez faire la queue comme tout…

— Je suis de la police d'Oslo, murmura-t-elle pour que seul le gardien l'entende dans le brouhaha général. Je dois absolument parler à Shafi Reinwasser.

Le gardien au regard nerveux eut l'air embarrassé. Il gratta l'arrière de son crâne rasé. On ne l'avait pas formé pour une telle demande et puis il y avait encore tous ces journalistes à faire entrer avant le début de la conférence.

— Écoutez, adressez-vous directement à la police d'Iéna. Moi je n'ai pas l'autorisation de vous laisser passer.

— Oh ! il se passe quoi là, la conf débute dans dix minutes ! s'agaça un homme en tapant sur l'épaule de Sarah.

Elle détestait qu'on la touche sans son autorisation. Elle se retourna et il sembla au journaliste qu'elle l'embrochait de son regard glacé.

— OK… mais bon, vous n'êtes pas toute seule, hein, bredouilla-t-il en regardant de côté.

— Écoutez, je suis en charge de l'enquête sur le meurtre de la Première ministre norvégienne, reprit Sarah à l'adresse du vigile. Tout laisse à penser que Shafi Reinwasser est la prochaine sur la liste du tueur et qu'il pourrait passer à l'acte ce soir. Le jour où il y aura une enquête sur les circonstances de l'assassinat de Shafi Reinwasser, je prendrai tout particulièrement le soin de rappeler que vous m'avez empêchée d'entrer…

Le gardien prit son talkie-walkie et appela ce qui semblait être un supérieur hiérarchique.

En moins d'une minute, un homme plus âgé, au visage sec, s'approcha pour demander ce qui se passait. Il fouilla Sarah et lui fit ensuite signe de le suivre. À l'abri des regards, elle lui expliqua la situation.

— Très bien, je vais vous conduire à elle, répondit le chef de la sécurité, mais je dois informer la police.

— Oui bien sûr, répondit Sarah. Où est-elle ? C'est urgent !

Au même moment, Sarah aperçut Christopher, qui venait d'arriver au niveau des portillons de sécurité. Il fut fouillé à son tour et le chef de la sécurité l'autorisa à les rejoindre.

— Mme Reinwasser est encore dans son bureau, précisa l'homme au visage sévère. Elle a demandé qu'on la laisse tranquille jusqu'à la dernière minute. Suivez-moi.

Ils grimpèrent à toute allure un escalier qui les conduisit jusqu'à la passerelle vitrée qui rejoignait le bâtiment ancien aux allures de manoir. Le sol en lino laissa place à un parquet grinçant d'époque et les murs impersonnels s'habillèrent de moulures et de passages aux arcs voûtés qui donnaient le sentiment d'être revenu au XIXe siècle. Une odeur de cire d'abeille imprégnait l'air et à la rumeur de la foule de journalistes succéda un silence propice à l'étude.

— Son bureau est là, à droite, annonça le chef de la sécurité en désignant une porte d'apparence récente.

Il cogna au battant alors que Sarah consultait sa montre. Plus que cinq minutes avant l'annonce. Si le tueur devait frapper, c'était maintenant.

— J'arrive ! lança une voix de femme dans la pièce fermée.

— Madame Reinwasser, c'est Sarah Geringën, je vous ai laissé un message. Vous êtes en danger et vous le savez ! Ouvrez-moi s'il vous plaît.

Silence.

— Je ne renoncerai pas à l'annonce, inspectrice.

— Ce n'est pas ce que je vous demande. Bien au contraire.

On entendit des pas lourds marteler le parquet et la porte s'ouvrit sur une grande femme qui devait avoir quarante à quarante-cinq ans, estima Sarah. Une imposante chevelure frisée, de captivants yeux marron avec dans le regard un air d'indépendance et de défi qui donna envie à Christopher de l'appeler madame la directrice.

— C'est bon, fit la chercheuse à l'adresse du chef de la sécurité. J'arrive tout de suite. Entrez, ajouta-t-elle à l'attention de Sarah.

— Christopher Clarence est journaliste, il m'aide dans cette enquête…

Shafi approuva l'entrée de Christopher d'un signe de tête puis jeta un œil furtif dans le couloir avant de refermer la porte.

Ils se retrouvèrent dans une pièce lumineuse en forme de cercle. Toute la moitié basse des murs était occupée par des rayonnages de livres. Au-dessus, à hauteur de regard, se succédaient des photos en noir et blanc. Tous les portraits représentaient des femmes.

— J'ai eu votre message, inspectrice, commença la scientifique. Je ne sais pas comment vous êtes parvenue à remonter jusqu'à moi, mais je vais vous dire une chose : à mon avis, Katrina ne vous a pas rendu la tâche facile pour retrouver ma trace. Si elle l'a pu, elle a même dû tenter d'effacer les traces de son propre meurtrier… L'aboutissement de notre cause est supérieur à la justice qui pourrait nous être faite.

— Madame Reinwasser, vous devez immédiatement vous faire escorter dans…

— … Et si Katrina a agi de la sorte, reprit la chercheuse d'une voix autoritaire, c'est justement parce qu'elle ne voulait pas que la police se mêle de notre projet et risque de nous empêcher de le mener à bout ! Comme vous le faites !

— Ce n'est qu'un contretemps. Vous pourrez…

— Je ne serai en sécurité nulle part, inspectrice. Si vous avez si bien travaillé sur cette enquête, alors vous devez savoir qui sont ceux qui nous traquent et de quel pouvoir ils disposent. N'est-ce pas ?

Sarah chercha de l'aide en regardant Christopher.

— Nous vous avons rejointe ici sans le dire à nos supérieurs hiérarchiques. Pour vous protéger. Katrina n'a pas eu le temps de faire sa révélation. Donnez-vous toutes les chances de faire la vôtre en étant plus intelligente que votre assassin. Ne vous jetez pas dans sa ligne de mire.

Shafi Reinwasser regarda par la fenêtre les derniers journalistes se presser de gagner l'Institut. Elle les avait comptés. Ils devaient bien être une centaine dans la salle de conférence. L'impact de son discours allait être retentissant. Et il devait l'être pour préparer la révélation de Ludmila. Qui, elle, ne pouvait être décalée.

— Vous voyez les femmes qui sont autour de nous sur ces photos ?

Sarah et Christopher avaient évidemment remarqué la présence de ces visages de femmes.

— Là, en robe et en chapeau, c'est Lise Meitner, asséna Shafi Reinwasser. Elle a découvert la fission nucléaire en 1938, en Allemagne. Mais comme elle était juive, elle a dû fuir le pays et c'est son collaborateur masculin, Otto Hahn, qui a reçu le prix Nobel à sa place pour cette découverte. La photo d'à côté, de cette femme assise à son bureau, c'est l'Américaine Cecilia Payne-Gaposchkin, qui prouve en 1924 que les étoiles sont composées d'hélium et d'hydrogène. À l'époque, c'est un résultat inédit et personne ne veut la croire. Son directeur, Henry Russel, la dissuade de publier ses résultats. Quatre ans plus tard, il découvre qu'elle avait raison et publie ses propres recherches. Il précise que Cecilia l'a précédé, mais c'est quand même lui qui recevra les honneurs. La femme en blouse blanche qui sourit à l'objectif est la microbiologiste Esther Lederberg. C'est à elle que l'on doit la réplication de la culture bactérienne qui a ouvert la voie au clonage. Mais comme son mari travaillait avec elle et qu'il était déjà plus connu, c'est lui qui reçut le prix Nobel de médecine sans même un mot pour sa femme lors de son discours. Et enfin, la plus inconnue du plus connu : la mathématicienne et physicienne Mileva Maric Einstein. L'épouse d'Albert Einstein. Dans la plupart des lettres adressées à sa femme, Albert Einstein parle de *leurs* travaux, de *leur* théorie sur le mouvement relatif. Ils travaillaient évidemment tous les deux. Mais qui connaît Mileva Einstein ?

Shafi Reinwasser, qui avait évolué de photo en photo, baissa la main en regardant ses deux interlocuteurs.

— Je vis sous le regard de ces femmes depuis des années. Si je veux leur rendre justice, je dois parler aujourd'hui ou ma révélation se diluera dans l'actualité. Alors, je suis désolée mais c'est aujourd'hui que je dois faire mon annonce. Et j'ai déjà trois minutes de retard.

— Je vous escorte, déclara Sarah d'un ton qui rivalisait d'autorité avec celui de la scientifique.

Cette dernière toisa cette femme rousse au regard déterminé et à l'intelligence aiguisée.

— D'accord.

Sarah ouvrit la porte. Le couloir était vide. En tendant bien l'oreille, on entendait désormais au loin la rumeur de la salle de conférence où l'on devait commencer à s'impatienter.

Ils s'engagèrent tous les trois vers la passerelle qui menait au bâtiment moderne et, du coin de l'œil, Christopher reconnut en contrebas la camionnette blanche qui leur avait fait une queue-de-poisson un peu plus tôt. Deux policiers en faisaient le tour, armés.

— Sarah… dit-il en désignant le véhicule.

Elle jeta un œil rapide et accéléra le pas.

Ils descendirent l'escalier et s'approchèrent de l'amphithéâtre décoré de luxueux lustres où devait avoir lieu la conférence de presse. Les journalistes étaient si nombreux que certains avaient dû s'asseoir sur les marches. Un homme qui se tenait derrière le pupitre de l'estrade aperçut Shafi Reinwasser et son visage se barra d'un grand sourire. Il s'approcha du micro.

— Mesdames, messieurs, voici celle que nous attendons tous, Shafi Reinwasser !

Une vague d'applaudissements salua l'arrivée de la chercheuse alors que tout le monde se retournait pour apercevoir la star du jour.

La seconde d'après, l'amphithéâtre n'était plus qu'une antichambre de l'enfer.

47

L'assourdissante déflagration éventra le mur extérieur de l'amphithéâtre dans une tornade de fournaise. L'onde de choc ardente faucha toute l'assistance, alors que les éclats de murs brisaient les os et que les flammes dévoraient les corps.

Des cris atroces déchirèrent l'écho de l'explosion tandis qu'une odeur de chair brûlée se mêlait déjà à l'âcre haleine de la poudre. Tout l'amphithéâtre était en feu et une épaisse fumée noirâtre asphyxiait l'air. Des cadavres ensanglantés et brûlés jonchaient le sol, parfois jetés en travers des fauteuils comme des poupées inertes. Aux hurlements de terreur et de douleur succédèrent des mouvements de panique où les quelques survivants tentaient de fuir le four dans lequel ils étaient piégés.

Aux aguets, Sarah avait eu le réflexe de se jeter à terre. À moitié sourde, elle entrouvrit les paupières en se demandant si elle était encore vivante. L'air bouillant lui brûlait les yeux et elle se mit à tousser comme si ses poumons allaient se déchirer.

Entre les flammes, elle aperçut Christopher allongé derrière elle, les cheveux recouverts d'une masse visqueuse et rougeâtre. Les bras en protection devant elle, penchée en avant, elle contourna une banquette enflammée en titubant.

— Chris !

Il ouvrit les yeux en gémissant et se protégea instinctivement le visage contre la chaleur. Tous les murs de l'amphithéâtre étaient dévorés par l'incendie et il lui sembla qu'il était au fond d'un volcan en éruption.

Sarah inspecta rapidement son crâne et constata avec soulagement que le sang qui recouvrait ses cheveux n'était pas le sien.

— Prends ma main ! lança-t-elle en criant pour couvrir le bruit des lamentations et du souffle du brasier. Vite !

— Où est Shafi ? demanda-t-il en fouillant les décombres ardents du regard.

Derrière un écran de fumée qui gagnait chaque seconde en épaisseur, ils aperçurent le corps de la chercheuse à trois mètres environ. Elle avait été projetée par le souffle de l'explosion et reposait, inerte, aux côtés du cadavre sanguinolent d'un gros homme dont la peau avait fondu.

— Sors d'ici ! Je la ramène !

Elle poussa Christopher dans la seule direction qui n'était pas mangée par les flammes et fonça vers la scientifique, le creux de son bras plaqué contre sa bouche et son nez.

C'est alors qu'elle vit une massive silhouette défigurée par un masque à gaz traverser les flammes dans sa direction. Vêtu d'une combinaison et de gants, l'homme semblait chercher quelque chose et regardait sans cesse de gauche à droite. Sarah reconnut immédiatement l'allure du tueur qui les traquait. Il s'immobilisa soudain puis courut vers Shafi Reinwasser.

Sarah voulut se lancer à sa poursuite, mais un énorme lustre se décrocha du plafond et s'écrasa juste devant elle. Le jet de flammes et de poussière l'asphyxia et elle se retrouva à terre à tousser comme si elle crachait jusqu'à ses boyaux. Elle rampa pour tenter d'échapper à la fumée et se retrouva juste derrière l'assassin qui tenait la tête de la scientifique entre ses mains. Shafi avait l'air vivante et il lui parlait de sa voix métallique en écrasant ses pouces dans ses yeux.

Sarah crut entendre la voix de Shafi puis, le temps qu'elle prenne une bouffée d'air, Stieg Anker se redressa, brandit une arme à feu et la pointa vers la scientifique. Sarah bondit sur le tueur et ils chutèrent tous les deux alors qu'on entendait le coup de feu partir.

L'assassin fut le plus rapide à réagir et, à califourchon sur Sarah, il lui asséna un coup de poing au visage avant de lui saisir le crâne pour l'abattre violemment au sol. Sarah lui décocha un coup de genou entre les jambes qui lui fit lâcher prise au dernier instant. Elle roula sur le côté et son blouson s'embrasa au contact de tissus enflammés.

Stieg Anker se releva, visa la tête de Sarah et tira alors qu'elle se débattait dans son vêtement en feu. La balle aurait dû lui faire éclater la boîte crânienne, mais elle lui frôla la tempe.

Dans un cri de rage, Christopher venait d'abattre une brique sur la nuque du tueur, qui perdit l'équilibre et tomba à genoux.

Sarah regarda autour d'elle. Toutes les issues étaient désormais bloquées par l'incendie. Ils étaient pris au piège.

— Au s-so ! souffla Shafi Reinwasser.

— Quoi ?!

— Le sous-sol, il y a une pièce de sécurité… marmonna Shafi, du sang s'écoulant entre ses lèvres.

— Les escaliers, là-bas ! compléta Christopher qui les avait rejointes.

Stieg Anker secouait la tête pour reprendre ses esprits.

Sarah et Christopher glissèrent chacun un bras de Shafi derrière leur nuque et traînèrent la scientifique vers les escaliers descendant à l'étage du dessous. Retenir leur souffle tout en fournissant un tel effort les épuisa en quelques secondes. Sarah chuta, entraînant Christopher.

Derrière eux, Stieg Anker venait de se relever et les avisa d'un coup d'œil.

— Vite ! hurla Christopher en toussant.

Sarah poussa un rugissement d'effort pour soulever de nouveau Shafi et ils descendirent les marches à toute vitesse en laissant traîner les pieds de la scientifique par terre.

L'air fut soudain plus respirable.

— À gauche, bafouilla la scientifique.

On entendit des pas lourds dévaler l'escalier. L'ombre masquée du tueur n'était plus qu'à quelques mètres. Et même s'il avait du mal à avancer droit à la suite du coup que Christopher lui avait porté à la tête, il serait à leur hauteur dans moins d'une dizaine de secondes.

— Là… 273356.

Ils venaient de s'engouffrer dans un couloir garni de plusieurs portes et Sarah repéra le clavier numérique à côté de l'une d'elles. De la main qui ne soutenait pas Shafi Reinwasser, elle tapa le code à toute vitesse tandis que Christopher voyait l'assassin foncer brutalement vers eux.

La porte s'ouvrit, ils déboulèrent à l'intérieur de la pièce. Sarah se retourna pour fermer derrière elle, mais l'assassin fit résistance de l'autre côté.

— Chris, aide-moi !

Christopher déposa la scientifique en hâte et se jeta contre le battant pour pousser de toutes ses forces.

L'interstice diminua alors qu'ils poussaient des cris de rage. Il restait moins d'un centimètre pour être en sécurité lorsque à moitié asphyxiés, à bout de forces, ils lâchèrent prise.

La porte s'ouvrit grande sur le tueur, qui se précipita dans la salle alors que Sarah et Christopher avaient chuté et se trouvaient à sa merci.

Stieg Anker, qui avait perdu son pistolet lorsque Sarah s'était attaquée à lui, s'était armé d'un pied de fauteuil en métal.

Sarah chercha quelque chose pour se défendre autour d'elle, mais à terre rien n'était à sa portée. Et malgré toute son immense volonté, elle n'avait plus la force de se relever pour ne serait-ce que retarder son exécution et celle de Christopher.

Elle se prépara au coup que le tueur allait lui porter quand un récipient en verre éclata contre son torse, en projetant un liquide fumant qui troua ses vêtements et brûla sa chair dans des volutes de fumée. L'assassin éructa de douleur en arrachant les tissus qui consumaient sa peau.

Christopher trouva la force de se relever et le poussa de toutes ses forces vers la porte. L'assassin vacilla en arrière et tomba à la renverse dans le couloir, désormais envahi par les flammes.

Christopher recula et plaqua le battant de la porte, qui se referma dans un cliquetis de verrouillage automatique. Glissant le long du battant pour tomber assis par terre, il vit alors Shafi Reinwasser qui, prête à le lancer, tenait dans sa main un autre flacon. Il croisa ensuite le regard de Sarah, qui l'observait avec de l'admiration dans le regard. Il s'approcha d'elle et écarta les mèches de cheveux qui tombaient devant son visage luisant de sueur et taché par les dépôts noirs de fumée.

— L'incendie va finir par descendre jusqu'ici, glissa-t-elle d'une voix essoufflée.

— La pièce est protégée contre... les incendies... ânonna Shafi Reinwasser.

Sarah et Christopher comprirent seulement à ce moment-là où ils se trouvaient. Tous les murs étaient couverts de tiroirs métalliques numérotés, à l'image de coffres-forts de banque. Au centre de la pièce trônait une immense table sur laquelle on devait pouvoir disposer le contenu des coffres et où reposaient déjà trois caisses chargées de flacons remplis de liquide.

— C'est... la salle des échantillons... de toutes nos recherches. Elle est mieux protégée que les femmes et les hommes qui travaillent ici... précisa la scientifique.

Puis elle fut prise d'une quinte de toux et les postillons éructés de sa bouche mouchetèrent le sol de gouttes de sang.

Reprenant lentement son souffle, Sarah s'approcha d'elle et ne vit qu'alors sa blessure au ventre. La balle tirée par Stieg Anker n'avait pas touché la tête, mais s'était quand même fichée dans le corps de la scientifique au niveau de l'abdomen. Et si l'on se fiait à l'état détrempé de ses vêtements, elle avait perdu beaucoup de sang.

Sarah retira son pull, le plia et appuya sur la plaie pour tenter de ralentir le saignement.

— L'hémorragie interne va me tuer d'ici quelques minutes... déclara la chercheuse, livide

— Les secours vont arriver, la rassura Sarah.

— Je suis médecin... je le sais, il sera trop tard quand ils viendront jusqu'ici... et il est impossible de ressortir de cette pièce sans brûler vif. Alors, vous allez devoir faire deux choses, ajouta-t-elle en regardant tour à tour Christopher et Sarah qui s'étaient agenouillés à côté d'elle.

Sarah se pinça les lèvres.

— Quoi ?

— Le texte de mon intervention n'existe nulle part ailleurs que dans ma tête. Donc vous allez m'écouter attentivement pour un jour transmettre au monde ce que je vais... vous dire.

— Et la seconde ? se renseigna Christopher.

— Ensuite...

Christopher et Sarah se consultèrent d'un regard. Que pouvaient-ils faire d'autre qu'accepter ?

— Allez-y, Shafi. Nous vous écoutons, dit Sarah.

— Derrière le placard du fond, il y a un kit de secours. Apportez-le-moi et faites-moi la piqure de morphine, sinon je ne tiendrai pas.

Christopher s'empressa de rapporter la petite sacoche rouge rangée dans une vitrine et la déplia par terre devant Shafi.

— L'ampoule, là, à côté de la seringue... dit la scientifique le visage humide de sueur et crispé par la douleur. Le bolus est déjà préparé avec le sérum physiologique.

Sarah décacheta la protection en plastique de la seringue comme si elle avait déjà exécuté ce geste de nombreuses fois.

Elle aspira le contenu du flacon de morphine et consulta Shafi du regard.

— Vous, serrez mon bras au-dessus du coude, dit-elle à Christopher. Sarah, piquez dans la grande veine et injectez le produit très lentement. Deux minutes pour la totalité.

Sarah avait appris à piquer un camarade lorsqu'elle était dans l'armée. Elle aligna l'aiguille sur la veine la plus saillante et l'enfonça de façon oblique sur moins d'un centimètre de profondeur.

Tandis que le liquide glissait progressivement dans ses veines, la joue de la scientifique se mouilla d'une larme. Elle qui croyait pouvoir enfin annoncer le fruit de toutes ces années de lutte et de recherche ! Elle qui avait consacré toute sa vie à ce moment, voilà qu'il lui échappait pour toujours. Jamais elle ne verrait l'impact de sa révélation sur l'humanité.

— Je vais vous expliquer mot pour mot ce que je devais annoncer aujourd'hui... à la suite de ce qui aurait dû être la première révélation de Katrina. Écoutez, retenez et, je vous en conjure, battez-vous comme vous le faites depuis le départ contre nos ennemis pour que la vérité éclate aux yeux du monde.

Sarah termina d'administrer le sérum analgésique et retira l'aiguille de la veine. Elle prit la main de Shafi Reinwasser dans la sienne et posa sur elle ce regard bleu où brillait son infaillible détermination.

— Allez-y, Shafi, dit-elle après avoir vu le signe de tête approbatif de Christopher.

La chercheuse, dont le visage s'était détendu, sembla chercher son souffle et prononça les premiers mots de sa révélation.

48

— J'exerce mon métier d'archéogénéticienne depuis vingt-six ans désormais. J'ai renoncé au mariage, aux enfants et à la vie de famille pour me consacrer corps et âme à ma passion. Les découvertes que je vais vous révéler sont le fruit de ce travail acharné et minutieux, dont j'ai d'autant plus contrôlé les résultats qu'ils sont... troublants. Mais aussi surprenants ou même désagréables puissent-ils paraître, sachez qu'ils sont incontestables sur le plan scientifique et que je tiens à disposition de tous l'ensemble des données brutes de mes recherches.

Shafi Reinwasser baissa un instant le regard vers sa main droite et reprit son souffle en regardant Christopher et Sarah. Mais à travers eux, c'était au monde entier qu'elle s'adressait. À la communauté scientifique, aux journalistes, aux caméras, et surtout à tous les citoyens.

— Comme vous le savez, mon métier consiste à relier les découvertes archéologiques sur nos ancêtres aux données génétiques dont nous disposons aujourd'hui sur l'humain. J'ai donc accès à la plus grande base de données sur le génome de l'espèce humaine. Et ce quelles que soient les nationalités. Les résultats de mes recherches sont donc basés sur des échantillons représentatifs de l'humanité tout entière, et non une seule partie, qu'elle soit occidentale, asiatique, africaine, orientale ou autre.

La chercheuse essaya de se redresser contre le pied de la table auquel elle était adossée. Christopher et Sarah l'aidèrent et elle poursuivit.

— Vous avez tous entendu dire que les femmes ou les filles sont moins douées que les garçons pour les sciences, les mathématiques, le raisonnement logique et qu'à l'inverse elles seraient meilleures pour la communication et le social. Vous avez déjà entendu ça, non ?

Sarah et Christopher, qui écoutaient, un genou posé à terre, approuvèrent d'un mouvement de tête.

— Eh bien, rien n'est plus faux. La génétique prouve radicalement le contraire.

— Comment ? ne put s'empêcher de demander Christopher.

La scientifique posa un regard perçant sur lui.

— Tout est parti de recherches que je menais sur le génome humain en vue de réduire ou d'éradiquer les maladies mentales qui causent tant de souffrances dans le monde. J'ai commencé à me demander comment ces désordres psychiques se créaient dans le cerveau. Étaient-ils là à la naissance ? Se fabriquaient-ils avec le temps ? Ma spécialité étant la recherche des origines, je me suis concentrée sur la première question : les dysfonctionnements mentaux et leur éventuelle fabrication au cours de la vie embryonnaire.

On entendit du bruit au-dessus de leur tête. Les secours devaient tout juste commencer à intervenir dans l'amphithéâtre.

— Pour commencer, je me suis demandé quelles parties des cellules étaient responsables de la fabrication du cortex, autrement dit la partie du cerveau composée des circuits à l'origine de la pensée. Et quelles cellules étaient à l'origine de l'hippocampe, qui joue un rôle central dans la mémoire et le repérage dans l'espace. Car ce sont notamment ces deux zones du cerveau qui sont en cause lors des dysfonctionnements mentaux. Vous suivez ?

Christopher et Sarah approuvèrent, non sans s'inquiéter de la lividité cadavérique de Shafi qui, grâce à la morphine, ne ressentait heureusement pas l'épouvantable douleur de sa blessure au ventre.

— Comme vous le savez, chaque humain est composé des gènes de ses deux parents, continua-t-elle. La question était donc de savoir à quelle hauteur les gènes de chaque parent contribuaient à la formation du cortex et de l'hippocampe de leur enfant. Pour être plus clair est-ce que l'un des deux sexes y contribuait plus que l'autre.

— Mais vous avez fait comment pour savoir ça ? demanda Christopher.

— J'ai fabriqué des chimères embryonnaires humaines in vitro. J'en ai fabriqué deux types. Dans la première, j'ai dupliqué uniquement des génomes masculins et dans l'autre, uniquement des génomes féminins. J'en ai fabriqué dix de chaque.

— Et vous avez obtenu quels résultats ?

Sarah ne pouvait blâmer Christopher de faire preuve d'impatience. Elle était dans le même état que lui.

— Ça ne va pas vous plaire… il s'est avéré que les cellules masculines ne sont pas parvenues à fabriquer de cortex, mais uniquement les structures de l'hypothalamus. Quant à celles de…

— Rappelez-moi à quoi est dédié l'hypothalamus, demanda Christopher.

— L'hypothalamus régule tout ce qui est instinctif chez les mammifères et l'humain : l'appétit, la fabrication d'hormones, la peur… Quant aux chimères fabriquées uniquement à partir de cellules femelles, elles ont été incapables de fabriquer les structures de l'hypothalamus. En revanche, elles ont sans problème créé le cortex et l'hippocampe.

Shafi s'humecta les lèvres, attendant la réaction de ses auditeurs.

— Attendez, commença Christopher, incrédule, vous voulez dire… que les gènes de l'homme seul sont incapables de fabriquer la partie intelligente du cerveau et que seuls les gènes femelles en sont capables ?

— Oui, en gros c'est ça, même si l'intelligence ne fait pas appel uniquement au cortex et à l'hippocampe. Mais disons que 70 % de la partie qui permet à l'humain de penser, de raisonner et de se repérer dans l'espace provient de la femme.

— Mais, c'est… c'est…

— C'est une énigme. Ou plutôt était une énigme. J'ai donc poussé la recherche plus loin pour être certaine de ne pas me tromper, le coupa la scientifique.

— Et ?

— Jusqu'à présent, personne n'était en mesure d'identifier exactement quels gènes étaient responsables d'une meilleure mémoire, d'une plus grande vitesse de traitement de l'information ou de raisonnement. Après de nombreuses années d'expériences et d'analyses, j'ai fini par trouver qu'il existe deux réseaux de gènes qui déterminent nos capacités cognitives. Ils ont été baptisés M1 et M3 et sont répartis sur tous nos chromosomes.

— S'ils sont répartis sur tous nos chromosomes, comment se fait-il que les cellules masculines ne soient pas capables de fabriquer de cortex ou d'hippocampe, alors ?

— Bonne remarque, répliqua Shafi en posant instinctivement sa main sur son ventre ensanglanté. Parce qu'ils sont répartis sur tous nos chromosomes à l'exception du chromosome Y.

— Ce n'est pas vrai… le chromosome masculin ne comporte aucun des gènes de l'intelligence ?!

— Non. Ils sont bien sur le chromosome X, donc féminin, mais totalement absents sur l'Y.

— Autrement dit…

— … Oui, les filles ont deux fois plus de chances de récupérer l'intelligence de leurs parents puisqu'elles auront les deux chromosomes X alors que les garçons auront le chromosome X de leur mère et le chromosome Y de leur père, qui est dépourvu des gènes liés aux fonctions cognitives.

Sarah et Christopher mesuraient désormais toute la responsabilité que Shafi venait de leur confier s'ils devaient transmettre son message. Mais, alors qu'ils croyaient être parvenus au bout de la démonstration, la scientifique ajouta un dernier élément à son raisonnement.

— Ce que je viens de vous dire va encore plus loin.

— C'est-à-dire ? osa Christopher qui craignait presque d'en apprendre plus.

— Nous, les humains, sommes le résultat d'une longue évolution du règne animal. Or, aujourd'hui, nous considérons que nous ne sommes plus des animaux, mais des humains. Les critères pour établir cette différence sont complexes et ténus. Quand notre ancêtre à tous est-il passé du stade animal au stade humanoïde ? Quel fut le petit changement qui fit toute la différence entre lui et ses congénères ?

Sarah et Christopher n'eurent pas le temps de réfléchir.

— Eh bien, répondit tout de suite Shafi, si l'on décide que l'intelligence et la conscience de soi qui va avec sont ce qui nous différencie du stade animal, et que c'est le chromosome féminin qui transporte les gènes des capacités cognitives, alors, sans aucun doute, on peut dire que le premier homme était une femme.

Christopher s'assit par terre, stupéfait et fasciné. Le premier homme était une femme, se répétait-il en boucle dans sa tête.

À ses côtés, Sarah hochait la tête et regardait la scientifique avec admiration. Ils observèrent quelques secondes de silence pendant lesquelles les bruits des sirènes de pompiers et de police leur parvinrent étouffés.

— Je terminerai par une étude archéologique qui vient conforter cette conclusion, reprit la scientifique en faisant désormais un effort pour parler. Dean Snow, un chercheur américain qui étudie les peintures préhistoriques dans les grottes, s'est intéressé aux empreintes de mains que les artistes de l'époque laissaient parfois à côté de leurs œuvres. Vous avez déjà dû en voir au moins en photo…

La scientifique se mit à tousser et cracha du sang. Sarah lui essuya délicatement la bouche avec sa manche.

— Merci, dit-elle d'une voix encombrée. Dean Snow a utilisé l'indice de Manning, qui permet de différencier les hommes et les femmes en fonction de leurs mains. Les femmes ont en effet tendance à avoir l'index et l'annulaire de même taille alors que les hommes ont l'annulaire plus grand que l'index. Bref… Dean Snow a mesuré trente-deux empreintes de mains de bonne qualité dans trois grottes, une en Espagne et les deux autres en France. Résultat : vingt-quatre des trente-deux empreintes analysées appartiendraient à des femmes. Pour les huit restantes, trois étaient celles d'hommes adultes et cinq d'adolescents. Autrement dit, si l'on applique ce résultat à l'ensemble des grottes découvertes aujourd'hui, les artistes de la préhistoire qui peignaient sur les parois des grottes étaient majoritairement des femmes. Or si l'art est le propre de l'homme… alors, une fois encore, le premier artiste était très probablement une femme.

Shafi Reinwasser laissa retomber le long du corps la main avec laquelle elle accompagnait son discours. Elle était épuisée et presque exsangue.

— Ne parlez plus, Shafi… les secours vont arriver.

— Plus jamais on ne devra entendre dire que les garçons sont meilleurs en sciences, en géométrie et qu'ils sont plus capables que les femmes de créer alors que les femmes sont plutôt faites pour la communication et le social, lâcha la scientifique des larmes dans les yeux. S'il fallait une preuve, ce sont encore une fois des stéréotypes pour écarter les femmes du savoir, de la connaissance et des métiers de pouvoir...

La chercheuse respirait désormais très lentement.

— Mais... n'allons pas à l'autre extrême en disant que les hommes ne sont finalement pas faits pour ces métiers, souffla Shafi entre deux respirations. Car l'intelligence n'est héréditaire qu'à 40 % ou 50 %, c'est ensuite l'éducation, la stimulation de l'enfant qui font les 60 % à 50 % restants. Une fois encore, Katrina comme moi ne cherchons pas à exclure les hommes ou à nous venger de quoi que ce soit.

On entendit des bruits dans le couloir. Les pompiers avaient dû réussir à éteindre le feu et les secours pouvaient progresser. Christopher courut vers la porte de la salle forte dans laquelle ils étaient protégés et cogna en appelant au secours. Sarah était demeurée auprès de Shafi, qui ne parlait plus qu'avec un filet de voix.

— Nous ne cherchons pas non plus à dire que nous sommes similaires aux hommes. Évidemment que les hommes et les femmes sont différents. Mais, en revanche, il n'est désormais plus possible que les hommes et les femmes ne soient plus égaux en droit. Je vous en supplie Sarah, promettez-moi que vous ferez savoir tout cela...

— Je vous le jure, Shafi... mais vous vouliez nous dire une seconde chose après avoir parlé...

— Toutes... toutes les données qui prouvent mes conclusions sont là...

Elle montra l'un des casiers frappé du nombre 302.

— Prenez ma clé et faites en sorte que ces données ne tombent entre les mains de personne d'autre que vous avant la révélation.

— Chris !

Christopher qui avait entendu, prit la clé et alla ouvrir le casier.

— La dernière chose… c'est que j'ai été faible…

— Quoi ? s'inquiéta Sarah.

— Là-haut dans l'amphithéâtre, l'assassin de Katrina m'a fait souffrir comme jamais pour me forcer à parler…

Sarah écouta la confession en silence, mais elle connaissait déjà la suite.

— Il m'a fait dire où trouver… la troisième et dernière membre de notre cénacle…

— Ne vous en voulez pas, Shafi, mais dites-moi tout ce que vous savez.

La chercheuse les considéra de son regard voilé par les ombres de la mort.

— Ludmila… c'est elle qui a fait… le plus grand sacrifice de nous trois… elle va agir… à Saint-Pierre de Rome demain…

Et, alors que l'on frappait de grands coups à la porte de la salle, Shafi Reinwasser laissa échapper son dernier souffle.

– 49 –

La femme aux longs cheveux blonds toqua craintivement à la porte de la chambre. Situé au fond d'une ruelle romaine, sur une petite place où les murs fendillés et habillés de lierre semblent chanceler sous le poids des années, l'appartement aux larges poutres n'était accessible que par l'escalier extérieur où somnolait un chat au pied d'une jarre.

— Votre Éminence, la nouvelle a été annoncée. Il est l'heure.

Elle ne comptait plus le nombre d'années qu'elle attendait pour enfin prononcer ces mots.

Sous la chevelure blonde qu'elle ne prenait plus soin d'entretenir faute de temps, son visage s'était creusé et cerné au cours des années pour donner à ce minois, que jadis on qualifiait d'adorable, une expression austère qui décourageait toute tentative de séduction. Sa vie n'était aujourd'hui dédiée qu'à Dieu, ou plutôt à Jésus. Au Jésus originel, avant sa déformation. Et, dans quelques heures, si tout se déroulait comme prévu, le monde entier ouvrirait les yeux comme elle les avait ouverts bien longtemps auparavant.

La porte s'ouvrit et un homme d'une soixantaine d'années, au visage anguleux et sévère, apparut dans toute l'arrogance de sa tenue d'apparat. Habillé de sa soutane blanche, revêtu d'un rochet de dentelle recouvert d'un camail pourpre, il toisa Sofia de son chef coiffé de la barrette rouge des cardinaux.

Intimidée, malgré ses longues années de préparation à cet événement, la femme s'inclina devant lui et baisa la bague qu'il lui tendait nonchalamment.

— Votre Éminence, le grand jour est arrivé pour vous, dit-elle servilement.

— Rien n'est encore fait.

— Mais tout a été prévu pour que ce soit vous...

Le cardinal Kleczinski jaugea sa servante de son regard pénétrant et fier. Au même moment, deux sœurs âgées chargées du ménage sortaient d'une pièce attenante en portant des draps.

— Je n'écoute point les paroles flatteuses de la femme, asséna le cardinal. L'humanité ne sait que trop bien où cela l'a conduite. Allons-y.

Les deux sœurs ne commentèrent pas le propos et s'éclipsèrent. Sofia baissa la tête et s'effaça pour laisser passer le grand homme dans un bruissement d'étoffe. Lorsqu'il franchit le seuil de la porte menant à l'entrée, elle ouvrit un tiroir du petit salon et en sortit un couteau pliant qu'elle fit tourner entre ses doigts avec agilité avant de le glisser dans le collant de laine le long de sa cuisse.

Puis elle se précipita vers l'entrée de l'appartement, ouvrit la porte, chassa le chat endormi en frappant des mains et invita le cardinal à descendre les marches.

Avant de lui emboîter le pas, elle s'attarda un instant sur le dôme de la basilique Saint-Pierre, qu'on apercevait au loin, entre deux immeubles. Dans quelques heures, le monde ne serait plus jamais comme avant.

50

Quand les secours pénétrèrent dans la salle d'archives des échantillons de l'Institut, Sarah et Christopher furent immédiatement soupçonnés d'être à l'origine de la mort de Shafi Reinwasser. Ils passèrent plus de quatre heures au commissariat de Leipzig, le temps que les services d'Oslo confirment l'identité de leur inspectrice et son implication dans l'enquête sur Katrina Hagebak. Sarah ne donna que quelques détails vagues sur l'assaillant présumé, afin qu'aucune information n'alerte Jens Berg et, vers 16 h 30, après un dernier contrôle auprès du médecin qui les avait pris en charge, ils furent libres et purent enfin réutiliser leurs téléphones portables.

Alors que Christopher hélait déjà un taxi pour prendre une nouvelle fois la direction de l'aéroport, Sarah consultait un site d'information sur l'écran de son téléphone. Elle n'eut pas longtemps à chercher. L'information était en une de tous les sites d'actualités : le pape Édouard venait d'annoncer sa renonciation à sa charge. La suite des articles expliquait sur un ton proche de l'affolement que le pape avait expressément demandé à être remplacé dès le lendemain pour éviter toute vacance du pouvoir ecclésiastique en cette période troublée. Les cardinaux du monde entier, qui étaient prévenus de la renonciation prochaine, étaient déjà présents à Rome et se dirigeaient vers la chapelle Sixtine pour procéder au vote qui élirait le nouveau souverain pontife.

— On n'y sera jamais à temps, marmonna Sarah à l'arrière du taxi qui filait dans les rues d'Iéna en direction de Leipzig.

— L'élection peut durer plusieurs jours… et tu peux être sûre qu'avec tout le cérémonial, on aura au mieux un premier vote dans plus de huit heures.

D'un regard aveugle, Sarah laissait ses yeux glisser sur les ruelles de la ville qui défilaient devant elle en sentant sur ses épaules une pesanteur de plus en plus accablante. Les quatre heures passées au poste de police avaient fait retomber l'adrénaline qui l'avait soutenue jusqu'alors. Elle avait eu le temps de penser et de constater le triste échec de son enquête. Les deux femmes que l'assassin envisageait de tuer et de faire taire étaient mortes avant d'avoir pu délivrer leur révélation. Les ennemis d'Etta, d'Ada, de Ludmila et de toutes les femmes avaient atteint les deux tiers de leur funeste objectif. Une sourde colère monta en elle et contre elle. Elle s'était crue plus forte que l'adversaire, la seule capable de mettre un terme à ce massacre misogyne. Mais elle aurait dû s'entourer d'autres membres des forces de police, elle aurait dû travailler en équipe et multiplier les chances de stopper l'assassin et ses associés. En tout cas, elle aurait dû essayer.

C'est ce qu'elle tenta d'expliquer à Christopher, une boule d'angoisse lui vrillant le ventre à l'idée qu'elle ne parviendrait pas à sauver Ludmila non plus.

— Comment voulais-tu travailler avec les services d'Oslo, dès lors que tu savais Jens Berg dans le coup ? C'était impossible.

— Peut-être que j'aurais dû prendre le temps de sonder quelques collègues que je connais bien et en qui j'ai confiance…

— Arrête, Sarah. Tu n'avais pas le temps ! Et puis c'était trop risqué. Tu as fait exactement ce qu'il fallait… c'est juste que…

— … que, jusqu'ici, j'ai échoué sur l'enquête la plus décisive pour l'avenir de nous tous. Tu as lu et entendu comme moi ce qui devait être révélé. C'est révolutionnaire, indispensable ! Ces femmes devaient être entendues par le plus grand nombre.

— Leurs ennemis sont nombreux, organisés et ils préparaient leur action depuis longtemps… concentre-toi sur la prochaine et dernière étape et…

— Vous ne pouvez pas avancer plus vite ? s'énerva soudain Sarah à l'adresse du chauffeur de taxi en frappant sur l'appuie-tête devant elle.

L'homme allemand ne comprit pas tout ce que cette femme disait, mais il sut qu'elle était mécontente de quelque chose et en conclut que ça ne pouvait être que de sa conduite. Il accéléra prudemment.

Christopher, lui, demeura muet de stupeur. Aux yeux de la plupart des couples, cette saute d'humeur aurait pu paraître normale. Sauf qu'il n'avait jamais vu Sarah perdre son calme de la sorte, encore moins en s'en prenant à une personne totalement étrangère à la situation dont ils étaient victimes. C'était comme s'il découvrait brutalement une facette agressive de la personnalité de sa propre compagne.

Sarah s'en rendit compte et leva la main en signe d'excuse.

— Désolée… je ne sais pas ce qui m'arrive, dit-elle en regardant Christopher d'un air contrit. Je n'ai jamais perdu mes nerfs comme ça. Cette enquête… j'ai l'impression que je trahirais toutes les femmes en échouant. Et cela me hante.

— OK… parvint à dire Christopher, qui se remettait doucement de son émotion. Le mieux est de penser à ce qui va se passer à partir de maintenant. D'accord ?

— Je ne sais même pas où ni qui chercher à Saint-Pierre de Rome.

— Réfléchissons un instant. Et, pour commencer, voyons à qui fait référence cette Ludmila, maintenant que nous savons dans quel domaine elle va intervenir.

Christopher pianota sur un moteur de recherche les mots « Ludmila et pape ». La réponse fut instantanée.

— Ludmila Javorová, quatre-vingt-cinq ans, est, à ce jour, la seule femme connue à avoir été ordonnée prêtre, dit-il.

Sarah, qui avait posé la tête sur la vitre, la releva.

— Une femme prêtre ? Je croyais que c'était impossible.

— Moi aussi, j'ignorais cette histoire. Attends…

Christopher poursuivit sa lecture express avant de synthétiser.

— Ça s'est passé en 1970, sous le régime communiste en Tchécoslovaquie, dans le cadre de l'Église catholique clandestine. Un évêque appelé Felix Maria

Davídek a réellement fait prêtre une femme de sa paroisse, en l'occurrence Ludmila Javorová. Ludmila a gardé le silence jusqu'en 1995, où elle a décidé de révéler la vérité sur son statut sacerdotal. Le Vatican a immédiatement déclaré l'ordination invalide et rappelé que les catholiques doivent considérer que la doctrine permettant aux seuls hommes de devenir prêtres est un enseignement infaillible. On pense que d'autres femmes ont été ordonnées prêtres à la même époque que Ludmila, mais elle seule a décidé de parler.

— Tu crois… tu crois que la Ludmila du Cénacle va tenter de devenir pape ? Ça n'a pas de sens !

— *Etta la cité réveillera, Ada la science embrasera et Ludmila tous les réunira.* La dernière partie fait effectivement référence à une volonté de rassemblement qui sied bien à la religion. En tout cas pour ceux qui y adhèrent. Le seul problème, c'est que seul un homme peut être élu au poste de souverain pontife. C'est donc que Ludmila prépare autre chose.

— Un coup d'éclat lors de l'ordination du nouveau pape. C'est à ça qu'elle doit se préparer. Tous les projecteurs seront tournés vers la place Saint-Pierre de Rome…

— … Et surtout vers le balcon, d'où l'on entendra le fameux *Habemus papam, nous avons un pape* et où l'on verra le nouveau pontife prononcer la bénédiction *urbi et orbi*.

— Quel meilleur moment pour se faire entendre du plus grand nombre dans le monde entier ?

— Mais en faisant quoi ? En disant quoi ?

— Compte tenu de ce que Katrina et Shafi Reinwasser s'apprêtaient à dire, je lui fais confiance pour la qualité de sa révélation. Ce qui m'intéresse, c'est comment arrêter l'assassin, et cette fois avant qu'il n'agisse. Et la seule chose que je vois, c'est qu'il a abouti exactement à la même conclusion que nous : celle qui se fait appeler Ludmila va tenter un coup d'éclat là où les caméras seront braquées. C'est-à-dire au balcon où le nouveau pape apparaîtra. L'assassin va donc très probablement tenter d'atteindre sa cible sur le balcon d'un tir à longue distance. Ça ne peut être que ça…

— Ça se tient, admit Christopher.

— Il faut que je trouve le meilleur emplacement de tir à longue distance vers le balcon de la basilique. C'est là qu'il sera.

Mais Sarah n'était pas la plus experte pour déterminer un tel endroit et elle appela un collègue de confiance beaucoup plus versé qu'elle dans ce domaine.

Alors qu'elle téléphonait, le combiné de Christopher sonna. C'était Tomas Holm, le reporter de *Morgenbladet*. Christopher hésita. Sarah risquait de l'entendre. Et en même temps, si le journaliste l'appelait, c'était qu'il avait progressé dans ses recherches. Christopher décida de profiter de la distraction de Sarah, en ligne avec Oslo, pour décrocher.

— Oui.

— J'ai du nouveau.

— Allez-y vite.

— Je crains que la nouvelle ne vous plaise pas.

— Dites…

— Nous avons analysé la photo de votre compagne prise au péage avec les logiciels de graphisme du journal qui permettent de véritables prouesses. Nous avons aussi procédé à quelques calculs. Compte tenu de l'ombre de la personne assise à l'arrière, de l'heure à laquelle la photo a été prise et du positionnement de sa tête par rapport au toit du véhicule, il n'y a qu'une possibilité : il s'agissait d'un enfant.

— Quoi ? s'exclama Christopher.

Sarah tourna la tête vers lui, l'air de demander ce qui se passait. Il lui fit signe que tout allait bien alors que ses sens étaient en alarme.

— Je suis désolé, monsieur Clarence, mais ce n'est pas tout.

Le plexus de Christopher trembla lorsqu'il avala une goulée d'air.

— Je vous écoute.

— Le jour où Mme Geringën a été prise en photo avec cet enfant à l'arrière, une plainte a été déposée par un père d'Oslo pour l'enlèvement de son fils. Nous avons vérifié les horaires d'annonce de la disparition du garçon et cela est arrivé deux heures avant que la caméra de surveillance du péage ne filme Mme Geringën.

— Dites-moi que l'enfant a été…

— … Je suis navré. Le petit garçon a été retrouvé mort dans le port de Stavanger un mois environ après sa disparition.

Une sueur froide coula le long des flancs de Christopher. Il raccrocha et ouvrit la fenêtre en espérant que l'air calmerait la tempête de questionnements qui grondait sous son crâne.

— J'aurai une réponse d'ici quelques heures sur le meilleur spot de tir… annonça Sarah en raccrochant. On a peut-être une chance.

Elle tourna la tête vers Christopher.

— Ça va ? Tu as l'air pensif.

— C'est la voiture, les émotions, la fatigue, je… ça va passer.

Christopher n'imaginait pas une seconde que Sarah ait pu faire du mal à quelqu'un, encore moins à un enfant. Elle était la personne en qui il avait le plus confiance au monde. Il y avait donc forcément une explication. Mais lorsque Sarah posa sa main sur sa cuisse, Christopher dut faire un effort pour ne pas retirer instinctivement sa jambe.

51

Quand le taxi se gara devant l'entrée du petit aéroport de Leipzig, Sarah avait déjà réservé leur vol pour
Rome, qui décollait moins de quarante-cinq minutes
plus tard. Ils coururent vers le hall 2, indiqué sur le
panneau d'affichage, alors qu'une hôtesse de l'air lançait un dernier appel pour les passagers Clarence et
Geringën.

Sarah fut la première à parvenir à la porte d'embarquement et présenta son billet et son passeport à
l'hôtesse de l'air souriante qui lui souhaita la bien-
venue. Christopher accourut quelques secondes plus
tard. Sarah, qui avait déjà passé le portillon, tendit la
main à Christopher.

Ce dernier sortit son passeport de sa poche et s'appré-
tait à le présenter à l'hôtesse lorsqu'il s'arrêta, frappé
d'une évidence. Peut-être que la dernière révélation
du journaliste sur la mort du petit garçon que Sarah
accompagnait avait précipité sa décision. Il avait soudain eu une peur panique de perdre la vie et de laisser
Simon orphelin une seconde fois.

— Monsieur ? Puis-je voir votre pièce d'identité, s'il vous plaît ?

— Euh... je...

Christopher regarda Sarah, la gorge sèche, le cœur battant à tout rompre d'appréhension.

— Sarah, je...

Elle avait compris.

Il s'approcha d'elle, tous deux séparés par la borne de validation des cartes d'embarquement.

— Sarah, je crois que je ne vais pas venir...

Elle hocha la tête, sans un mot.

— Je suis désolé... mais il faut que je rentre à Oslo. Simon, il a besoin de nous et...

— J'aurais dû te dire de le faire avant, Chris... tu as été d'un courage que j'admire. Mais tu as raison, Simon a besoin de nous et, si je ne peux pas être là, toi, tu dois l'être...

— Madame, je suis désolée, mais nous allons devoir fermer les portes de l'appareil, intervint l'hôtesse de l'air.

— Oui...

Christopher enveloppa le visage de Sarah entre ses mains. Sarah sentit qu'il tremblait. Ils s'embrassèrent dans un élan d'amour et de peine partagés.

— Dis-lui que je l'aime et que je reviens très bientôt ! lança Sarah en s'en allant plus vite que Christopher ne l'aurait voulu.

Il lui sembla qu'elle avait les yeux embués, mais elle tourna la tête si prestement qu'il n'en fut pas certain. Le cœur serré, accablé par la culpabilité de l'abandonner dans la dernière ligne droite de cette terrible enquête, Christopher faillit franchir le portillon de sécurité pour courir après Sarah. L'envie de la serrer dans ses bras et de lui dire à quel point il l'aimait était si forte qu'elle lui faisait mal.

Il l'aperçut une dernière fois derrière une vitre. Elle avait écrit quelque chose sur une feuille et la plaquait contre le panneau de verre : « N'oublie pas ton anti-biotique ! » Puis elle disparut dans la passerelle qui conduisait à la porte de l'avion. Cette femme est défi-nitivement exceptionnelle, songea Christopher.

La salle d'embarquement était désormais vide et il s'assit sur une banquette. Tout était allé si vite qu'il ne parvenait pas à prendre la mesure de ce qui venait de se passer.

À part l'abyssale sensation de vide et de solitude qui s'ouvrait en lui, il ne ressentait rien. Ou plutôt il écrasait de toutes ses forces les doutes qu'il sentait monter en lui et qui ne tarderaient pas à le tourmenter. Avait-il commis une erreur ou au contraire agi comme il le devait pour être un père auprès de Simon ? Avait-il trahi Sarah, l'amour de sa vie, au bénéfice de son neveu ? Avait-il été lâche en craignant ce qui risquait d'arriver à Rome ? Pourquoi n'avait-il pas trouvé le moyen de parler à Sarah de l'enquête du journaliste de *Morgenbladet* pour qu'elle lui explique enfin la vérité ?

Soudain, toutes les peurs, les craintes, les blessures et les incertitudes se présentèrent à l'entrée de son cer-veau et de son cœur en même temps.

Christopher porta une main à sa poitrine et s'efforça de conserver un semblant de calme.

Il regarda l'écran de télévision perché au-dessus de lui. Une chaîne d'informations en continu affichait une succession de plans qui passaient de la foule immense déjà réunie sur la place de la basilique Saint-Pierre à l'image d'une cheminée dont tout le monde guetterait bientôt la fumée blanche ou noire, pour terminer sur ce majestueux balcon encadré de colonnes géantes où le souverain pontife apparaîtrait pour bénir la foule. Et, au bas de l'écran, un titre dont Christopher songea que les journalistes ne mesuraient pas toute l'ampleur : « Qui sera le 268ᵉ pape ? »

52

Un interminable serpent rouge se coulait sur les dalles de marbre de la majestueuse salle des audiences diplomatiques. Le cortège de cent vingt cardinaux, tous drapés de leur robe écarlate, marchait en procession derrière un porte-croix et une cohorte de choristes appelant l'Esprit saint à venir guider l'élection du prochain souverain pontife.

Au fond de la salle, assis sur le trône pontifical, voûté, le pape démissionnaire, vêtu de sa soutane immaculée, accueillait d'un regard fatigué, mais bienveillant, la procession qui venait à lui. Il adressait à chaque membre un signe de bénédiction et un sourire avant que les cardinaux ne gagnent la porte qui les conduirait à la chapelle sacrée où aurait lieu l'élection de son successeur.

Dans un coin de la salle, discrète, Sofia savourait le privilège d'être la garde du corps privée de son cardinal et d'avoir obtenu la dérogation d'être présente à ses côtés à tout instant. Presque invisible, elle guettait avec une attention aiguë chaque geste du pape, appréhendant le moment où *son* cardinal passerait devant le souverain.

Les chants du chœur se firent litanie enivrante, répétant à l'envi la même adresse à leur Seigneur. « Viens, Esprit créateur, visite l'âme de tes fidèles. Emplis de la grâce d'En Haut les cœurs que tu as créés. »

Sofia ne put s'empêcher de sourire à l'écoute de cette invitation demandant à l'Esprit saint d'inspirer chaque cardinal et de guider son vote. L'élection qui s'apprêtait à se dérouler ne pouvait être plus éloignée d'une quelconque inspiration divine. Tout avait été préparé pour que son cardinal remporte les suffrages. Chacun des hommes qui étaient là avait été visité non par l'Esprit saint, mais par le cardinal Kleczinski lui-même, qui avait promis à tous un poste, une distinction, un décret, une orientation dogmatique en leur faveur s'il était élu. Et, pour les plus récalcitrants, une révélation malencontreuse sur une pratique charnelle qu'ils espéraient garder secrète. Rien n'avait été laissé au hasard, jusqu'à la renonciation du pape lui-même, de connivence avec son confrère et dont la démission était programmée depuis des mois – et même des années si l'on comptait leur camaraderie de jeunesse.

Parmi les derniers de la file, le cardinal Kleczinski s'agenouilla enfin devant l'ancien pape. Sofia épia l'instant avec l'acuité du chat fixant l'oiseau. Elle n'eut aucun mal à discerner le discret mouvement de tête d'approbation que le pape adressa à son ami et futur successeur. Les deux hommes échangèrent un regard dans un bref moment de solennité, puis le cardinal Kleczinski se redressa et franchit à son tour le seuil qui conduisait à la chapelle des chapelles, la Sixtine.

Sofia se glissa le long des parois de la salle royale, baissant la tête pour éviter les cadres des gigantesques peintures qui recouvraient les murs. Elle emboîta le pas du dernier cardinal et le suivit le long d'un étroit couloir. Mais, aussi privilégiée soit-elle, son chemin s'arrêtait à l'entrée du sanctuaire décoré pour l'éternité par Michel-Ange. Elle n'eut que le temps d'apercevoir le plafond où l'iconique doigt divin se tendait vers sa créature masculine, Adam. Elle serra son couteau dans sa poche et évita de croiser le regard du préfet de la Maison pontificale, qui lui fit signe de s'éloigner d'un geste de mépris.

L'antre referma ses lourdes portes et le cadenas claqua tandis que Sofia entendait la phrase rituelle prononcée par le préfet : « *cum clave* », « fermé à clé ». Le vote allait pouvoir commencer. Et bientôt, si tout se passait comme prévu, son cardinal Kleczinski serait élu pape. Sofia l'accompagnerait alors jusqu'au balcon et s'accomplirait enfin ce à quoi elle avait consacré sa vie.

– 53 –

L'avion de Sarah atterrit à 17 h 50 à Rome. Une fièvre hors norme électrisait l'aéroport depuis que le monde entier attendait la nomination du nouveau pape. Les vols à destination de Rome avaient été pris d'assaut et le personnel d'encadrement peinait à canaliser le flux agité des voyageurs. Toutes les télés diffusaient en boucle les images de la place Saint-Pierre et de ces milliers de visages où se lisaient l'impatience, l'espoir et même, parfois, la béatitude.

Sarah bouscula plusieurs personnes absorbées par l'écran de leur téléphone en se frayant un chemin jusqu'aux taxis et ne prit plus le temps de s'excuser. Devant la file d'attente sans fin, elle présenta son badge d'inspectrice et l'agent chargé de répartir les voyageurs lui donna immédiatement la priorité.

— Foncez jusqu'au Vatican ! Et si vous avez une amende, je m'en charge ! lança-t-elle en tendant de nouveau son badge de police au chauffeur, accompagné d'un billet de deux cents euros. Et deux cents euros de plus si on arrive dans moins de trente minutes.

— *Si, signora !*

Le taxi démarra en trombe, évita de justesse un couple qui traversait imprudemment, et s'engagea sur la ligne réservée aux urgences sans se poser de question.

En moins de quinze minutes, ils traversaient déjà le centre de Rome en direction du Vatican.

En apercevant l'enceinte intimidante du Colisée à travers laquelle perçait un soleil d'hiver, Sarah se surprit à s'imaginer en pleine visite, la main de Christopher dans la sienne. Elle le voyait lui faire revivre l'agitation des jeux du cirque, lui expliquant tous les détails à côté desquels les touristes passaient, l'emmener sur le Palatin, qu'elle aperçut au loin, là où se dressaient les ruines des antiques palais des dignitaires romains, pour ensuite rejoindre les rues jadis pavées du Forum, où, entre deux anecdotes sur la vie quotidienne romaine, elle lui volerait un baiser et lui chuchoterait à l'oreille une promesse qui le ferait rougir.

À l'éphémère rêverie succéda un pincement au cœur, comme si cette vision qui aurait dû être un projet prenait soudain l'apparence d'un espoir menacé par l'ombre du doute. Elle avait laissé Christopher repartir à Oslo sans mot dire, comme si elle avait trouvé cela normal, et comprenant même très bien pourquoi il rejoignait Simon. Sauf que, jusqu'ici, elle n'avait vu qu'un amour sans limite entre elle et Christopher. Une espèce de don mutuel absolu. Quel homme aurait suivi sa femme dans une telle aventure, au mépris de la peur et des risques qu'il prenait pour sa propre vie ?… Mais le départ de Christopher, aussi banal fût-il, disait en fait une chose décisive : l'amour qu'il lui portait n'était pas sans limite. Et la responsabilité qu'il avait à l'égard de Simon en était la borne. Elle fut soudain saisie d'une peur : et si Christopher ne revenait pas vers elle ? Et s'il décidait que le bien-être de Simon était incompatible avec la vie mouvementée qu'elle menait ?

L'inquiétude qui montait en elle fut interrompue par la messagerie de son téléphone. Un fichier image apparut sur son écran. C'était un plan marqué d'une petite croix rouge. La seconde d'après, elle décrochait pour répondre à l'appel entrant.

— C'est moi, dit une voix masculine.

Sarah reconnut son contact à Oslo qui avait été sniper dans l'armée.

— Si ton type est vraiment bon et qu'il est capable de viser juste à très longue distance, alors il sera là où je t'ai mis une croix.

— On est à plus de un kilomètre du balcon...

— S'il a un DAN.338, il peut avoir un tir précis jusqu'à mille deux cents mètres. Je t'ai envoyé une fiche sur ce fusil.

— Mille deux cents mètres ?

— Eh oui... on a fait des progrès depuis que tu as quitté l'armée. Ça lui permettra de se positionner en dehors du périmètre de haute sécurité où se trouvent la majorité des patrouilles et des forces spéciales.

— OK... merci, Jakob.

— Et je ne t'ai jamais parlé.

— Bien sûr.

Sarah raccrocha et étudia brièvement les informations sur le fusil. La fiche confirmait effectivement les renseignements fournis par Jakob et ajoutait que cette arme était d'un maniement intuitif.

Sarah indiqua au chauffeur de taxi le nom d'une rue située à cent mètres de là où elle allait se rendre.

— Vous pouvez monter le son de la radio s'il vous plaît ?

Les commentateurs ne parlaient évidemment que de l'élection du pape et expliquaient que les cardinaux étaient désormais en session de vote depuis près de quatre heures. Que l'on ne devrait donc plus tarder à apercevoir la fumée noire sortir de la cheminée en cas de non-majorité ou la fumée blanche si la centaine d'éminences étaient parvenues à dégager un gagnant évident.

Nerveuse, Sarah regarda son smartphone. Ils étaient encore à quatre cents mètres de leur destination.

— *Veloce !* ordonna-t-elle en se rappelant de vieilles notions d'italien.

— *Si, si !*

Le taxi accéléra en klaxonnant à tout-va, effrayant les piétons qui débordaient des trottoirs sur la chaussée.

À la radio, des spécialistes au débit enivrant s'essayaient aux pronostics et se laissaient aller à une impatience survoltée.

— *Non posso procedere, signora !* s'exclama le taxi.

Sarah vit qu'ils ne pouvaient plus avancer qu'au risque de percuter les passants occupant toute la chaussée. Elle consulta son smartphone, mémorisa le chemin qu'il lui restait à parcourir, paya le taxi comme convenu et se retrouva en un instant mêlée à la foule.

Elle remonta à contre-courant, en branchant l'oreillette de son téléphone pour suivre en direct une radio en langue française. À tous les coins de rue, elle notait la présence de carabinieri, la force de police italienne, qui étaient sur les dents depuis l'annonce de l'élection du souverain pontife. D'autant que certains touristes ou même citoyens prenaient l'événement pour un moment de fête, prétexte à l'abus de bière.

Son GPS lui indiqua une petite rue à gauche qui s'éloignait de l'artère principale et elle gagna une ruelle bien moins encombrée. Elle n'était plus qu'à huit minutes de la croix rouge marquée sur son plan. Son cœur se mit à battre un peu plus vite. Ses muscles se tendirent légèrement, raccourcissant le délai nécessaire pour se contracter en cas de danger. Dans son oreillette, les commentateurs jonglaient entre des analystes en studio qui évoquaient le bilan du pape sortant et des reporters sur le terrain qui tentaient de décrire l'ambiance régnant sur la place Saint-Pierre.

Elle croisa un ou deux passants absorbés dans leurs pensées et tourna au coin de la ruelle, juste devant un café qui faisait l'angle. Trois jeunes hommes étaient attablés, les jambes allongées en V et dévisagèrent Sarah avec insistance.

— *Lo sai che sei mica male, per essere una donna ?*

Si Sarah n'était plus capable de parler italien, elle comprenait encore assez bien cette langue. Et s'entendre dire qu'elle était « bonne » la contraignit à dépenser une énergie de self-control qu'elle aurait préféré conserver pour l'épreuve qui l'attendait.

— *Stronzetta dai capelli rossi !*

Sarah refusa de croire que l'on venait de la traiter de « salope de rousse » et poursuivit son chemin. Derrière elle, elle entendit des ricanements et des onomatopées vulgaires.

Tout ce qu'elle venait d'apprendre au cours de son enquête sur la domination masculine afflua en elle avec la violence d'un barrage qui cède sous le poids de l'eau. En plus du sentiment d'injustice qu'elle éprouvait depuis des années en tant que femme émergea le dos d'un monstre de colère froide qui sommeillait dans les limbes de ses refoulements.

Elle rebroussa chemin, marchant droit vers les trois ricaneurs, qui eurent à peine le temps d'être surpris de la voir surgir devant eux. Elle écrasa le pied du premier d'un coup de talon avant de lui redresser la tête d'un coup de genou. Quand les deuxième et troisième se levèrent pour la frapper, elle bloqua le premier assaut malhabile, retourna le bras qu'elle venait de saisir et projeta le piètre gaillard sur son camarade. Ils chutèrent tous les deux à terre et elle leur asséna à chacun un coup de pied sec entre les jambes. Puis elle leur saisit la tête par les cheveux pour leur parler dans l'oreille.

— Vous ne vous adresserez plus jamais à une femme comme vous venez de le faire. Plus jamais.

Elle laissa retomber les têtes sur le bitume, poussa celui qui se tenait le nez ruisselant de sang afin qu'il bascule en arrière sur sa chaise et reprit son chemin en hâte pour compenser les quelques secondes qu'elle venait de perdre.

Une fois son adrénaline un peu redescendue, elle repensa à tout ce qu'elle avait entendu sur les féministes. Toutes les critiques, y compris de femmes, qui les trouvaient trop extrêmes, trop violentes, trop engagées, trop en guerre contre les hommes et pas assez mesurées. Elle avait un temps pensé aussi que le mouvement féministe était trop systématique. Mais, année après année, et plus encore aujourd'hui que Katrina Hagebak lui avait ouvert les yeux sur les ruses perverses de la domination masculine, elle se demandait dans quelle mesure un ordre opprimé pouvait rétablir la justice sans violence. Puisque, par définition, le groupe qui domine exerce une violence sur le dominé, comment ce dernier peut-il se libérer sans affrontement ?

Cela lui semblait impossible. Et pourtant c'était l'exploit que les femmes accomplissaient chaque jour depuis des milliers d'années : se battre, mais sans effusion de sang. Violent, agressif, le féminisme pouvait être tout ce qu'on voulait, mais il n'avait jamais tué personne. Contrairement au masculinisme qui, non content de dominer, tuait tous les jours. Que ce soit dans les violences conjugales, l'iniquité des lois de certains pays qui condamnaient les femmes lorsque c'était l'homme qui avait commis la faute, les vengeances familiales pour le prétendu honneur, les agressions de rue ou les tueries purement misogynes. Où les femmes étaient tuées parce qu'elles étaient des femmes. Sarah avait d'ailleurs demandé que la police d'Oslo bannisse le mal nommé terme de crime passionnel de son vocabulaire pour le remplacer par féminicide.

À voir cette violence masculine, Sarah était persuadée que si les hommes avaient été à la place des femmes, ils n'auraient jamais été aussi patients et démocrates pour tenter de gagner l'égalité. Non, ils auraient pris les armes, tué et remplacé.

Alors oui, elle et toutes les femmes des pays occidentaux pouvaient paraître libres au premier abord, songea Sarah. Elles parlaient, elles dirigeaient, elles légiféraient, elles enseignaient, elles créaient, elles aimaient, elles divorçaient… Mais le décor permanent dans lequel nous vivons est celui des hommes, se rappela Sarah. Et dès qu'on sort du cadre, l'humiliation, le mépris, le rabaissement guettent. Un homme ne peut pas comprendre ça parce qu'il ne le vit pas. Il n'a pas à se soucier de la remarque désobligeante sur son physique, de la blague sexiste qui va mettre son intelligence en doute, de la prise de parole qu'on lui refusera, ou tout simplement de cette impression permanente de devoir prouver sa compétence. Il est réellement libre, sans menace diffuse prête à surgir à tout moment, songea-t-elle encore.

Sarah mesurait à quel point cette enquête lui avait désormais rendu insupportable cet état de fait, qu'elle avait finalement un peu accepté pour ne pas vivre dans la colère permanente. Elle savait que plus jamais elle ne pourrait ignorer l'injustice dont elle et toutes les femmes étaient victimes depuis bien trop longtemps.

Ting !

Son téléphone lui indiqua qu'elle était à moins de cinquante mètres de sa destination et au même moment le ton du commentateur radio qu'elle écoutait depuis tout à l'heure s'envola.

— Mesdames et messieurs, le moment est historique, nous apercevons à l'instant les premières volutes d'une fumée qui s'échappe de la cheminée du Vatican ! Et… oui… c'est bien cela, sans hésitation… elle est blanche ! La fumée est blanche ! Le conclave a élu le nouveau souverain pontife !

Sarah contrôla la poussée d'adrénaline qui jaillit dans ses veines. Garder la tête froide. Ne pas se précipiter, se répéta-t-elle.

Un peu plus loin dans la ruelle désormais déserte, elle aperçut l'entrée de l'impasse qui conduisait à l'immeuble où l'assassin devait se trouver. Elle fit quelques pas de plus et son pied cogna dans un cadavre de bouteille de bière. Elle se figea. Une porte claqua dans la rue sans issue. Sarah se cacha au coin d'un mur.

— Ah ! quel moment ! Quel moment incroyable ! s'exclamait le journaliste dans son oreillette. Pour l'instant seuls les cent vingt cardinaux enfermés dans la chapelle Sixtine connaissent le nom du nouveau souverain pontife qui, dans quelques minutes, sera révélé au monde entier ! Ah ! quel suspense pour les deux milliards de catholiques dans le monde et tout le reste de la population mondiale ! Plus que quelques minutes de patience !

En jetant un coup d'œil, Sarah aperçut un homme se poster à l'entrée de l'impasse. Il ne ressemblait pas au tueur et, adossé contre le mur, il avait le regard rivé à son smartphone. Était-ce un simple citoyen qui sortait pour profiter en direct des cris de la foule ? Était-ce un complice du tueur qui montait la garde ? Dans les deux cas, Sarah n'avait pas le choix, elle devait passer devant lui. Avec, pour seules armes, sa vigilance et ses poings.

Au même moment, Stieg Anker, après avoir placé un des membres du réseau italien de son groupement à l'entrée du bâtiment, s'approcha de l'escalier menant à l'étage. Il avait attendu le tout dernier instant pour neutraliser les gardes qui surveillaient l'immeuble, afin que leurs camarades n'aient pas le temps de se rendre compte de leur disparition avant l'apparition du nouveau pape au balcon.

Dos au mur qui encadrait la porte d'entrée, il n'entendait aucun bruit. En passant discrètement un tout petit miroir fixé au bout d'un bras télescopique au coin du mur, il distingua un homme en treillis et armé au sommet de l'escalier. S'il entrait face à lui, il n'avait aucune chance. Et le bâtiment ne comportait aucune fenêtre, hormis celle du dernier étage par laquelle il allait tirer. Mais elle était bien trop haut pour qu'il puisse l'atteindre en escaladant.

Il déposa à ses pieds, en silence, la sacoche du fusil que des membres de sa cellule romaine lui avaient fourni et s'empara de la bombe lacrymogène qu'il avait également demandée.

Puis, comme s'il était un touriste égaré qui cherchait du réseau pour son téléphone, il passa devant l'entrée de l'escalier en tenant son portable à la main et s'engagea sur la première marche, la tête baissée vers son écran, le son de son appareil monté à fond. Le garde braqua son arme en contrebas en criant à l'intrus de déguerpir.

— *Andate !*

— *No capito, inglès...* répondit Stieg Anker en levant sa main avec son téléphone qui braillait les commentaires des journalistes.

Le militaire lui fit signe de s'en aller d'un revers de main agressif tandis que Stieg Anker vidait sa bombe lacrymogène en retenant sa respiration. Puis il quitta l'escalier en baragouinant en anglais que les Italiens étaient impolis. Il fit mine de s'éloigner et se cacha juste derrière la porte pour remettre sur son dos le sac contenant son fusil.

Et, à la seconde où il entendit le garde tousser, avant que ce dernier comprenne ce qui se passait et appelle du renfort, il fit irruption dans la cage d'escalier et monta les marches à toute allure, un couteau de combat dans la main. En moins de trois secondes, il enfonçait sa lame dans le ventre du militaire dont le regard était embué par les larmes et le corps secoué par la toux.

Stieg retint le cadavre pour éviter qu'il ne fasse du bruit en tombant et fonça droit devant lui en ouvrant la porte à la volée. Un policier qui montait la garde devant la fenêtre se retourna et eut le temps de dégainer. Stieg empoigna le canon de la main gauche pour détacher l'arme de la main de son adversaire et, de la main droite, il lui décocha une claque dans l'oreille.

Le policier désarmé et sonné, il lui asséna un coup de crosse au visage, le saisit par le col et l'envoya chuter dans l'escalier. On entendit plusieurs bruits d'impact et un craquement sinistre.

Satisfait, Stieg sortit le fusil de son sac, vissa l'embout silencieux, posa le canon sur un trépied face à la fenêtre grande ouverte, arma et se prépara à tirer, l'œil vissé au viseur.

55

Sarah réfléchit. Elle revint sur ses pas en silence, ramassa la bouteille de bière vide et la lança de toutes ses forces pour qu'elle retombe au-delà de l'homme qui se tenait à l'entrée de l'impasse. Pile à l'impact, ce dernier sursauta et se tourna vers l'origine du bruit. Sarah courut à toute vitesse dans sa direction. Il faisait volte-face en entendant des bruits de pas dans son dos quand Sarah fondit sur lui et lui frappa la gorge de la tranche de la main. La trachée écrasée, l'homme se saisit le cou en se pliant en deux, incapable de respirer et encore moins de parler. Elle se glissa derrière lui, lui entoura la gorge du bras gauche tandis qu'elle lui poussait la nuque en avant de la main droite. Au bout de cinq secondes, l'homme perdit connaissance et, tel un mannequin de chiffon, elle l'assit contre un mur de l'impasse en lui laissant son téléphone à la main. Elle le fouilla, mais ne trouva aucune arme sur lui.

Puis elle avisa les petits immeubles aux murs jaunes et inégaux et repéra le plus haut de tous. En silence, elle s'approcha de l'entrée qu'elle avait repérée, se plaqua sur le côté et poussa la porte du bout des doigts.

Un vif coup d'œil lui révéla un couloir étroit terminé par un escalier en bois. À son pied gisait une forme humaine inerte en tenue kaki clair des membres du groupe d'intervention spéciale italien. Elle prit son pouls, mais l'homme était mort.

Plus convaincue que jamais d'être au bon endroit, Sarah s'introduisit dans le passage et sentit sa gorge et ses yeux se mettre à piquer. Du gaz lacrymogène, comprit-elle en un instant. Retenant sa respiration, elle posa un pied prudent sur la première marche de l'escalier. Elle baissa le son de la radio dans son oreillette, mais continua à écouter les commentaires pour suivre précisément le déroulé de l'événement qui conditionnait l'intervention du tueur.

« Alors *Habemus papam* ? Avons-nous un pape ? Assurément. Mais qui est-il ? Nous allons le savoir dans quelques minutes… Pour le moment, un homme pleure. Car, dans une petite pièce de neuf mètres carrés attenante à la chapelle que l'on appelle "la chambre des larmes", l'usage veut que le nouveau pape puisse pendant un instant laisser libre cours à son émotion devant l'immensité de la responsabilité qu'il vient d'accepter d'endosser. »

Sarah développait ses pas avec la prudence d'un félin, s'immobilisant au moindre risque de grincement des séculaires marches en bois, quand elle aperçut une main juste au-dessus de sa tête. Le membre était immobile. Elle s'étira et découvrit le corps d'un homme en tenue de policier étendu sur les marches, la tête contre le sol. Au même moment, on entendit des gens chanter à tue-tête dans la rue et Sarah décida d'en profiter pour gagner quelques mètres plus rapidement.

Elle était désormais parvenue au palier et se tenait penchée, les mains en appui sur la dernière marche. Devant elle une seule porte fermée. D'un déplacement agile, elle s'approcha et positionna son iris dans l'axe de la serrure.

L'assassin était allongé devant la fenêtre, les jambes légèrement écartées pour assurer ses appuis. Et, calé contre son épaule, un long fusil de précision dont Sarah reconnut immédiatement le modèle décrit par Jakob. La pièce dans laquelle l'assassin se trouvait, juste en face de l'escalier, semblait petite. Elle y distingua cependant un bureau et une chaise.

« Oui ! Oui, c'est bien cela ! Nous voyons désormais des ombres se profiler devant le balcon de la basilique Saint-Pierre. La révélation du nouveau pape n'est plus qu'une question de secondes... J'aperçois nettement les contours d'une soutane blanche et voilà le nouveau souverain pontife qui apparaît ! Et l'on reçoit à l'instant son nom : il s'agit du cardinal Kleczinski ! Que l'on devra désormais appeler le pape Paul VII ! »

L'assassin cala son œil sur le viseur et coupa sa respiration. Sarah ouvrit la porte d'un coup de pied, et bondit sur le tueur pour lui asséner un coup de coude dans la nuque. Stieg Anker lâcha son arme, mais ne perdit pas connaissance. En frappant, Sarah avait senti toute la résistance de cette brute au cou si large qu'il lui serait impossible d'en faire le tour avec ses mains.

Le tueur roula sur le côté et se redressa en un mouvement. Le temps qu'il reconnaisse son adversaire, Sarah avait saisi la chaise du bureau et la lui jetait de toutes ses forces à la figure. Stieg Anker voulut faire barrage avec ses bras et bascula en arrière sous le choc de l'impact. Sarah se précipita sur lui et manqua de s'empaler sur le couteau que l'assassin venait de dégainer. Elle parvint à lui tordre le poignet pour détourner le coup, mais la force de son assaillant était telle que la lame entailla son plexus sur toute la longueur. Sarah roula à son tour en arrière, une douleur fulgurante lui cisaillant le haut de la poitrine. Affaiblie par sa blessure, elle se releva trop tard et Stieg Anker pivotait déjà derrière elle pour l'étrangler, en lui écrasant le cou et la nuque. Ses vertèbres allaient se briser sous la force du taureau qui cherchait à la tuer. Les mains libres, elle tenta de lui planter les doigts dans les yeux, de lui arracher les oreilles, mais le tueur bougeait la tête dans tous les sens et encaissait la douleur.

Sarah rassembla toutes ses forces avant de perdre connaissance et écrasa son talon sur les orteils de l'assassin. Il relâcha une demi-seconde. Et avec un enchaînement d'une rapidité redoutable, elle en profita pour se baisser, frapper du plat de la main vers l'arrière dans les parties génitales du tueur, dégagea sa tête de l'emprise du bras désormais sans force, asséna un coup de pied dans la rotule et termina d'un coup de genou dans la figure de l'assassin qui venait de s'affaisser. Sonné, il tituba, mais ne tomba pas.

Sarah avait puisé dans ses dernières forces et il était si résistant qu'il finirait par avoir le dessus. Elle plongea vers le fusil de précision, se retourna et fit feu au jugé au moment où le tueur se jetait à son tour sur elle. Muni d'un silencieux, le tir n'émit qu'un bruit furtif et Stieg Anker s'écroula sur elle, la trempant d'un mélange de sueur et de sang. Elle le repoussa avec force et tâta son pouls. Il battait, mais très lentement, et le sang continuait à couler abondamment de la blessure. Sarah jugea qu'il était incapable de bouger et qu'il allait mourir d'une minute à l'autre.

Essoufflée, les mains sur les genoux, elle toucha sa blessure. Cela faisait atrocement mal, mais l'entaille ne lui semblait pas alarmante. Aucune artère n'était touchée. Elle rebrancha son oreillette, qui s'était décrochée pendant le combat.

— Voilà le cardinal Kleczinski au balcon ! Ou plutôt le nouveau pape Paul VII ! s'écria le journaliste.

C'était maintenant que la révélation allait avoir lieu, songea Sarah.

D'un pas traînant, elle se posta devant la fenêtre, qui permettait effectivement d'apercevoir au loin le balcon de la basilique. Mais il lui était impossible de discerner précisément ce qui s'y passait. Elle s'allongea à son tour, ajusta le fusil contre son épaule et regarda dans le viseur.

La scène lui apparut en gros plan. Le nouveau pape, tout drapé de blanc et la tête couverte de la calotte blanche elle aussi, saluait la foule avec un sourire satisfait aux lèvres qui provoqua en Sarah une bouffée de mépris. Aux côtés du prélat, deux membres du clergé, vêtus d'une soutane noire cintrée d'un bandeau violet, se tenaient en retrait.

« Un vote on ne peut plus conservateur, expliquait un expert à la radio. Le cardinal Kleczinski est de nationalité polonaise. J'ai sa fiche sous les yeux, et il est dit qu'il est entré dans les ordres assez tard, vers une trentaine d'années. Au retour d'un voyage en Amérique latine où il aurait, semble-t-il, passé une dizaine d'années. Il s'est vite fait remarquer par une grande intelligence, mais surtout par ses actions et interventions très conservatrices, qui allaient souvent à l'encontre de la souplesse voulue par le pape François. Il est donc connu pour être une personne sévère, qui aime l'ordre et entend veiller à ce que celui installé par les Pères de l'Église perdure.

— Autrement dit ? interrogea le journaliste.

— Eh bien, ajouta un autre expert. Il ne faudra pas attendre de lui des réformes pour ouvrir l'Église. Au contraire, il est fort probable qu'il tienne à renforcer la communauté autour des principes anciens et traditionnels.

— Vous voulez dire, par exemple, qu'il ne sera pas en faveur d'un autre discours sur le divorce ou…

— … ou sur les femmes, tout simplement, intervint une voix féminine approuvée dans le fond par d'autres hommes. Pour être claire, le cardinal Kleczinski affiche nettement son refus de voir les femmes prendre plus de place dans l'Église, et pense même que cette dernière s'est bien trop féminisée et qu'il est temps que les hommes y retrouvent leur place. Comme elle fut jadis entre les mains des seuls fondateurs, saint Pierre, saint Jacques et saint Paul. »

Sarah bouillonnait en entendant ces propos. Comment les cardinaux avaient-ils pu choisir une telle régression en élisant cet homme-là ? Et pourtant, la foule de fidèles semblait en extase devant ce nouveau pape qui allait un peu plus asservir les femmes et les contraindre encore plus sous la domination masculine.

Mais où était Ludmila ? Quand allait-elle intervenir ? Quand allait-elle enfin rendre justice à la moitié de l'humanité, là devant les caméras du monde entier braquées sur ce balcon ? Quand ?! hurla Sarah de rage dans sa tête alors qu'une haine envahissante semblait lui brûler les sangs.

Elle s'assura que l'assassin était toujours à côté d'elle et se remit en position face à la fenêtre.

C'est alors qu'elle crut voir une forme féminine dans la lunette du viseur. Oui, derrière l'un des hauts rideaux de velours qui tombaient derrière le balcon, dans l'ombre, il y avait bien une femme. Une femme dont Sarah reconnut le visage tendu, aux aguets.

— Ludmila... murmura Sarah. Vas-y, c'est le moment...

Concentrée sur la jeune femme à la chevelure blonde, elle l'aperçut glisser sa main sous sa tunique.

— Oui... souffla Sarah. Fais-le... je veille. Rends-nous justice...

Sur le balcon, le nouveau pape levait les deux bras en signe d'apaisement. Il demandait le calme. Il allait prononcer ses tout premiers mots. Alors que les cris de la foule s'estompaient progressivement, la jeune femme blonde tenta de sortir de sa cachette en direction du pape.

L'œil collé sur la lentille de visée, Sarah retenait sa respiration lorsque soudain, deux bras saisirent la femme aux cheveux blonds et la tirèrent brutalement en arrière. Sarah l'aperçut contester à voix haute et le pape tourna même la tête vers elle. Mais la jeune femme disparut et sembla emmenée *manu militari* hors de portée du souverain pontife.

— Non, non ! lâcha Sarah. Pas ça !

Le souverain pontife sembla perturbé.

« Ah ! On dirait que quelque chose vient de se passer sur le balcon, expliqua le journaliste d'une voix inquiète. Une personne qui tentait de s'approcher du nouveau souverain pontife a été écartée. J'espère qu'il ne s'agit de rien de grave et que la situation est sous contrôle... ça a l'air. Le pape va enfin pouvoir s'exprimer. »

— Je n'ai... même pas eu besoin... d'intervenir. Elle n'a même pas réussi à tuer le pape...

Le tueur venait d'ânonner ces mots dans un souffle et Sarah comprit que le son de son oreillette était si fort qu'il avait dû entendre.

Elle était bouleversée, mais plus encore folle de colère. Non, ils ne pouvaient pas gagner une fois de plus. Pas après tous les efforts que Katrina, Ada et Ludmila avaient fournis pour éveiller le monde ! C'était impensable.

— Vous comprenez pourquoi... ce sont les hommes qui dirigent... inspectrice... parce que les femmes échouent dans tout ce qu'elles entreprennent de grand...

Sarah aurait voulu n'accorder que du mépris à ces paroles, mais elle ne parvint pas à contenir l'explosion de fureur qui éclata en elle. C'était trop. Elle avait tenu bon jusque-là parce qu'elle espérait que Ludmila accomplirait sa troisième révélation. Elle avait conservé son sang-froid et son professionnalisme parce qu'elle pensait que la justice serait au bout de son enquête.

— Il est trop tard... inspectrice... vous avez échoué... et nous avons gagné. La nature elle-même vous rappelle à la place qui sied à votre sexe...

Le venin de l'assassin se dilua dans le tourbillon des pensées de Sarah. Le poison rongea les remparts de sa raison, chassant la professionnelle inspectrice d'Oslo pour ne donner voix qu'à la colère qui n'avait cessé d'enfler depuis le début de cette enquête. Elle n'était bientôt plus qu'une femme à bout, revoyant tous ces hommes en soutane qui prônaient la bienveillance et l'amour tout en rejetant officiellement la moitié de l'humanité. Elle entendait résonner dans sa tête toutes ces messes où la condamnation d'Ève était martelée dans les cerveaux de tous, y compris des enfants, et son index se resserra lentement sur la gâchette du fusil.

Le fusil de précision calé devant l'épaule, elle pencha la tête sur le côté, plaça son œil devant la lunette, équilibra sa position en ajustant l'écart de ses jambes.

Elle avait le pouvoir de mettre un terme, au moins provisoire, à l'incessante oppression du pouvoir religieux sur les femmes. Le pouvoir de terminer la tâche que Ludmila ne semblait plus pouvoir mener à terme : éliminer ce pape qui allait faire encore un peu plus régresser la condition des femmes. D'ailleurs, plus que le pouvoir, n'en avait-elle pas la responsabilité ? Au nom de toutes les femmes ? Quitte à sacrifier sa vie ?

La gorge sèche, elle revit Christopher et ce qu'elle n'avait pas osé s'avouer jusqu'ici lui apparut dans toute sa cruelle vérité : il avait compris qu'une existence auprès d'elle ne serait jamais compatible avec la sécurité et la sérénité qu'il voulait offrir à Simon.

Les yeux voilés par des larmes qu'elle refoulait avec rage, Sarah menait l'effroyable combat contre le doute.

Elle coupa sa respiration. Son index frémit sur la gâchette.

Une clameur de terreur roula jusqu'à l'immeuble quand la tête du pape vola en éclats.

Le chaos déferlait sur la basilique Saint-Pierre. Des hurlements jaillirent de la foule agglutinée sur la grande place. La mer d'humains se déchaîna dans un mouvement de panique crevé par des éclairs d'effroi assourdissants. La centaine de membres de la sécurité fut débordée par le flot de femmes, d'hommes et d'enfants qui n'étaient plus qu'un grand corps affolé cherchant à fuir la place par n'importe quel moyen. Ce qui était quelques secondes auparavant une vague d'acclamations de joie s'était transformé en une hideuse bête de cris épouvantés.

Sur le balcon, la stupeur paralysa les ecclésiastiques qui entouraient le nouveau souverain pontife. À leurs pieds gisait le cadavre au crâne déchiré de celui qu'ils venaient d'introniser. La soutane et le visage couverts de sang, ils demeuraient dans un tel état d'hébétude que les membres de la sécurité durent les saisir pour les mettre à l'abri.

Dans la salle qui précédait le balcon, on ne comprenait pas bien ce qui venait de se passer. Personne ne pouvait croire que le pape venait d'être assassiné. D'autant que l'on n'avait pas entendu de coup de feu. Mais, en voyant les trois hommes maculés de sang qu'on venait d'extraire du balcon, la panique gagna les rangs. Les agents de protection du Vatican hurlaient des ordres de mise en retrait pour tout le monde tandis que d'autres communiquaient déjà avec leurs homologues en place dehors pour tenter de localiser le tireur.

— Je vous l'avais dit ! hurla soudain une femme.

C'était Sofia qui, dans la sidération générale, était parvenue à échapper à ses gardes.

— J'avais vu le reflet de la lunette du tireur et vous m'avez empêchée d'intervenir ! Vous l'avez tué ! Vous l'avez tué !

Elle courut vers le balcon, repoussa la tenture rouge qui en cachait l'entrée et se figea. Sourde à la folle ruée qui se déroulait sous ses pieds, elle s'agenouilla près du corps inerte et défiguré de son cardinal et posa une main tremblante sur ses cheveux poisseux de sang.

Elle se redressa et pointa le regard en direction de la lointaine tourelle où elle avait aperçu le suspect reflet, livide, des larmes roulant le long de ses joues.

– 57 –

Les parents de Sarah habitaient un beau pavillon à
l'ouest du centre-ville d'Oslo, dont l'entrée était précé-
dée d'une allée bordée d'érables de Norvège et d'une
vaste pelouse plantée de cerisiers. À cette heure, Simon
devait être rentré de l'école et Christopher s'impatientait de lire la joie sur le visage de son petit garçon.
Mais, avant de savourer ce moment, il devait se libérer
l'esprit.

Depuis qu'il avait laissé Sarah partir seule à l'aéroport, il ruminait une culpabilité mêlée d'angoisse.
Il s'exposait certes au danger en étant à côté d'elle
mais, au moins, il savait en permanence comment
elle allait et ce qui se passait. Désormais, il était renvoyé aux affres de l'inquiétude et de l'imagination
pessimiste.

Adossé à la palissade blanche du grand terrain, le
regard rivé à son téléphone, il suivait en direct l'image
du balcon de la basilique Saint-Pierre encore vide. Les
commentaires bruissaient d'une impatience communi-
cative lorsque, soudain, on aperçut trois silhouettes se
profiler dans le cadre de la loggia surplombant la place

Saint-Pierre saturée par une foule où certains croyants patientaient depuis plus de sept heures. Une ovation monta du public pour gagner une telle intensité que Christopher en eut la chair de poule.

Il souffla pour contenir sa fébrilité. Sarah était-elle parvenue à stopper l'assassin ? Était-elle en bonne santé ? Comment Ludmila allait-elle intervenir et annoncer la dernière et troisième révélation ? Christopher se laissa glisser à terre quand ses jambes se mirent à flancher d'appréhension.

Le visage du cardinal Kleczinski apparut en gros plan sur l'écran et les télés du monde entier. Avec une expression de triomphe et surtout d'incrédulité, jugea Christopher. Comme si cet homme ne parvenait pas à croire qu'il était bien là où il se trouvait.

Une attitude que Christopher n'avait jamais observée chez ses prédécesseurs, qui affichaient plutôt une forme de gravité et de noblesse. L'homme, vêtu de sa soutane blanche et de sa calotte tout aussi immaculée, salua la gigantesque assemblée, qui lui répondit par une vague déferlante de cris et d'applaudissements. On aperçut brièvement une silhouette s'avancer dans son dos, mais elle disparut presque aussitôt et le souverain pontife leva les deux mains en signe d'apaisement pour réclamer le silence.

Christopher retenait son souffle.

Et soudain, le choc.

La caméra elle-même demeura immobile, comme si le pape était encore dans le cadre, alors que sa tête, violemment projetée en arrière dans une gerbe de sang, venait de se séparer en deux. Tétanisé par ce dont il était témoin, Christopher entendit les cris de terreur jaillir de la foule qui cherchait à fuir dans une panique générale. Les membres de la sécurité surgirent de l'ombre et attirèrent vers eux les trois hommes d'Église qui se tenaient également sur le balcon.

Le commentateur de l'événement ne trouvait pas ses mots. Après avoir lâché un « mon Dieu ! », il était comme tout le monde muet de stupeur. On entendit même des cris éclater autour de lui dans le studio.

Forcé de reprendre l'antenne, il bafouilla quelques paroles décrivant une situation effroyable, peinant à croire lui-même ce qui venait de se passer et expliquant que le pape venait d'être victime d'un tir, a priori à la tête, et que la confusion la plus totale régnait au Vatican.

Blême, Christopher porta sa main à la bouche, d'abord incapable de penser, puis sentant monter en lui la peur terrible qu'il soit arrivé quelque chose à Sarah.

Il saisit son téléphone et enfreignit la consigne qu'il s'était donnée de ne pas l'appeler, au risque de la déranger. Il tomba immédiatement sur sa messagerie.

— Merde ! cria-t-il en se retenant de peu de jeter son téléphone par terre.

Plusieurs minutes s'écoulèrent alors que Christopher continuait de regarder la chaîne en direct, tout en zappant sur tous les sites d'information à la recherche du moindre renseignement sur ce qui se passait. Et, soudain, la voix du journaliste à l'antenne se fit blanche.

— Nous apprenons à l'instant que… le pape est décédé des suites de ses blessures, victime d'une balle à la tête, tirée, semble-t-il, d'une longue distance. Excusez-moi, mais j'ai comme vous du mal à le croire. Nous n'avons pour le moment aucune information sur les responsables de cet assassinat. Mais je le répète, le cardinal Kleczinski, qui venait de prendre la fonction de souverain pontife sous le nom de Paul VII, vient de mourir.

Christopher tenta de rappeler Sarah et tomba de nouveau sur son répondeur. Il joignit immédiatement le commissariat d'Oslo. On lui passa le directeur de Kripos, qui lui annonça qu'il n'avait aucune nouvelle de l'inspectrice Geringën et qu'il ignorait qu'elle se trouvait au Vatican. Quarante minutes de supplice s'écoulèrent dans un maelström de panique, d'incertitude.

C'est alors qu'à l'impensable succéda l'inouï. Sur l'écran de sa chaîne d'information en continu, une caméra au cadrage brinquebalant s'approchait à toute allure de membres des forces spéciales cagoulées qui sortaient d'un petit immeuble en escortant avec brutalité une personne à la tête baissée.

Christopher fut traversé par une lame glacée qui manqua de lui faire perdre connaissance. La chevelure rousse de Sarah tanguait de gauche à droite tandis que le commando la forçait à marcher au pas de charge pour rejoindre une camionnette blindée.

Soudain, un bandeau s'afficha en bas de l'écran : interpellation d'une suspecte qui aurait avoué le meurtre du pape.

Lorsque les membres de la force d'intervention spéciale la firent monter à l'arrière, on aperçut très brièvement le visage de Sarah avant que les portes d'acier ne claquent et que le véhicule militarisé ne démarre en trombe. Christopher n'y lut aucune peur, aucun affolement, mais ce qu'il vit le terrassa : l'expression de

Sarah n'était plus celle de la femme qu'il connaissait. À tel point qu'elle en était méconnaissable.

— Papa !

Foudroyé, Christopher n'entendit pas tout de suite la voix de son fils. L'effort qu'il dut fournir pour changer d'attitude en un mouvement de rotation lui coûta tant d'énergie qu'il sentit une nausée lui soulever le ventre à l'instant où Simon se jetait dans ses bras.

Il croyait qu'il allait vomir mais, par une magie qu'il ne s'expliqua pas, le contact si fort avec son enfant lui apporta un tel déferlement de bonheur que plus rien ne compta, ni ne l'affecta. D'où venaient ces liens irradiants de chaleur qu'il sentait presque s'enrouler autour de son corps et de celui de Simon ? Comment avait-il supporté d'en être si longtemps privé ?

— Mon chéri, je suis tellement heureux de te revoir ! dit-il alors que sa gorge se serrait plus qu'il ne l'aurait voulu.

— Bah !… s'exclama Simon en voyant Christopher tenter de dissimuler ses larmes sous un sourire.

Ils se regardèrent un instant et sans demander d'explication Simon serra Christopher dans ses bras.

— Je suis un peu fatigué, mon chéri, tu sais, et puis parfois on pleure aussi parce qu'on est hyper content.

Sans lâcher les épaules de celui qui était désormais devenu son papa, Simon recula pour regarder Christopher dans les yeux, avec un sourire qui n'était déjà plus celui d'un petit enfant à qui l'on peut mentir. Il pencha la tête sur le côté et déposa sa joue sur l'épaule de son père d'adoption.

— Et Sarah, elle rentre quand ? demanda-t-il d'une voix déçue.

Christopher redoutait la question, qui allait forcément arriver. Au fond, il ne rentrait à la maison que pour annoncer d'autres mauvaises nouvelles à son fils, à qui il avait promis une vie de famille sereine et heureuse. Il s'en voulut tellement de lui infliger tant de souffrances qu'il se surprit à en vouloir à Sarah. Agacé contre lui-même de céder à une telle faiblesse, il se ressaisit et rassembla son courage pour mentir une toute dernière fois à Simon.

— On ira la chercher ensemble... d'accord ?

Simon n'avait pas obtenu la réponse qu'il espérait, mais Christopher lui sut gré de ne pas insister.

Alors qu'il se redressait pour entrer dans la propriété, les parents de Sarah apparurent sur le perron de leur pavillon. La mère avait la main devant la bouche et pleurait. Le père l'enlaçait, le visage couleur de cendre. Tous deux fixaient Christopher comme s'il était le seul à pouvoir les délivrer d'une catastrophe.

Comme quelques personnes des services judiciaires à Rome, maître Rossi de Luca connaissait vaguement l'inspectrice Geringën par ses quelques apparitions dans les médias dans l'affaire dite du « patient 488 » puis, plus récemment, pour être à la tête de l'enquête sur l'assassinat de la Première ministre norvégienne, Katrina Hagebak.

Du peu qu'il avait vu d'elle, elle semblait être une femme froide, mesurée et professionnelle, tout l'opposé du portrait que l'on pouvait imaginer de celle qui était suspectée d'avoir assassiné le pape.

Commis d'office, maître Rossi de Luca n'en était pas moins impatient de rencontrer cette femme pour qu'elle l'aide à préparer sa défense en vue d'un procès qui serait surexposé médiatiquement.

Sous un ciel gris et une neige fondante qui glaçait l'air, il gara sa voiture sur le parking de la prison Regina-Coeli et marcha en direction de l'accueil.

Il poussa la lourde porte en bois à double battant de ce qui était jadis un couvent et déboucha sur une cour exiguë, cernée de murailles jaunes percées de fenêtres à barreaux et coiffées de barbelés. Sur les toits, des hommes armés de fusil patrouillaient et, dans les tourelles qui surplombaient le site, on apercevait les silhouettes immobiles de gardiens qui quadrillaient la prison du regard.

Maître Rossi de Luca ignora les panneaux de direction qu'il ne voyait même plus et suivit le chemin de béton menant au bloc D. Là où étaient enfermés les nouveaux détenus. Il était 9 h 55 et les visites réservées aux avocats débutaient dans cinq minutes. Il salua l'agent de l'accueil et se présenta enfin aux gardiens en poste devant le double sas de portes sécurisées.

Après avoir déposé ses effets personnels et conservé uniquement le dossier de sa cliente, il put entrer dans la cabine numéro trois de la salle des visites, où son rendez-vous avait déjà été installé.

Il avait traité de nombreuses affaires et par conséquent fait la rencontre d'un nombre important de délinquants et bien évidemment de criminels. Mais cette inspectrice jouissait d'une telle aura et le crime qu'elle était fortement suspectée d'avoir commis était si retentissant qu'il se sentit intimidé, presque illégitime pour la défendre. Il espérait seulement qu'elle accepterait au moins de lui parler. Et après une grande inspiration, il entra dans le parloir.

Le visage amaigri, les yeux cernés, mais la stature droite, Sarah patientait depuis près d'un quart d'heure dans cette pièce exiguë, avec dans son dos un gardien chargé de veiller à ce qu'elle ne tente pas de mettre fin à ses jours.

Elle entendait son souffle et pouvait presque suivre le fil de ses pensées aux cassures de rythme de ses inspirations et expirations. C'était une façon de donner à son cerveau une autre nourriture que celle de cet insupportable aller-retour qui hantait ses jours et ses nuits, entre la colère et la froide résignation.

Les bras croisés autour d'une pochette qu'elle tenait sur le ventre, elle vit entrer un homme d'une cinquantaine d'années, le visage un peu de travers, mais le regard franc.

Elle discerna cependant une certaine nervosité chez lui, notamment lorsqu'il lui tendit la main pour la saluer. Son bras suspendu dans le vide tremblait légèrement, d'autant que Sarah ne changea pas ses habitudes et ignora cette poignée de main civilisatrice afin de conserver toute son objectivité sur son interlocuteur.

Elle réajusta le col de sa tenue de prisonnière pour exposer le moins possible sa peau nue sous son tee-shirt noir strié de bandes blanches aux épaules. Malgré le confort de cette espèce de jogging, elle se sentait bien plus vulnérable que lorsqu'elle portait ses pulls à col haut.

— Bonjour madame Geringën, commença l'avocat en ramenant sa main vers lui.

Le gardien quitta la salle pour les laisser seuls.

— Je tenais pour commencer à vous dire que…

L'avocat allait lui faire part de sa fierté de la défendre, de tout ce qu'il avait vu d'elle dans les médias et se ravisa. Il avait retenu une chose en étudiant le dossier de cette femme : elle détestait les paroles inutiles et cherchait toujours à être le plus directe possible.

— Avez-vous tué le nouveau souverain pontife, Paul VII, anciennement cardinal Kleczinski ?

Répondre oui à la question semblait plus étrange à Sarah que le fait d'avoir appuyé sur la gâchette. Mais elle apprécia le style direct de l'avocat. D'autant qu'elle n'attendait rien de lui. Elle avait scellé son destin sept jours auparavant et il ne pourrait rien y faire. Son rapatriement à Oslo lui était d'ailleurs indifférent. Sa vie n'était plus qu'une succession de présents inutiles où le futur n'existait plus. Elle n'était pas triste. Elle n'était pas accablée. Elle avait basculé dans autre chose. Une autre existence, qu'elle était encore incapable de définir, mais où s'imposait une cruelle certitude : en l'espace d'un geste, elle avait enterré sa vie passée pour toujours. C'est en tout cas ce qu'elle s'efforçait de se marteler dans la tête à chaque seconde qui s'écoulait.

— Oui… et non.

Maître Rossi de Luca déglutit et hocha la tête un peu trop vite.

— Oui, ce que vous dites corrobore le témoignage du policier qui a vu ce qui s'était passé. Dites-moi si vous approuvez son récit.

Sarah attendit.

— Donc… reprit l'avocat en tâchant d'apparaître confiant, vous aviez la main sur le fusil et vous regardiez dans la lunette lorsque Stieg Anker s'est, semble-t-il, réveillé et a tenté de vous étrangler. C'est, toujours selon le témoignage du policier, à ce moment-là que le coup de fusil est parti. N'est-ce pas ?

Sarah approuva d'un battement de paupières.

— Bien… donc, vous ne vouliez pas tirer et c'est parce que Stieg Anker vous a agressée que le coup est parti, par accident ? C'est bien ça ?

Sarah regarda un instant par terre pour mieux réfléchir à ce qu'elle allait dire. Elle devait enfin répondre officiellement à cette question à laquelle elle cherchait une réponse depuis des jours. Oui, le coup était parti par accident. Mais son doigt n'aurait-il quand même pas enfoncé la gâchette si Stieg Anker ne l'avait pas attaquée ? Ne serait-elle pas allée jusqu'au bout de sa rageuse envie de mettre un terme au cycle interminable de la domination masculine sur les femmes ? Au fond, regrettait-elle la mort de ce pape misogyne ? La réponse était non. Seulement les conditions dans lesquelles elle était survenue.

L'avocat cligna des yeux, décontenancé par ce silence.

— Madame Geringën, vous confirmez cette version des faits ?

— Oui.

— Bien ! lâcha l'avocat soulagé. Très bien, très bien… répéta l'avocat en prenant des notes. Maintenant, j'ai une question sur l'homme contre lequel vous vous êtes battue et dont on a retrouvé aussi des empreintes sur le fusil de précision. D'après ce que l'on sait aujourd'hui, c'est un ancien militaire qui a servi comme interprète embarqué dans plusieurs expéditions en Afghanistan. Il était très entraîné physiquement, mais aussi… intellectuellement, puisqu'il enseignait l'anthropologie à l'université et avait publié plusieurs articles sur le fonctionnement des sociétés primitives.

Sarah ignorait la dimension savante de l'assassin, mais elle n'en était pas étonnée. Pour poursuivre une telle quête idéologique, l'esprit doit s'ancrer dans des certitudes. Soit religieuses, soit scientifiques.

— Cet homme est celui qui a assassiné Katrina Hagebak et Shafi Reinwasser, dit-elle finalement. Et c'est lui qui s'apprêtait à tuer la troisième associée de ces deux femmes.

— Vous avez des preuves ?

— J'ai remis l'intégralité de mon rapport au directeur de Kripos, répondit-elle en tendant à l'avocat la pochette qu'elle tenait collée à son ventre depuis le début de l'entretien.

— Bien... merci pour votre collaboration, madame Geringën. Avant d'aller plus loin avec vous sur les circonstances et les motivations de votre geste, j'ai le devoir de vous dire ce que vous risquez lors du procès...

Sarah savait, mais elle laissa l'avocat parler. Peut-être parce qu'elle avait besoin de l'entendre pour en prendre vraiment conscience.

— Selon notre législation, qui a abrogé la perpétuité en 1971, le système judiciaire ne condamne pas à plus de vingt et un ans de prison, dans une philosophie de réadaptation des criminels. Autrement dit, si la peine maximale était appliquée, vous pourriez ressortir de prison à soixante ans. Mais comme la thèse de l'accident sera retenue, vous serez très probablement relaxée.

Sarah ne put s'empêcher de s'imaginer vingt et un ans plus tard. Soixante ans. C'était le début de la vieillesse, dans sa tête. L'âge où l'on espère bientôt devenir grand-mère, à condition d'avoir eu des enfants...

Au moment où l'avocat allait parler, la porte du vestibule s'ouvrit derrière Sarah. Un gardien haut gradé entra.

— Désolé de vous interrompre maître, mais le directeur de Kripos tient à s'entretenir avec votre cliente.

— Son rendez-vous était prévu dans une heure ! contesta l'avocat.

— Oui, mais il semble qu'il ait des éléments très récents à communiquer rapidement à Mme Geringën.

— Bien, bien, je reste pendant l'entretien.

— Ce ne sera pas la peine. Le directeur n'exerce aucune responsabilité à charge dans cette enquête. Il tient à parler avec Mme Geringën seulement pour l'informer.

Maître Rossi de Luca soupira, ramassa ses affaires, salua Sarah en lui disant qu'il était dans la salle d'attente si elle avait besoin de lui et quitta le vestibule. Presque aussitôt, un homme de grande taille, chauve, en costume, entra. Sarah reconnut son supérieur hiérarchique et elle lut aussi sur son visage aux lèvres finement pincées qu'il était porteur d'une nouvelle qui n'allait pas lui plaire.

- 59 -

Henrik Wahlberg n'avait toujours rencontré Sarah
que pour la féliciter de ses enquêtes et lui dire combien
elle faisait la fierté de Kripos. C'était un homme dont
même Sarah n'était pas parvenue à percer les failles
et qui, en toutes circonstances, même les pires, affichait une attitude organisée, clairvoyante et réactive.
Un homme distant, certes, mais qui n'hésitait jamais
à descendre de son piédestal lorsqu'il s'agissait de
prendre la défense de n'importe quel membre de son
équipe face à la justice ou aux médias. Elle remarqua
pourtant qu'il hésitait à la regarder en face.

— Sarah, bonjour.

Elle hocha la tête en silence, mais sans animosité,
seulement pressée d'entendre qu'il ne pouvait rien faire
pour elle, qu'elle puisse retourner à la solitude de sa
cellule.

— Êtes-vous traitée correctement ?

— Oui. Largement.

— Bien. Je suis là pour plusieurs choses. D'abord,
vous transmettre les amitiés de la plupart des membres
de Kripos. J'ajoute à ces soutiens celui d'Ingrid Vick,

l'agent de Vardø avec qui vous avez, semble-t-il, efficacement progressé dans les débuts de votre enquête. Elle et Nikolaï Haug, le chef de la police de Vardø, ont appelé à plusieurs reprises au siège pour avoir de vos nouvelles et vous transmettre leurs pensées sincères.

Sarah fut surprise et touchée par cette démarche. Mais elle n'avait pas pour autant l'intention de voir cette discussion s'éterniser.

— Avez-vous lu mon rapport ?

Henrik Whalberg leva la main pour signifier qu'il avait presque oublié qu'il fallait être direct avec cette femme.

— Oui Sarah, je l'ai lu.

Il réajusta le nœud de sa cravate.

— C'est… enfin… je veux dire…

Pour un homme qui ne cherchait jamais ses mots et passait son temps à affronter l'urgence et la verve agile des politiques, cette hésitation trahissait un profond malaise.

— Le lien entre l'assassinat de notre Première ministre et les résultats de votre enquête sont… improbables… et brillants, s'empressa-t-il d'ajouter. Jamais personne d'autre que vous ne serait parvenu à démêler une telle conspiration et à déterrer d'aussi inavouables secrets de notre Histoire.

Il baissa les yeux, comme gêné. Sarah savait qu'il était sincère et que les révélations d'Etta et d'Ada l'avaient forcément bouleversé. Mais aurait-il le cran de s'attaquer à plus fort que lui ?

— Jens Berg… lança Sarah en le défiant du regard.

— … se sert du crime dont vous êtes accusée pour anéantir votre réputation et préparer sa contre-attaque à l'égard des accusations que vous portez contre lui et ses deux associés, Peter Gen et l'assassin de Katrina qui, je vous l'annonce, se nomme Stieg Anker. C'est un ancien membre de l'armée norvégienne chargée de patrouiller en Afghanistan. Au départ, il a été emmené comme interprète embarqué pour ses hautes compétences linguistiques. Il semblerait qu'il se soit pris de passion pour le métier de militaire et aurait donc ensuite suivi des formations avancées en combat armé et rapproché. Sa radicalisation antiféministe ne date pourtant pas de cette époque. On a retrouvé chez lui des pamphlets qu'il écrivait déjà à l'université...

— Et son lien avec Jens Berg et Peter Gen via leur association masculiniste ?

— Cela ne peut constituer une preuve accablante. Seulement une suspicion. Même si la suite de votre enquête démontre sa culpabilité, nous manquons, à ce stade, de preuve flagrante. Et, pour y parvenir, il faudrait qu'il soit mis en examen. Ce qui pour un ministre en activité de sa trempe va être compliqué...

— Vous abandonnez ? demanda Sarah en soutenant le regard du directeur.

— Non. Je n'ai pas choisi ce métier pour faire des concessions, et encore moins lorsque l'affaire est si grave. Je vais me battre de toutes mes forces, Sarah. Pour vous, pour toutes les femmes, pour le bien de notre monde et pour ma conscience. Mais vous devrez être patiente.

Sarah avait envie de le croire. Elle espérait que la vérité éclate au grand jour et que tout ce pour quoi Etta, Ada et Ludmila s'étaient battues toute leur vie ait une chance de faire évoluer la civilisation. D'ailleurs, une interrogation lui tournait dans la tête depuis plusieurs jours.

— Avez-vous pu identifier celle qui se faisait appeler Ludmila ?

Henrik Wahlhberg se mordilla le coin de la lèvre.

Sarah s'était rapprochée du directeur en posant ses avant-bras sur la table.

— Ludmila ? répéta-t-elle.

Le directeur de Kripos acquiesça en frottant l'arrière de son crâne dégarni. Il fouilla dans une chemise cartonnée et en ressortit une mince liasse de feuilles agrafées qu'il tendit à Sarah.

Quand elle lut la page de garde, son cœur se serra : « Rapport d'autopsie – Centre médico-légal de Rome ». Alors elle aussi était morte ? Jusqu'au bout, Sarah avait donc échoué à protéger ces trois femmes qui avaient dédié leur vie à ce combat salvateur ?

Sarah parcourut le rapport et ses mains se mirent immédiatement à trembler. Des glaçons coulèrent dans ses veines et sa cage thoracique étrangla ses poumons. Lorsqu'elle posa son regard affolé sur les dernières lignes, les feuilles glissèrent de ses doigts, le sang quitta son visage cadavérique, ses lèvres bleuirent et ses yeux écarquillés de terreur se cernèrent d'une carnation violacée. Sa main chercha à se retenir à la table, mais elle glissa comme un muscle mort, son corps s'avachit et Henrik Whalberg n'eut que le temps d'appeler à l'aide avant que Sarah ne s'effondre par terre dans un crissement de pieds de chaise.

À ses côtés, le rapport d'autopsie demeurait ouvert à la dernière page. On pouvait y lire le résumé du rapport d'autopsie sur le cardinal Kleczinski, appelé à devenir le pape Paul VII.

« La victime, nommée par l'état civil Adrian Kleczinski, soixante-quatre ans, est décédée des suites d'une perforation crânienne par balle qui a entraîné une hémorragie et un arrêt cardiaque.

Il est à noter que l'examen externe de la victime a révélé la présence de parties génitales féminines et d'un développement mammaire féminin de nature typique. L'examen interne a confirmé la présence d'un système ovarien et amène donc à la conclusion d'une nature sexuelle de type féminin de la victime et non masculin, comme l'apparence générale pouvait le laisser penser.

Par ailleurs, l'examen sanguin a détecté la présence d'hormones de type DHEA et de testostérone qui ont pu avoir un effet sur la gravité de la voix de la victime dans une perspective de masculinisation. Enfin, on remarquera la présence d'un tatouage de taille microscopique entre le petit orteil et le suivant du pied gauche où se devine le mot : Ludmila. »

60

Sarah ouvrit les yeux sur le mobilier en inox et les meubles blancs de l'infirmerie de la prison. Elle était allongée dans un lit, le directeur de Kripos assis dans un fauteuil à ses côtés.

— Vous avez perdu connaissance après avoir...

Sarah ferma les yeux et bloqua ses mâchoires avec une telle vigueur que Henrik Wahlberg comprit qu'elle ne voulait pas en entendre plus. Elle se mit d'ailleurs à respirer si fort qu'il crut qu'elle allait faire un autre malaise.

L'infirmière, qui avait entendu parler, approcha de la pièce attenante.

— Tenez, prenez ça, dit-elle en tendant à Sarah un cachet et un verre d'eau, ça va vous aider à faire baisser votre angoisse.

Sarah ne connaissait que trop bien ce médicament anxiolytique. Elle détourna la tête.

— Laissez-vous aider, ne serait-ce que pour quelques heures, lui murmura l'infirmière d'une voix douce. Ce n'est pas une faiblesse de savoir soulager sa douleur quand il n'y a pour le moment rien d'autre à faire. Je vous assure que je ne vous forcerai jamais à en prendre régulièrement si vous ne le souhaitez pas.

Sarah se savait dans un tel état de détresse qu'elle finit par avaler le cachet.

— Je suis désolé, dit le directeur de Kripos. Mais je me devais de vous annoncer la vérité avant qu'elle ne soit rendue publique.

La culpabilité dévorait Sarah avec tant de hargne que ses douleurs en devenaient physiques. Elle porta la main à sa tête, où la tige métallique d'un tournevis triturait le sommet de son crâne. Son ventre n'était qu'une marmite aigre et acide, sa gorge, une éponge boursouflée du vinaigre de l'angoisse. Comment pourrait-elle survivre à une telle faute ?

— Vous ne pouviez pas savoir que Ludmila était le nouveau pape élu, dit le directeur de Kripos. Personne ne pouvait le savoir. C'était là toute l'œuvre de sa vie : la dissimulation.

Sarah rejeta les draps de son lit et s'assit au bord en plongeant le visage dans ses mains. Ses cheveux roux glissèrent en cascade le long de ses bras.

— Adrian Kleczinski s'appelait en réalité Adriana Kleczinski. Son travestissement et sa volonté de s'afficher comme un homme remonteraient, selon nos premières informations, à 1979. C'est en tout cas ce que nous a expliqué son assistante et garde du corps, Sofia Kowiak, qu'elle connaissait depuis l'enfance. C'est elle.

Henrik Wahlberg présenta une photo de la jeune femme. Sarah releva la tête et ferma les yeux. Elle avait reconnu la femme qu'elle avait aperçue dans le viseur

536

de son fusil à l'arrière du balcon et qu'elle avait prise pour Ludmila sur le point d'intervenir.

— Sofia Kowiak était dévastée, mais elle a tenu à expliquer aux enquêteurs italiens les dessous de la nomination au statut de souverain pontife de celle qu'elle protégeait et révérait.

Sarah avala une goulée d'air en saccades et attendit que le directeur lui assène le coup fatal.

— Comme vous l'avez compris, Adriana Kleczinski faisait partie du cénacle des trois femmes que vous avez mis au jour. Il y a plus de vingt ans, Katrina Hagebak, Shafi Reinwasser et Adriana Kleczinski ont conclu un pacte : celui de dédier leur vie au combat pour l'égalité entre les femmes et les hommes. Sauf qu'elles ont décidé de s'y prendre en utilisant le pouvoir généralement réservé aux hommes. Elles ont donc consacré les trois quarts de leur existence à gravir les échelons de la société pour atteindre des postes la plupart du temps interdits aux femmes. Et une fois en place, après des années de renoncement et de patience, d'user simultanément de leur rayonnement pour prononcer trois grandes révélations que le monde entier serait forcé d'entendre.

Sarah repensait à son enquête, à tout le savoir, l'énergie, l'intelligence, le courage, l'abnégation, la persévérance et la loyauté que ces femmes avaient investis dans leur projet grandiose. Tout ce contre quoi elles s'étaient battues pour honorer leur pacte.

— Adriana Kleczinski savait pertinemment qu'une femme n'était pas autorisée à être élue pape, reprit Henrik Wahlberg. Elle a alors pris la décision de se travestir en homme et de devenir un prêtre exemplaire aux yeux de ses pairs, tout en se forgeant une réputation de dévot sévère, rigoureux, et même misogyne s'il le fallait pour mieux tromper ses homologues. Toute sa vie de prêtrise n'a été consacrée qu'à prouver sa formidable énergie, sa soumission totale à la tradition la plus conservatrice de l'Église et son dévouement absolu à la cause catholique. C'est ainsi que son zèle a été rapidement repéré par les autorités du Vatican, qui l'ont nommée cardinal sans que personne se rende compte jamais de la supercherie.

Le directeur de Kripos surveillait Sarah, inquiet de l'état de dévastation dans lequel elle était plongée, fixant le vide devant elle, aucune réaction ne se lisant sur son visage blême.

Sachant qu'elle voudrait connaître toute la vérité, ne serait-ce que pour avoir peut-être un jour les éléments pour se reconstruire, il termina le récit que Sofia Kowiak avait choisi de dévoiler à la police italienne.

— En devenant cardinal, Adrian s'est rapproché du pape en activité. Elle savait, pardon, *il* savait qu'il n'aurait aucune chance de remporter l'élection pontificale sans son soutien. Alors, sachant sa volonté de réformes et d'ouverture, Adrian a pris le risque de dévoiler son plan au souverain pontife : accomplir l'acte fou de changer les mentalités une bonne fois pour toutes en faisant élire une femme à la tête de l'Église catholique. Les discussions secrètes ont semble-t-il duré plus de deux ans, jusqu'à ce que le pape accepte et qu'ils mettent en place un plan à moyen terme. Le souverain pontife ferait tout pour agacer les cardinaux conservateurs majoritaires de la Curie romaine en promulguant des décrets assouplissant les positions de l'Église à l'égard du divorce, de l'avortement, des femmes… En parallèle, Adrian Kleczinski s'afficherait comme le porte-drapeau énergique et déterminé du conservatisme. Si tout se passait bien, les cardinaux tomberaient dans le piège et, lors de la renonciation du pape, qu'il prononcerait en invoquant de fausses raisons médicales, ils se précipiteraient pour élire un souverain pontife capable de remettre en ordre cette Église si dévoyée par le pape sortant. Et Adrian Kleczinski apparaîtrait comme le candidat idéal pour assumer une telle mission de redressement.

Plus les explications de Sofia avançaient, plus Sarah mesurait l'investissement titanesque de cette femme, et plus sa culpabilité se faisait furieuse et cruelle.

— En élisant Adrian, les cardinaux ne comprendraient leur erreur que trop tard. Car, une fois nommé, Adrian n'avait pas prévu de les attaquer frontalement en révélant sa féminité et sa volonté de réforme. Il savait qu'agir brutalement ne conduirait qu'à des blocages, des résistances qui finiraient par avoir raison de son projet humaniste. Au contraire, il userait subtilement de son autorité pour rendre l'Église plus proche du message de Jésus, dépouillant progressivement le Vatican de ses richesses absurdes afin de les transférer aux églises des villes et des villages. Et, bien évidemment, pour enfin ouvrir aux femmes les portes de l'Église et de la prêtrise. C'est seulement cette révolution accomplie qu'il dévoilerait sa véritable nature au monde entier, en espérant que la communauté catholique serait alors prête à accueillir une femme pape.

Henrik Whalberg baissa la voix avant de conclure.

— Voilà en substance ce que Sofia Kowiak a confessé. Nous procéderons bien évidemment à des vérifications, mais il semble que la presse soit déjà en train d'enquêter.

Un sourire sans joie se dessina sur les lèvres de Sarah. Les dernières paroles de Shafi Reinwasser prirent tout leur sens : « Ludmila... c'est elle qui a fait le plus grand sacrifice de nous trois... »

Le sacrifice de renier son corps et ses convictions de femme pour vivre comme un homme, songea Sarah. Et de vivre chaque jour dans la peur d'être démasquée. Nombre d'autres femmes avant elle avaient bien évidemment usé de ce stratagème du travestissement pour exister dans un monde dirigé par les hommes, mais jamais pour une telle durée ni un tel enjeu.

Alors qu'elle baissait la tête, à bout de forces, Sarah revit également le sourire de triomphe sur les lèvres d'Adrian Kleczinski quand il était apparu sur le balcon. Ce sourire qui l'avait tant agacée, et qu'elle avait pris pour de l'arrogance. Il n'était que celui d'une personne qui voit enfin son rêve aboutir. Un rêve qui devait changer la civilisation pour toujours.

Un rêve auquel elle avait mis fin. Sans le vouloir vraiment peut-être. Mais dont elle se tiendrait coupable toute sa vie.

— Vous ne pouviez pas savoir, Sarah, répéta de nouveau Henrik Whalberg.

Et ce furent les derniers mots que Sarah entendit avant que le puissant anxiolytique qu'elle avait avalé n'eût raison de sa conscience.

61

Sarah se réveilla en sursaut quand on cogna à la porte de sa cellule. Les yeux fixés à son plafond lézardé, elle reprenait contact avec la douloureuse réalité. Le puzzle cauchemardesque de sa vie se remit lentement en place et une nausée lui souleva l'estomac. Elle s'assit au bord du lit en se frottant le visage pour en chasser les résidus de sommeil. Combien de temps avait-elle dormi ? Quel jour était-on ? Quel sens donner à sa vie désormais ?

Les coups se firent plus pressants, le verrou claqua avec une agressivité métallique et la porte s'ouvrit.

Sarah reconnut l'infirmière de la prison. Elle était accompagnée d'un gardien de forte stature qui demeura en retrait.

— Comment vous sentez-vous, madame Geringën ?

— Quelle heure est-il ?

— 15 h 12 pour être précise.

— Quel jour ?

— Nous sommes vendredi… vous avez dormi deux jours d'affilée.

Le refuge du sommeil, pensa Sarah. Dormir sa vie pour ne pas la souffrir.

— Je veux être seule, lança-t-elle.

— Vous avez une visite. Christopher Clarence est là pour vous. Il est déjà venu hier, mais nous avons préféré vous laisser vous reposer. Souhaitez-vous que nous lui demandions de repasser une autre fois ?

De toutes les épreuves qui l'attendaient, Sarah savait que c'était celle qu'elle redoutait le plus.

— Non.

Elle se leva, se noua les cheveux derrière la tête avec un élastique qu'elle gardait au poignet et suivit le gardien qui l'accompagna au parloir.

Elle traversa le long couloir bordé de portes blindées d'où jaillissaient parfois un chant, une plainte ou même les commentaires lointains d'une station de radio. Après avoir franchi un sas de sécurité, le gardien la guida jusqu'à un étroit couloir ponctué d'une série de portes bleues munies de vitres sans tain. L'agent lui désigna celle qui portait le numéro quatre et attendit qu'elle entre.

Au-delà de la vitre qui la dissimulait au regard de son visiteur, Sarah aperçut Christopher assis sur une chaise, de l'autre côté d'une vitre en plexiglas. Il scrutait la porte bleue, guettant probablement son ouverture. Elle reconnut chacun de ses gestes de nervosité et d'inquiétude. Cette apparente maîtrise du visage qui ne voulait rien laisser paraître alors qu'il respirait trop vite. Ses gestes qui se voulaient lents alors qu'ils étaient seulement fébriles. Et ce regard où se lisait la peur et l'impuissance de pouvoir rien faire d'autre qu'attendre pour enfin parler à la femme de sa vie.

Sarah se pinça les lèvres et sentit son cœur se gonfler. Elle allait devoir être forte, très forte si elle l'aimait vraiment. Des fourmillements dans les bras et les jambes, la gorge saisie dans un étau, elle ouvrit la porte et entra.

Elle remarqua d'emblée la réaction choquée de Christopher quand il découvrit son visage amaigri. Il tenta de se contrôler, mais son visage avait parlé pour lui. Il la regarda comme si aucune vitre n'existait entre eux. Elle le laissa la toucher, la caresser, l'embrasser des yeux. Elle connaissait par cœur sa façon d'aimer et elle pouvait sentir sur sa peau chacun de ses baisers, chacun de ses effleurements ou de ses étreintes fulgurantes sur son corps qu'elle aimait tant mêler au sien.

Sa main, qu'elle dissimulait sous la table, trembla. Elle brûlait d'envie de frapper cette vitre jusqu'au sang pour la briser. Elle aurait voulu serrer Christopher dans ses bras, ne plus exercer ce métier aimantant la mort pour repartir avec lui et dévorer chaque seconde de la vie heureuse qu'elle aurait à ses côtés.

— Sarah… tu vas bientôt sortir. Ça va aller. Rien n'est ta faute. C'est Stieg Anker le seul, l'unique coupable. S'il ne t'avait pas agressée au dernier moment, la balle ne serait jamais partie ! Mais je te connais, je suis certain que tu te tiens pour responsable de tout ça.

Sarah se dispensa de répondre. Elle n'était pas là pour se justifier. Mais pour mettre un terme définitif et radical à une relation qu'elle conduisait sur la voie de la souffrance.

— Je n'aurais pas dû te laisser seule, dit Christopher. À deux, on aurait eu plus de chances de comprendre ce qui se passait vraiment avec Ludmila.

— Non Chris. Tu as fait le seul bon choix possible. Tu ne serais probablement pas là pour me parler si tu m'avais accompagnée.

Elle allait demander comment allait Simon. Elle l'aimait tellement. Sa petite bouille renfrognée de boudeur, ses grands yeux rieurs et curieux de tout lui manquaient. Tout comme ses câlins, et les confidences qu'il osait lui faire auxquelles elle aimait répondre par des mots de réconfort.

— Simon a voulu te dire quelque chose, déclara Christopher en tendant son téléphone.

Sarah reconnut la cuisine de la maison de ses parents. Le jeune garçon était en train de s'appliquer à mettre la table.

— Tu fais quoi ? demanda la voix de Christopher derrière le téléphone.

— Je mets la table pour toi, pour moi, pour grand-mère, grand-père et pour Sarah. Je sais qu'elle ne va pas rentrer tout de suite, mais comme ça quand elle rentrera, eh ben sa place sera prête et elle pourra dîner tout de suite !

Et, après avoir posé une petite cuillère devant l'assiette, il plia sur celle-ci une serviette à laquelle il donna une forme précise.

— C'est quoi ? demanda Christopher. On dirait… une chauve-souris.

— Mais non, arrête… je ne veux pas que tu filmes ça… c'est que pour Sarah et moi.

Et Sarah avait facilement deviné la forme de cœur que Simon essayait de former timidement avec sa serviette.

Quand Christopher coupa la vidéo, elle se surprit à arborer un sourire contemplatif. L'espace de quelques secondes, les murs de la prison, la pesanteur de la culpabilité et la peine de son cœur s'étaient évanouis. Elle baissa les yeux et fit un effort d'une intensité épuisante pour combattre les sentiments qui s'accrochaient à sa poitrine avec la force de l'évidence.

— Sarah, le procès risque de prendre un peu de temps et j'imagine qu'ils vont te garder en détention en attendant. Mais, s'il est besoin de le préciser, je t'attendrai le temps qu'il faudra. Tout le temps qu'il faudra.

Bouleversée, Sarah revit leur première rencontre dans cet amphithéâtre parisien où Christopher expliquait, avec une éloquence pleine d'humour et de science, les supercheries de l'astrologie à un parterre d'étudiants. Elle l'avait trouvé prétentieux, trop sûr de lui et de l'effet qu'il provoquait chez les jeunes étudiantes. Elle ne pouvait nier qu'il dégageait un certain charme, mais elle avait refoulé cette faiblesse. Et puis son enquête l'avait conduite à le revoir et à découvrir un homme à l'opposé de la superficialité qu'elle s'était imaginée. Il avait sacrifié sa vie de célibataire libre pour adopter le fils de son frère décédé et faisait tous les efforts du monde pour offrir une vie équilibrée et sereine à Simon, ce petit garçon qui n'avait déjà que trop souffert. Les épreuves qu'ils avaient ensuite traversées ensemble leur avaient démontré leur sens commun de l'engagement, du devoir. Chacun à sa façon avait été impressionné par le courage et la bienveillance de l'autre. Préoccupés par la traque qu'ils menaient pour retrouver Simon, ils s'étaient soutenus, sauvés et, une nuit, le désir s'était immiscé pour apaiser quelques instants la peur et l'angoisse. Au bout du chaos de leur course contre la montre, Christopher avait quitté son pays, son travail, ses amis pour partir vivre une nouvelle vie avec Sarah en Norvège. Ils avaient acheté cette superbe maison sur l'île de Grimsøya et Sarah lui avait confié qu'elle voulait faire un enfant avec lui.

Mais quand elle étudiait son comportement dans l'enquête qu'elle venait de mener, elle constatait avec amertume qu'elle était incapable de tenir ce rôle de maman et de prendre soin de son couple. Son jusqu'au-boutisme. Ses prises de risque. Son obsession pour trouver le coupable et l'arrêter au mépris de sa santé et de sa vie de famille prenait toujours le dessus sur tout le reste. Et elle sentait au plus profond d'elle que, quels que soient ses efforts, son métier serait toute sa vie prioritaire. Tout autre déclaration ne serait que mensonge à elle-même et à ceux qu'elle aimait.

Pourquoi ? Pourquoi était-elle incapable de décrocher ?

Peter Gen lui avait jeté à la figure qu'elle était dévorée par une étrange culpabilité pour trouver l'énergie de se battre avec tant de hargne dans ses enquêtes. Il n'avait pas tort. Mais d'où lui venait cette impression latente de devoir corriger une faute originelle ancrée en elle ?

Des larmes dans les yeux, elle détourna le regard.

— Christopher. Soyons honnêtes. Mon métier n'est pas compatible avec une vie de famille comme tu la rêves.

— Sarah, je dois juste m'habituer, mais tout va bien. Et puis tu as dit que tu allais un peu lever le pied et...

— Je ne pourrai pas tenir mes promesses. Ou seulement quelques mois avant que l'urgence ne reprenne

ses priorités. Il en sera ainsi tant que je travaillerai…
et je ne peux pas m'arrêter.

Christopher blêmit. Il ne voulait pas entendre cette
vérité.

— Sarah… qu'est-ce que tu es en train de me dire ?

Sarah leva la tête au plafond, comme si ce mouvement pouvait faire rentrer les larmes au fond de ses
yeux. Elle était incapable de parler.

— Sarah, commença Christopher, j'ai été contacté
par un reporter de *Morgenbladet*, le magazine où je
dois commencer à travailler. Il était en train d'enquêter sur toi et voulait savoir si tu avais bien fait ton
stage de réhabilitation post-traumatique après ton retour
d'Afghanistan.

Sarah se raidit.

— Il a rassemblé des preuves qui indiquent le
contraire. Notamment une photo de péage où l'on te
voit avec… avec un enfant sur le siège arrière.

Sarah s'immobilisa complètement.

— Un enfant qui ensuite… a été retrouvé mort, noyé.

Christopher termina sa phrase en plongeant son
regard dans celui de Sarah.

— Accepterais-tu qu'il te rencontre pour que tu lui
expliques la vérité sur ce qui s'est passé ? Cela évite-
rait qu'il ne publie un tissu de mensonges qui pourrait
influencer les juges lors de ton procès.

Sarah se glaça et même ses yeux semblèrent virer
au gris de givre. Elle enfonça ses ongles dans sa chair.

Christopher sentit un malaise le parcourir. Pourquoi
ne répondait-elle pas ?

— Chérie, je t'arrange le rendez-vous ?

— Non.

— Pourquoi ?

— Qu'est-ce que tu en sais ? répliqua-t-elle froidement.

Christopher demeura bouche bée.

— Après tout, qu'est-ce que tu connais de ma vie ? Juste ce que j'ai accepté de te montrer…

— Sarah… ne joue pas à ça.

Elle eut un sourire moqueur.

— Ne te crois pas plus intelligent que les autres.

Christopher fronça les sourcils. Jamais elle ne lui avait parlé de cette façon. Même dans les pires moments.

— N'essaie pas de me faire croire que tu as kidnappé cet enfant et que tu l'as… tué ?

Sarah ne répondit pas tout de suite.

— Sarah ! s'emporta Christopher. Arrête !

— Je te le répète une dernière fois Christopher. Tu ne sais rien de moi ni de ce que j'ai fait. Mais je n'ai pas toujours été celle que tu as connue. Et j'ai pour principe de ne renier aucun de mes choix surtout quand la fin justifie les moyens.

Christopher dut faire un effort pour parler.

— Tu mens.

— Aux autres peut-être, mais à toi jamais.

— Regarde-moi dans les yeux. Tu dis ça pour que je te quitte, pour que je te déteste. Mais ça ne marche pas, Sarah ! Je veux vivre avec toi et je sais que c'est ce que tu veux. Laisse-nous une chance d'être heureux. On va trouver une façon de fonctionner.

— Tu te trompes sur moi.

— Je sais que tu me mens.

Sarah n'était plus qu'un tremblement de terre humain. Dans l'ouragan de ses pensées, elle se demanda même si son cœur n'allait pas lâcher. Elle se leva et posa une main sur la poignée de la porte pour quitter le parloir.

— Sarah ! Réponds ! hurla Christopher. Regarde-moi dans les yeux, et ose me dire que tu as tué cet enfant !

Sarah fit volte-face, le visage défiguré par la colère et le dégoût.

— Oui.

Terrassé, Christopher ne bougeait plus.

Elle s'enfuit du vestibule sans même fermer la porte derrière elle. Le gardien la saisit par le bras alors qu'elle fonçait vers sa cellule. Elle se laissa maîtriser.

À peine la porte fermée, elle tomba à genoux, secouée de convulsions, les mains écrasées sur le visage jusqu'à ce que son corps se casse de sanglots et qu'elle s'affaisse au sol, recroquevillée, brisée.

– 62 –

Réunies dans la salle commune, les détenues avaient toutes délaissé leurs jeux de société et mis fin à leurs conversations lorsque la télévision avait diffusé une bande-annonce pour alerter les téléspectateurs qu'il ne leur restait plus que dix minutes avant le direct de la troisième révélation.

On entendit quelques murmures et la moitié des prisonnières se retournèrent pour chercher à voir celle qui demeurait dans l'ombre, au fond de la pièce.

Dans un coin, assise par terre à l'abri des éclairages, Sarah observait l'agitation autour d'elle d'un regard vide. Jusqu'à ce qu'elle remarque que des pensionnaires d'ordinaire indifférentes à l'actualité étaient en train de lire le journal avec acuité tandis que d'autres s'amusaient à brandir leur gobelet en plastique comme lors d'une célébration. Gobelets qui étaient presque tous décorés, de ce qui, de loin, ressemblait à un dessin fait à main levée.

— J'imagine que tu sais déjà ce qu'il y a dans le journal, mais bon… trinque avec nous.

Une des prisonnières aux cheveux blonds frisés, dont Sarah refusait de retenir le prénom, s'était approchée en lui tendant un verre en plastique et un journal froissé.

Sans quitter son coin d'ombre, Sarah fit tourner le gobelet dans sa main et reconnut immédiatement la forme maladroite qui y avait été dessinée : le logo de la marque Starbucks. Et elle comprit. Elle s'empara du journal et le déplia. En une, un titre captait toute l'attention : « La déesse mère est encore partout autour de nous : extrait inédit de la révélation de Katrina Hagebak. »

Sarah parcourut les premières lignes et reconnut la fin du discours de Katrina Hagebak, qu'elle avait lu alors qu'elle était encore au Liban, à Byblos. Dans l'avion qui les menait à Leipzig, Christopher n'avait pas eu le temps de le terminer et il avait probablement voulu s'y pencher sérieusement à son retour avant de le diffuser dans la presse.

— Je ne sais pas bien si t'as tué ou non ce pape, ou cette femme pape, bref, c'est ton affaire, commença la prisonnière à la chevelure blonde. Mais s'il se passe ce qui se passe en ce moment et qu'on peut lire des trucs comme ça, c'est quand même grâce à toi…

Sarah ne savait pas quoi répondre. Cette phrase la touchait autant qu'elle la détruisait.

La détenue, qui n'attendait aucune réaction, s'éloigna.

Sarah choisit de relire ce texte qu'elle connaissait presque par cœur. Espérant, sans se l'avouer, qu'elle y trouverait peut-être un peu d'apaisement. Ne serait-ce que le temps de la lecture.

« Dans les premiers temps de son existence, le christianisme a eu un mal fou à s'imposer. Notamment dans les couches modestes de la société, proches de la terre et plus à même de croire en une déesse assurant de bonnes récoltes qu'en un Dieu masculin bien loin de leurs préoccupations quotidiennes. Comment faire pour déraciner cette croyance que les hommes refusaient d'oublier ? La réponse fut celle de tout habile conquérant : quand on ne peut pas battre une idée, on la récupère et on la modifie pour qu'elle soit conforme à la nouvelle idéologie.

C'est ainsi que quatre cents ans après la mort de Jésus, celle que les Pères de l'Église s'évertuaient à ignorer et dont ils ne parlaient jamais fut soudain ressortie des cartons, si je puis dire, pour être mise en avant ! Et cette figure n'est autre que Marie. C'est ainsi qu'en 431 de notre ère, lors d'un concile resté célèbre, les Pères de l'Église primitive, avec une adresse remarquable, mythifièrent Marie en Vierge Marie. Ils fabriquaient ainsi un substitut féminin qui ne portait pas préjudice à leurs intérêts, puisque Marie restait soumise à l'autorité de son fils et de son père, mais qui en même temps comblait la nostalgie profonde d'une divinité féminine et maternelle.

Et pour ceux qui me taxeraient d'interprétation sauvage, savez-vous où ce concept de Vierge Marie a été décrété en 431 ? À Éphèse ! Oui, dans la capitale même de la plus influente et la plus connue déesse mère de l'Antiquité : Cybèle. Il me semble qu'on ne peut pas donner plus évidente preuve de récupération.

Par la suite, je ne vous apprends rien si je vous dis que la plupart des cathédrales ont été baptisées Notre-Dame, que la Vierge Marie, dont le concept fonctionnait à merveille auprès du peuple, n'a cessé de prendre de l'importance. En 1854, elle est déclarée Immaculée Conception, donc d'origine directement divine et, en 1950, avec le dogme de l'Assomption, Marie se voit offrir un aller simple vers le ciel à sa mort, comme son divin fils.

Mais la Vierge Marie est presque un exemple trop voyant. Laissez-moi vous donner d'autres exemples. Si je vous décris les attributs de la déesse grecque de la lune Hécate, à quelle statue célèbre pensez-vous ? Longue toge, bras levé brandissant une torche et couronne en épis... vous avez tous en tête la statue de la Liberté et vous avez raison, c'est l'exacte copie de l'ancienne déesse. Une fois encore, ce n'est pas un hasard, son créateur, le Français Bartholdi, appartenait à la franc-maçonnerie, qui se réclamait des anciens cultes à mystères de l'Antiquité. Mystères voulant dire, à l'époque, les cultes interdits aux hommes. Mais la déesse est aussi tous les jours dans votre poche si vous habitez en Europe, plus particulièrement en France. La semeuse que l'on trouve sur toutes les pièces en euro françaises n'est personne d'autre que la déesse grecque des moissons, Déméter. La Marianne au sein dévoilé, symbole de la République française, est évidemment la déesse mère nourricière du peuple. En Espagne, savez-vous sur quelle place les supporters de football du Real Madrid se réunissent pour fêter une victoire ? Sur la place de la fontaine de Cybèle, où trône la déesse de la fertilité sur un char tiré par deux lions apprivoisés. Là où le masculin se manifeste dans toute sa virilité, c'est la déesse mère qu'il remercie en lui passant l'écharpe du club autour du cou !

À propos de festivités, que vous rappellent ces évocations : le printemps est dans l'air, les parents ou le lapin, au choix, décorent des œufs de mille couleurs qu'ils iront ensuite cacher dans le jardin pour que les enfants s'amusent à les retrouver. Oui, il s'agit bien de la fête de Pâques. Fête célébrée par tous, y compris les catholiques, qui ignorent peut-être qu'ils commémorent l'une des plus anciennes cérémonies de la déesse mère. Car cette fête, dite païenne, expression employée dès lors qu'il s'agit de désigner le culte de l'ancienne déesse sans prononcer son nom, célébrait dans l'Antiquité le retour de la fertilité de la terre. Et ce de Babylone à l'Angleterre. Est-il besoin de rappeler que l'œuf est par définition le symbole même de la fertilité ? Mais pour les plus sceptiques d'entre nous, la preuve étymologique devrait achever de les convaincre. En anglais, Pâques se dit *Easter*, du nom de la déesse anglo-saxonne de la fertilité, appellation qui provient elle-même de la grande déesse Ishtar de Mésopotamie et que l'on prononçait d'ailleurs *easter* en langue sémitique.

Je vous laisse à votre tour chercher les exemples autour de vous. Je conclurai par celui qui me semble le plus anecdotique, mais aussi le plus intéressant parce qu'il appartient à notre culture moderne : le logo de la marque Starbucks. Cette femme aux seins nus recouverts par de longs cheveux qui tient ses deux queues de sirène entre les mains, c'est Mélusine. Une femme aux propriétés magiques qui se transformait en sirène ou en femme à queue de serpent lorsqu'elle se baignait. Dans tous les cas, cette fée plus ou moins maudite a jadis été révérée comme déesse des naissances et de la fertilité, aux époques celtique et romaine. Je ne sais pas si les créateurs de l'entreprise ont choisi cette image à dessein, mais il est intéressant de noter qu'elle partage certains des plus agréables moments de la journée de millions d'êtres humains.

Mesdames et messieurs, j'espère qu'au terme de cette exploration des souterrains de notre mémoire, votre vision du monde aura évolué. J'espère que vous aurez saisi à quel point le monde a jadis été renversé par un patriarcat guerrier, drame pour les femmes, et je le crains tragédie pour l'humanité entière. J'espère que vous verrez désormais avec plus de netteté l'empreinte d'une époque où les rapports entre les hommes et les femmes n'étaient pas faits de rivalité, mais de respect et d'égalité en droit. Du plus profond de mon être, je prie pour que vous n'oubliiez jamais qu'il fut un temps où le monde ne fonctionnait pas de façon aussi injuste et qu'il est donc possible qu'il fonctionne de nouveau sur un modèle d'égalité pour notre salut à toutes et à tous.

Et rappelez-vous cette phrase qui bientôt prendra tout son sens : *Etta la cité réveillera, Ada la science embrasera et Ludmila tous les réunira.* Merci. »

Sarah baissa la tête et referma le journal à l'instant où le générique du journal d'information résonnait dans les haut-parleurs de la télévision et où la salle commune s'animait d'une fébrile impatience.

Épilogue

Le présentateur de la première chaîne d'informations norvégienne prit l'antenne.

— Mesdames, messieurs. Trois mois après l'assassinat du pape Paul VII, l'inspectrice Sarah Geringën est toujours en détention à Rome dans l'attente de son procès qui devra dire si oui ou non elle a volontairement tiré sur le souverain pontife. Diabolique pour la plupart, héroïque pour d'autres, le comportement de l'inspectrice norvégienne soulève de nombreuses questions. Nous recevrons tout à l'heure en plateau un psychiatre qui a travaillé dans les services de police afin qu'il nous éclaire sur le comportement de cette femme, qui jusque-là était considérée comme la meilleure dans son domaine en Norvège.

Quelques détenues osèrent se retourner pour chercher du regard leur silencieuse camarade.

— Mais, au-delà du cas de la suspecte principale dans l'assassinat du pape, ce sont les révélations de son ex-compagnon, le journaliste Christopher Clarence, qui passionnent l'opinion publique depuis plusieurs semaines. Ses différentes interventions rencontrent un écho considérable à travers le monde entier. La première intervention, diffusée sur tous les réseaux nationaux du monde, a réuni un million et demi de Norvégiens, puis deux millions sept pour la seconde. Les Américains ont été trente-deux millions derrière leur poste de télé puis quarante-trois millions. Même formidable engouement en Grande-Bretagne, en Allemagne, en France, en Espagne, en Russie et même en Asie. En tout, on estime que ce sont près de deux milliards d'individus qui ont suivi ces révélations. Et, partout dans le monde, nous assistons à un nombre inédit de manifestations d'hommes et de femmes qui viennent réclamer des changements immédiats dans les lois et les comportements à l'égard des femmes. Ce soir, Christopher Clarence s'apprête à livrer la troisième et dernière révélation. Comme vous, nous n'en connaissons pas encore le contenu, mais gageons qu'après les deux premières annonces cette dernière sera tout aussi explosive. Bonne écoute et rendez-vous à la suite de l'intervention pour notre débat avec nos invités.

Le visage du présentateur laissa place à un logo animé « édition spéciale » qui s'effaça pour dévoiler un pupitre en plexiglas derrière lequel se tenait Christopher. Impeccable, en costume, le visage grave, il leva les yeux vers la caméra.

— Bonsoir à toutes et à tous. Avant de vous livrer la troisième révélation, je tenais à rappeler combien toutes ces vérités qui bouleversent aujourd'hui le monde n'ont été exhumées que grâce au courage, à l'intelligence et à la dévotion d'une femme : l'inspectrice Sarah Geringën.

Christopher baissa les yeux un instant et les releva, le regard scintillant.

— Elle a sacrifié sa vie et son bonheur à la cause qui nous permet aujourd'hui d'ouvrir les yeux sur une imposture millénaire et de corriger enfin une insupportable injustice que certains voudraient encore faire paraître naturelle.

Christopher décacheta une grande enveloppe et en sortit plusieurs feuillets qu'il déposa sur son pupitre.

— Comme vous le savez, trois femmes ont conclu il y a quelques années un pacte pour consacrer leur vie à rétablir l'égalité absolue entre les femmes et les hommes. Après la révélation de Katrina Hagebak, dite Etta, de Shafi Reinwasser, dite Ada, ce soir, vous allez entendre non pas la révélation d'Adriana Kleczinski, dite Ludmila, mais les réflexions et les convictions qui ont guidé son improbable parcours. Adriana Kleczinski n'envisageait pas de faire une révélation à l'image de ses deux consœurs, mais seulement de faire évoluer le clergé de l'intérieur jusqu'à ce qu'il ouvre enfin la prêtrise aux femmes. Son bras droit, Sofia Kowiak, m'a adressé les écrits personnels d'Adriana Kleczinski, qu'elle rassemblait en vue de la publication d'un ouvrage lorsque son but aurait été atteint. Je vais vous en livrer ici l'essentiel en vous prévenant que la plupart des propos vont vous surprendre et en choquer certains. À ce titre, je voulais remercier l'Église catholique, et plus généralement le christianisme contemporain, qui, malgré tous les reproches que l'on peut lui faire, est une des rares institutions à subir la critique ou la parodie avec tolérance. Une tolérance fondamentale qui me laisse croire que le christianisme est la croyance la plus proche de la voie de l'ouverture aux femmes.

Dans la salle commune, les détenues s'impatientèrent. Christopher semblait hésiter à prononcer les premières paroles écrites sur la feuille qu'il tenait devant lui. Il prit une grande inspiration et se lança.

— Jésus… ne croyait pas en Dieu.

Une clameur s'éleva dans la salle. Une détenue se leva en repoussant violemment sa chaise et quitta la pièce.

— Non, Jésus ne croyait pas en Dieu. Il croyait en l'humain. En sa capacité unique à faire ce qu'aucun être vivant n'est capable d'accomplir : faire évoluer sa nature profonde pour faire le Bien, en lui pour commencer et autour de lui pour continuer. Voilà le vrai, le seul message de Jésus. Tout ce qui fait référence à Dieu le Père, au royaume des cieux, aux anges ou à la résurrection ne sont que des ruses et des métaphores pour mieux faire passer ses idées auprès d'esprits étroits comme les nôtres qui ont ce besoin vital de croire en quelque chose d'autre qu'eux-mêmes pour guider leur vie. Toutes les paroles de Jésus en référence à Dieu, au Père, n'étaient qu'une habile façon de parler le même langage que ses contemporains juifs et de les amener à rejoindre progressivement son mouvement. S'il leur avait dit tout de suite ce qu'il pensait vraiment, à savoir qu'il n'y a pas de vie après la mort, que la résurrection n'est pas physique ou même spirituelle, mais qu'elle n'est que la nouvelle vie qui vous attend sur terre lorsque vous aurez compris comment être une bonne personne, personne ne l'aurait écouté ! Il a donc eu la subtilité d'utiliser le suprême désir de croyance de l'homme pour l'amener progressivement à s'en libérer au profit d'une philosophie humaniste :

aimez-vous les uns les autres. Autrement dit, faites au maximum preuve de tolérance, et de bienveillance à l'égard de vous-même et d'autrui. N'attendez pas d'un Dieu, d'un texte, d'une règle qu'ils vous disent qui être, comment l'être. Toutes les réponses sont déjà en vous. Il ne s'agit que de bon sens et d'effort sur soi-même. Ce qui bien évidemment s'avère bien plus difficile que de se conformer à la lettre à des principes écrits par d'autres.

Christopher marqua une pause pour mieux appréhender la suite de son texte.

— Malheureusement, ceux qui ont perpétué le message de Jésus après sa mort n'ont pas eu le même courage de défendre cet amour purement humain, sans autre promesse que celle de fournir un effort quotidien pour connaître le bonheur terrestre. Ils ont cédé à la tentation de la divinisation, que Jésus combattait, ils n'ont pu s'empêcher d'inventer la magique résurrection et de marteler l'absurde filiation avec un Dieu de l'Ancien Testament dont les préceptes étaient tout simplement à l'opposé même des paroles de Jésus.

Du fond de la salle, Sarah se tenait assise derrière une table, les mains croisées devant elle, le visage plongé dans l'ombre. Parfois, une nouvelle détenue jetait un œil pour déceler une émotion sur son visage, mais cela faisait bien longtemps que les anciennes avaient renoncé à deviner quoi que ce soit des pensées de cette femme.

— La filiation entre l'Ancien Testament et le message de Jésus trouve toute son aberration dans le comportement à l'égard des femmes, reprit Christopher. L'Ancien Testament n'est qu'une succession de règles misogynes, qui martèlent la suprématie masculine. Alors, certes, les douze apôtres, selon les évangiles canoniques, n'étaient que des hommes, mais tout au long de sa harassante tentative d'éveil du peuple de Judée et de Galilée, Jésus n'a cessé d'être entouré et de s'entourer de femmes ! Et nul besoin d'aller chercher dans les évangiles interdits ou cachés. La preuve est là, dans les quatre textes de Marc, Matthieu, Luc et Jean, que nous lisons depuis deux mille ans. En voici la preuve. Jésus parle aux femmes là où on lui demande de les ignorer. Évangile selon Jean : « Jésus parlait avec une femme. Sur quoi les disciples arrivèrent. Ils s'étonnaient que Jésus parlât avec une femme. » Oui, les hommes qui entourent Jésus s'étonnent qu'il puisse adresser la parole à cette sous-espèce humaine ! C'est encore une femme que Jésus désigne en exemple de l'application parfaite de son message dans l'évangile de Luc : « Jésus, levant les yeux, vit les riches qui mettaient leurs offrandes dans le tronc. Il vit aussi une veuve indigente qui y mettait deux petites pièces de monnaie, et il dit : "Je vous le dis, en vérité, cette pauvre veuve a mis plus que tous les autres. Car tous ceux-là ont donné de leur superflu en offrande à Dieu ; mais cette femme a donné de son indigence tout ce qu'elle avait pour vivre." » Jésus sauve les femmes là où on lui ordonne de les tuer, comme le montre cet épisode universellement connu : « Maître, lui dirent-ils. Cette femme a été prise en flagrant délit d'adultère. Dans la Loi, Moïse nous a prescrit de lapider ces femmes-là. Et toi, qu'en dis-tu ? Que celui qui n'a jamais péché lui jette la première pierre. Moi non plus, je ne te condamne pas. Va et ne pèche plus. » Jésus écoute les femmes, là où ses disciples lui demandent de les chasser, comme dans cette anecdote rapportée par Marc et Matthieu, lorsqu'une femme crie et implore Jésus de guérir sa fille tourmentée par un démon. Les apôtres lui disent « Renvoie-là, car elle nous poursuit de ses cris. » Ce à quoi Jésus répond : « Femme, ta foi est grande ! Qu'il t'arrive comme tu le veux. » Et sa fille fut guérie dès cette heure. Et enfin, dernier exemple de sa prise de position très claire dans la défense des femmes. « En vérité je vous le dis, les publicains et les prostituées vous devanceront dans le Royaume de Dieu. » Qui à cette époque aurait osé dire une chose pareille, à part un homme profondément opposé à l'injustice faite aux femmes ?! Mais pour lui, rien de plus normal puisque l'homme et la femme sont à égalité. Vous vérifierez par vous-même, mais il existe deux récits de la création d'Adam et Ève dans l'Ancien Testament. Et le premier récit, avant celui de la côte d'Adam, dit ceci « Dieu créa homme et femme. Homme et femme, il les créa. » Oui en même temps ! Et dans l'évangile selon Matthieu, quand Jésus fait référence à la création de l'homme et de la femme, il ne parle pas du passage où Ève sort de la côte d'Adam, mais du premier récit de la Genèse : « N'avez-vous pas lu que le Créateur, au commencement, les fit mâle et femelle [...] et que les deux ne feront qu'une seule chair. » Mais les Pères de l'Église ne veulent rien entendre et déclarent encore aujourd'hui : « Les femmes sont exclues du clergé parce que Notre Seigneur était un homme et parce que les douze apôtres qui l'entouraient étaient tous des hommes. »

Dans la salle commune, la plupart des détenues insultèrent les fameux Pères de l'Église.

— En fait, je pense que les Pères de l'Église font un grave contresens en attribuant aux hommes le pouvoir de l'Église sous prétexte que Jésus a choisi douze hommes comme apôtres. C'est même tout l'inverse qu'il faut comprendre. Car Jésus, tout au long de son ministère, n'a de cesse que de corriger les pensées de ses apôtres, de leur expliquer qu'ils se trompent dans leurs interprétations, qu'ils agissent mal, qu'ils n'écoutent pas son message, qu'ils font fausse route en prenant pour argent comptant ce qui ne sont que des métaphores. Et, pour conclure, Pierre le reniera, Judas le trahira, Thomas ne le croira pas. Tous les hommes qui entourent Jésus sont en réalité assez rustres, pas très malins, peu ouverts... contrairement à toutes les femmes qu'il croise et qui, elles, semblent profondément comprendre son message. Si Jésus s'est entouré de douze apôtres masculins, c'est parce que c'était eux qu'il fallait faire évoluer en priorité, c'était eux les plus mauvais élèves qu'il fallait sans cesse corriger, c'était eux les plus obtus, qu'il fallait sans cesse encourager à l'ouverture ! Oui, Jésus a choisi douze hommes parce qu'ils étaient plus mauvais que les femmes. Comme un maître surveille plus attentivement les mauvais élèves et les met au premier rang pour s'assurer qu'ils travaillent bien. C'est en les gardant près de lui que Jésus avait le plus de chances de rendre ces hommes meilleurs et de faire essaimer son message parmi la caste masculine. La seule qui avait besoin de changer ! Et la preuve cruciale, si je peux me permettre, de cette suprématie spirituelle des femmes sur les hommes se lit noir sur blanc dans les quatre évangiles. À qui Jésus décide-t-il d'apparaître en premier lors de sa « résurrection » ? À qui offre-t-il l'honneur d'aller annoncer la bonne nouvelle ? En toute logique, il aurait dû confier cette tâche si importante à l'un des douze apôtres ? Or, ceux qui ont écrit ces textes ne sont pas parvenus à effacer complètement ce qui devait être une partie trop connue du récit : à savoir l'apparition de Jésus en priorité à Marie-Madeleine lors de sa prétendue résurrection. C'est bien à elle qu'il se présente en premier, faisant d'elle la véritable dépositaire de sa parole. Il lui confie ce qu'il a de plus précieux : la responsabilité de poursuivre la diffusion de son message après sa mort. Même si la résurrection n'est qu'une invention, ce retour imaginaire de Jésus devant Marie-Madeleine prouve sans équivoque qu'elle devait avoir une place considérable dans les suiveurs de Jésus. Et que les rédacteurs des textes n'ont pas pu faire autrement que de lui rendre cette place centrale qui était la sienne. Elle qui était la seule disciple à avoir réellement compris le message de Jésus et à pouvoir perpétuer sa parole, maintenant au-delà de sa mort.

Christopher posa la paume de sa main sur la feuille qu'il venait de lire en prenant le temps de se concentrer. Puis il redressa la tête.

— Je ne suis pas croyant, mais je ne veux pas jeter la pierre à celles et ceux qui se reconnaissent dans la croyance chrétienne. D'autant qu'elle est la religion la mieux placée pour redonner aux femmes la place qui doit être la leur depuis des siècles : c'est-à-dire la même que celle des hommes. Alors pour une fois, je vais prier : je vais vous prier, chers camarades, d'accomplir le message originel de Jésus et d'autoriser enfin les femmes à être ordonnées prêtresses afin que le monde se porte mieux jusqu'à ce qu'un jour l'une d'entre elles devienne papesse.

Cette fois, le silence s'était installé dans la salle commune.

— Pour terminer, permettez-moi de citer une parole d'espoir.

Christopher déglutit. Il fixa une dernière fois la caméra et Sarah sut à son regard que c'était à elle et à elle seule qu'il s'adressait alors que le monde entier le regardait.

— À l'image de la chrétienté, la résurrection n'est pas tout entière dans le futur, elle est aussi en nous, elle commence, elle a déjà commencé.

L'image de Christopher s'effaça et le présentateur reprit l'antenne. Il n'avait plus l'apparente confiance et la vivacité qu'il affichait quelques minutes auparavant et ce fut presque pris au dépourvu qu'il tenta d'expliquer qu'ils allaient désormais revenir sur cette troisième et dernière révélation.

La télévision s'éteignit et deux surveillantes sonnèrent la fin de la pause. Les détenues se rangèrent en file indienne et avancèrent d'un pas résigné vers les blocs de détention.

Sans un bruit, Sarah se leva et émergea de l'ombre. Le crâne rasé, les yeux cernés et le visage émacié, elle entra dans le long couloir qui conduisait aux cellules. Elle approcha une main maladroite de sa joue diaphane et y essuya d'un revers de main cette larme qu'elle avait combattue de toutes ses forces.

Une à une, les prisonnières rentrèrent dans leurs geôles au son des bruits de portes que l'on claquait et verrouillait.

Les gardiens détournèrent le regard quand Sarah passa devant eux et se contentèrent de lui ouvrir sa cellule. Elle se dirigea vers son lit et s'y assit tandis que la porte de métal se refermait dans un claquement sourd.

Par-dessus le silence qui semblait bourdonner à ses oreilles, recroquevillée sur elle-même, le cœur au bord des lèvres, Sarah s'efforça de chasser la main tendue de Christopher au cours de son intervention télévisée. Elle gifla, griffa, frappa de toutes ses forces son rêve de vie heureuse, dans leur nouvelle maison sur cette île de nature, tous les trois, avec bientôt un bébé qui lui offrirait son premier sourire, son premier « maman » et qu'elle et Christopher applaudiraient comme deux enfants ravis lorsqu'il courrait des bras de l'un vers l'autre.

Il lui fallut plus d'une heure de tourment pour épuiser un peu ce fichu espoir. Et quand, enfin, il consentit à s'endormir pour quelques instants, une autre angoisse, plus profonde et plus intime prit la relève.

Sur le coup, elle avait espéré pouvoir les oublier mais les mots du présentateur résonnèrent de nouveau dans sa tête : « *Inspectrice Sarah Geringën, diabolique pour la plupart, héroïque pour d'autres.* » Si, un jour, elle avait cru entendre cette phrase pour la qualifier...

Elle se revit enfant, ignorant les moqueries des camarades qui la trouvaient prétentieuse quand elle s'improvisait justicière dans la cour de récréation. Elle se rappela sa fierté d'être plus morale et plus interventionniste que les autres. Elle avait fait de cette différence sa règle de conduite, dans la vie et notamment dans son métier. Oui, elle se croyait investie d'une mission de justice. Mais elle comprenait désormais que tout cela n'avait peut-être rien à voir avec sa volonté ou sa personnalité. Que toute cette détermination louée par ses pairs et par la presse depuis des années n'était en fait que la réponse à une culpabilité qui semblait ancrée en elle depuis toujours et qui ne disait pas son nom. Une culpabilité qui l'avait menée dans les zones grises de la morale, à un cheveu de commettre le pire : un assassinat. Si Stieg Anker ne l'avait pas agressée, aurait-elle tiré de son plein gré ? Depuis trois mois, elle se posait chaque jour cette question et, aujourd'hui encore, l'absence de réponse franche la tétanisait.

Éclairée par la lampe qui brillait au plafond, son ombre se dessina au sol. Engourdie par l'effroi, elle tourna en tremblant ses yeux rougis vers cette masse obscure et déformée : qui était-elle vraiment ?

Précisions et remerciements

Ce livre a été pensé et écrit trois ans avant l'affaire dite « Weinstein ». Sa sortie aujourd'hui n'est donc qu'une coïncidence et pas un seul mot n'a été changé pour « coller » à l'actualité. Une actualité qui porte d'ailleurs mal son nom puisque cette domination masculine sur l'humanité tout entière n'est pas conjoncturelle mais bien structurelle comme on le sait, et comme le précisent les révélations historiques exhumées par Sarah et Christopher au cours de leur enquête.

D'ailleurs, vous vous demandez peut-être quelle est la part de vérité et de fiction dans les trois révélations d'Etta, d'Ada et de Ludmila. Toutes les sources sont historiques, les interprétations sont en revanche le fait des personnages.

Pour celles et ceux qui souhaiteraient vérifier ces preuves historiques, ou approfondir leurs connaissances afin d'affûter leurs arguments, je vous conseille vivement la lecture des ouvrages suivants, dont certains sont méconnus bien que passionnants : *Histoire de la misogynie de l'Antiquité à nos jours*, d'Adeline Gargam et Bertrand Lançon, Arkhê ; *La France, les femmes et le pouvoir*, d'Éliane Viennot, Perrin ; *Sorcières ! Le sombre grimoire du féminin*, de Julie Proust-Tanguy, Moutons électriques ; *Fausse Route*, d'Élisabeth Badinter, Livre de Poche ; *Avant les dieux, la Mère universelle*, de Françoise Gange, Alphée ; *Jésus et les femmes*, de Françoise Gange, Alphée ; *La Bible, mythes et réalités*, de Guy Rachet, Le Rocher ; *L'Invention du monothéisme, aux origines du Dieu unique*, de Jean Soler, De Fallois ; *Naissance des divinités, naissance de l'agriculture*, de Jacques Cauvin, Biblis ; *Femmes de la Préhistoire*, de Claudine Cohen, Belin ; *La Grande Déesse*, de Jean Markale, Albin Michel ; *Le Sentier de la guerre*, de Jean Guilaine et Jean Zammit, Seuil ; *Did God have a wife ?*, de William G. Dever, Wm. B. Eerdmans Publishing Co ; *Indomptable. Le secret de l'âme masculine* (manifeste masculiniste), de John Eldredge, Farel ; et bien évidemment la Bible (Ancien et Nouveau Testaments) et le Coran.

Mais, au-delà des ouvrages, je remercie les universitaires, les archéologues, les généticiens qui ont pris le temps de répondre à mes questions avec précision, dont Matt Leivers, du bureau d'archéologie du Wessex, et Jörn Schuster, archéologue indépendant, qui ont tous deux travaillé sur le site de Cliffs End Farm ; Dorothée Drucker, du département de biogéologie de l'université allemande de Tübingen, et Philippe Esperança,
⟨ laboratoire de criminalistique de Marseille. Si des
⟨ ⟩rs ou des approximations scientifiques se sont

glissées dans le récit, c'est à moi et à moi seul qu'elles incombent.

En revanche, l'existence de ce livre ne revient pas à moi seul. À commencer par Bernard Fixot et Édith Leblond, dont l'immense confiance et l'enthousiasme me donnent des ailes, à Valérie Taillefer, Stéphanie Le Foll et Mélanie Rousset, des relations presse de XO, qui ont tout donné pour faire de mon précédent ouvrage, *Le Cri*, le succès qui m'a permis de me consacrer pleinement à l'écriture de celui-ci, à Renaud Leblond et Bruno Barbette, les génies des couvertures et quatrièmes de couverture, qui savent « donner envie », Catherine de Larouzière, qui aurait pu apprendre la patience à Bouddha, Marie Salles, qui œuvre pour que les histoires écrites prennent vie à l'écran, et enfin Caroline Sers pour avoir mis le doigt là où ça fait mal dans la dernière ligne droite des corrections.

À propos de dernière ligne droite, je ne vaudrais pas grand-chose sans ceux qui accompagnent et lancent le livre dans vos bras, chers lecteurs. Je veux parler des commerciaux, qui sillonnent la France pour faire partager leurs convictions aux libraires, et des libraires eux-mêmes, qui ont la passion de conseiller et vendre les livres qu'ils ont aimés. Je ne pourrais pas tous les remercier, mais j'adresse un clin d'œil tout particulier à Gérard Collard, Caroline Vallat, Antoine Mallet, Pépita Sonatine, Jérôme Toledano et Céline Ménard pour leur implication hors du commun.

Je n'oublie pas toute la communauté des bloggeurs, et notamment des bloggeuses, qui me font penser à un feu d'artifice d'émotions et de talents.

Plus intimement, je pense aussi à ma famille et à mes amis, qui m'accompagnent depuis les prémices de cette aventure littéraire avec une confiance et une bienveillance que je ne décrirai pas ici de peur de faire des jaloux. Seule entorse à cette pudeur, Olivier Pannequin, ami et relecteur des premières heures, mes deux filles, Eva et Juliette, qui sont ma plus grande fierté et mon intarissable source de bonheur, ainsi que Caroline Beuglet-Coiraton, qui au-delà d'être la toute première lectrice et brillante correctrice de chaque page que vous avez parcourue, est aussi ma femme, auprès de laquelle j'écris ma meilleure histoire d'amour.

Enfin, pour conclure, merci à vous du temps que vous avez accepté d'accorder à la lecture de cette histoire. En espérant vous avoir offert quelques heures de plaisante immortalité. Au plaisir de vous rencontrer.

Nicolas Beuglet
Boulogne-Billancourt, le 15 mars 2018.

Composition et mise en pages
Nord Compo à Villeneuve-d'Ascq

Imprimé en France par

MAURY IMPRIMEUR
à Malesherbes (Loiret)
en juin 2021

Visitez le plus grand musée de l'imprimerie d'Europe

POCKET - 92 avenue de France, 75013 PARIS

N° d'impression : 254558
S29122/08